血[illegible]&ジョッキー偏差値

2024-2025

~儲かる種牡馬・騎手ランキング~

伊吹雅也
IBUKI MASAYA

〈本文中のデータについて〉

●データの集計対象は"JRAの、平地競走のコース"において施行されたレースのみ、集計期間は2021年01月05日(2021年の1回中山&1回中京開幕日)から2023年12月28日(2023年の5回中山&5回阪神閉幕日)までの三年間としました。なお「血統偏差値ランキング」「ジョッキー偏差値ランキング」を収録したのは、2023年01月05日(2023年の1回中山&1回中京開幕日)から2023年12月28日(2023年の5回中山&5回阪神閉幕日)までの直近一年にレースが施行された"JRAの、平地競走のコース"のみです。

●前走成績に関連するデータは、地方ならびに外国所属の調教師が管理する馬、前走が地方ならびに外国の競走だった馬、前走が障害競走だった馬、前走が取消ならびに除外だった馬をすべて除いて集計しました。なお、前走成績に関連しないデータの場合は、これらの馬がマークした成績も含まれています。

●個別の種牡馬に関連するデータは、国外で誕生した産駒と国内で誕生した産駒を分けて集計しました。例えばマジェスティックウォリアー(Dream Supremeの2005)の場合、国外で誕生した産駒がマークした成績は「Majestic Warrior」産駒のものとして、国内で誕生した産駒がマークした成績は「マジェスティックウォリアー」産駒のものとして、それぞれ別に集計されています。

〈「要注目種牡馬」「要注目騎手」について〉

●当該コースにおいて「マストバイデータ」が存在する種牡馬・騎手、もしくは当該コースにおける「血統偏差値」「ジョッキー偏差値」が比較的高い種牡馬・騎手を「要注目種牡馬」「要注目騎手」としています。

〈「マストバイデータ」について〉

●当該コース(もしくは「適用可能」としたコース)の集計対象レースにおける成績が"3着内数12回以上、3着内率40.0%以上、かつ複勝回収率120%以上"であり、なおかつ集計期間中の直近一年における成績も"複勝回収率100%以上"だった種牡馬・騎手ならびに条件の組み合わせを「マストバイデータ」としています。

●「適用可能」としたコースが複数ある「マストバイデータ」は、以下の4条件をすべて満たしています。

①「適用可能」としたコースが同競馬場、かつ距離順で並べた際に隣接するコース(「芝限定/ダート限定ならば距離順で並べた際に隣接」「内回り限定/外回り限定ならば距離順で並べた際に隣接」というケースを含む)のみである
②「適用可能」としたコースを合算した集計対象レースにおける成績が"3着内数12回以上、かつ3着内率40.0%以上、かつ複勝回収率120%以上"である
③「適用可能」とした全コースの集計対象レースにおける成績が"複勝回収率100%以上"である
④「適用可能」とした全コースの集計期間中の直近一年における成績が"複勝回収率100%以上、もしくは該当例なし"である

〈「血統偏差値」「ジョッキー偏差値」について〉

●偏差値とは、サンプルとなる数値の平均値とばらつきを参考に、各数値が平均的な水準からどれだけ上下に離れているかを示した指標です。平均的な水準の数値であれば50となり、概ね25～75の範囲に収まります。

●「好走率偏差値」は、当該コースの集計対象レースにおいて規定数(＝集計対象レース数÷5。小数点以下第一位を切り上げ)以上の出走があった種牡馬・騎手のみを対象に、3着内率を偏差値化したものです。

●「回収率偏差値」は、当該コースの集計対象レースにおいて規定数(＝集計対象レース数÷5。小数点以下第一位を切り上げ)以上の出走があった種牡馬・騎手のみを対象に、複勝回収率を偏差値化したものです。

●「血統偏差値」「ジョッキー偏差値」は、各種牡馬・各騎手が記録した当該コースの集計対象レースにおける「好走率偏差値」「回収率偏差値」のうち、低い方の値です。好走率・回収率のどちらかが極端に低いケースはあまり予測に役立たないため、本書においてはこの「血統偏差値」「ジョッキー偏差値」を主要な評価対象としています。

●各コースのページには、当該コースの集計対象レースにおいて規定数(＝集計対象レース数÷5。小数点以下第一位を切り上げ)以上の出走があった種牡馬・騎手(2024年01月01日時点におけるJRA所属の現役騎手のみ)の中から、以下の優先順に従って最大15種牡馬・15騎手の成績を掲載しています。

①当該コースの集計対象レースにおける3着内数が多い
②当該コースの集計対象レースにおける「血統偏差値」「ジョッキー偏差値」が高い
③本書の集計対象全レースにおける出走数が多い
④五十音順で上位

本書は2023年3月28日にリリースした『血統＆ジョッキー偏差値2023-2024 〜儲かる種牡馬・騎手ランキング〜』（小社刊）の続編です。この『血統＆ジョッキー偏差値』というタイトルでリリースするのはまだ3回目ですが、同様のコンセプトで2014年春にリリースした単行本『本当に儲かる騎手データブック 馬券の勝ち組は騎手を野次らない』（小社刊）から数えると、本書はシリーズ16冊目。応援し続けてくださっている皆様のおかげで、今年も愛着があるプロジェクトの寿命を伸ばすことができました。既にいわゆる「馬券本」としては異例の長寿シリーズとなっていますが、今後もできるだけ大きく育てていければと思っています。

全体的な構成は昨年度版と同様。2023年にレースが施行されたJRA平地競走の全103コースを対象として、種牡馬ならびに騎手ごとの3着内率と複勝回収率を総合的に評価している「血統偏差値ランキング」「ジョッキー偏差値ランキング」や、ピンポイントで狙うべき種牡馬・騎手と諸条件の組み合わせである「マストバイデータ」を、競馬場および芝・ダごとに収録しました。

活用方法は至って簡単。「血統偏差値ランキング」「ジョッキー偏差値ランキング」は、当該コースで積極的に狙った方が良い種牡馬・騎手、すなわち好走率も回収率も優秀な種牡馬・騎手ほど上位に来るよう並べてありますから、あとは上から順に該当馬を高く評価するだけです。「マストバイデータ」に至っては、機械的に該当馬を探してひたすら買い続けるだけ。初めて当シリーズに触れたという方であっても、その趣旨や威力はすぐにご理解いただけるでしょう。

なお、2020年秋からの約2年半に渡る開催休止期間が終了したことを受け、今年度版は京都競馬場の各コースも収録対象としています。以前からご愛読いただいている方は、本書を手に取った時点でページ数が増えていることに気付いた方もいるかもしれませんね。リニューアル後の京都競馬場についてはまだ手探りの部分もありますが、十分な紙幅を割いて分析しましたので、積極的にご活用いただければ幸いです。

本書の制作中にも、血統やジョッキーに関する新たな事実、さらにはセオリーと異なるトレンドの変化を、いろいろと発見することができました。定期的に大規模な分析を行い、その成果を単行本という形で皆様にお届けするというのは、私自身にとっても重要なルーティンのひとつ。全方位的にメリットがある現在のスタイルを少しでも長く続けていけるよう、引き続き精進してまいります。

2024年3月吉日 伊吹雅也

写真／橋本健

予想したいレースが行われるコースのページを開いて、
偏差値ランキングをチェック。コースごとに種牡馬・騎手の適性分布がわかります。
「マストバイデータ」のあるコースは、
その好走条件に該当する馬を見逃さないようにしましょう。

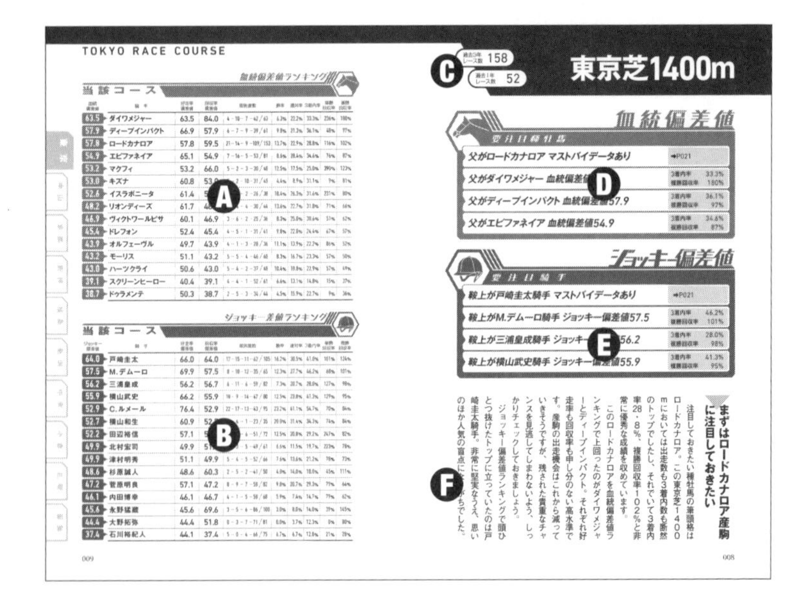

TOKYO RACE COURSE

血統偏差値ランキング

当該コース

血統偏差値	種牡馬	好走率偏差値	回収率偏差値	着別度数	勝率	連対率	3着内率	単勝回収率	複勝回収率
63.5	ダイワメジャー	63.5	84.0	4-10-7-42/63	6.3%	22.2%	33.3%	236%	180%
57.9	ディープインパクト	66.9	57.9	6-7-9-39/61	9.8%	21.3%	36.1%	48%	97%
57.8	ロードカナロア	57.8	59.5	21-14-9-109/153	13.7%	22.9%	28.8%	116%	102%
54.9	エピファネイア	65.1	54.9	7-16-5-53/81	8.6%	28.4%	34.6%	76%	87%
53.2	マクフィ	53.2	66.0	5-2-3-30/40	12.5%	17.5%	25.0%	390%	123%
53.0	キズナ	60.8	53.0	[illegible]-2-10-31/45	4.4%	8.9%	31.1%	9%	81%
52.6	イスラボニータ	61.4	[illegible]	[illegible]-2-26/38	18.4%	26.3%	31.6%	231%	80%
48.2	リオンディーズ	61.7	[illegible]	[illegible]-4-30/44	13.6%	22.7%	31.8%	71%	66%
46.9	ヴィクトワールピサ	60.1	46.9	3-6-2-25/36	8.3%	25.0%	30.6%	51%	62%
45.4	ドレフォン	52.4	45.4	4-5-1-31/41	9.8%	22.0%	24.4%	67%	57%
43.9	オルフェーヴル	49.7	43.9	4-1-3-28/36	11.1%	13.9%	22.2%	86%	52%
43.2	モーリス	51.1	43.2	5-5-4-46/60	8.3%	16.7%	23.3%	57%	50%
43.0	ハーツクライ	50.6	43.0	5-4-2-37/48	10.4%	18.8%	22.9%	57%	49%
39.1	スクリーンヒーロー	40.4	39.1	4-4-1-52/61	6.6%	13.1%	14.8%	15%	37%
38.7	ドゥラメンテ	50.3	38.7	2-5-3-34/44	4.5%	15.9%	22.7%	9%	36%

ジョッキー偏差値ランキング

当該コース

ジョッキー偏差値	騎手	好走率偏差値	回収率偏差値	着別度数	勝率	連対率	3着内率	単勝回収率	複勝回収率
64.0	戸崎圭太	66.0	64.0	17-15-11-62/105	16.2%	30.5%	41.0%	101%	124%
57.5	M.デムーロ	69.9	57.5	8-10-12-35/65	12.3%	27.7%	46.2%	68%	101%
56.2	三浦皇成	56.2	56.7	6-11-6-59/82	7.3%	20.7%	28.0%	127%	98%
55.9	横山武史	66.2	55.9	10-9-14-47/80	12.5%	23.8%	41.3%	129%	95%
52.9	C.ルメール	76.4	52.9	22-17-13-43/95	23.2%	41.1%	54.7%	70%	84%
52.7	横山和生	60.9	[illegible]	[illegible]-4-1-23/35	20.0%	31.4%	34.3%	74%	84%
52.2	田辺裕信	57.1	[illegible]	[illegible]-6-51/72	12.5%	20.8%	29.2%	247%	82%
49.9	北村宏司	49.9	[illegible]	[illegible]-5-49/61	6.6%	11.5%	19.7%	223%	78%
49.9	津村明秀	51.1	49.9	5-4-5-52/66	7.6%	13.6%	21.2%	78%	73%
48.6	杉原誠人	48.6	60.3	2-5-2-41/50	4.0%	14.0%	18.0%	45%	111%
47.2	菅原明良	57.1	47.2	8-9-7-58/82	9.8%	20.7%	29.3%	79%	64%
46.1	内田博幸	46.1	46.7	4-1-5-58/68	5.9%	7.4%	14.7%	79%	62%
45.6	永野猛蔵	45.6	69.6	3-5-6-86/100	3.0%	8.0%	14.0%	39%	145%
44.4	大野拓弥	44.4	51.8	0-3-7-71/81	0.0%	3.7%	12.3%	0%	80%
37.4	石川裕紀人	44.1	37.4	5-0-4-66/75	6.7%	6.7%	12.0%	21%	28%

009

過去3年レース数 158
過去1年レース数 52

東京芝1400m

血統偏差値

要注目種牡馬

- 父がロードカナロア マストバイデータあり ➡P021
- 父がダイワメジャー 血統偏差値 — 3着内率 33.3% 複勝回収率 180%
- 父がディープインパクト 血統偏差値57.9 — 3着内率 36.1% 複勝回収率 97%
- 父がエピファネイア 血統偏差値54.9 — 3着内率 34.6% 複勝回収率 87%

ジョッキー偏差値

要注目騎手

- 鞍上が戸崎圭太騎手 マストバイデータあり ➡P021
- 鞍上がM.デムーロ騎手 ジョッキー偏差値57.5 — 3着内率 46.2% 複勝回収率 101%
- 鞍上が三浦皇成騎手 ジョッキー56.2 — 3着内率 28.0% 複勝回収率 98%
- 鞍上が横山武史騎手 ジョッキー偏差値55.9 — 3着内率 41.3% 複勝回収率 95%

まずはロードカナロア産駒に注目しておきたい

注目しておきたい種牡馬の筆頭格はロードカナロア。この東京芝1400mにおいては出走数も3着内数も断然のトップでしたし、それでいて3着内率28・8%、複勝回収率102%と非常に優秀な成績を収めています。

このロードカナロアを血統偏差値ランキングで上回ったのがダイワメジャーとディープインパクト。それぞれ好走率も回収率も申し分のない高水準です。産駒の出走機会はこれから減っていきそうですが、残された貴重なチャンスを見逃してしまわないよう、しっかりチェックしておきましょう。

ジョッキー偏差値ランキングで頭ひとつ抜けたトップに立っていたのは戸崎圭太騎手。非常に堅実なうえ、思いのほか人気の盲点にちでした。

008

A 血統偏差値
B ジョッキー偏差値ランキング

規定数以上の出走があった種牡馬／騎手のうち、3着内数上位の15頭／15名（※その他コースは10頭／10名）について、集計期間中の各種成績と「好走率偏差値」「回収率偏差値」を収録。なお、掲載順は「血統偏差値／ジョッキー偏差値」（「好走率偏差値」「回収率偏差値」のうち低い方の値）が大きい順としています。

C 過去3年／1年レース数

過去3年／1年間に当該コースで施行された総レース数を示しています。

D 要注目種牡馬
E 要注目騎手

当該コースで注目すべき種牡馬／騎手をピックアップし、特に優秀な成績を収めていた条件や「マストバイデータ」の参照ページを収録しています。

F 解説

各コースの血統偏差値・ジョッキー偏差値ランキングについて、伊吹雅也による解説です。レースデータ分析から導いた、適性の高い種牡馬・騎手の狙い方や馬券購入におけるポイントなどを記しています。

データの見方 使い方

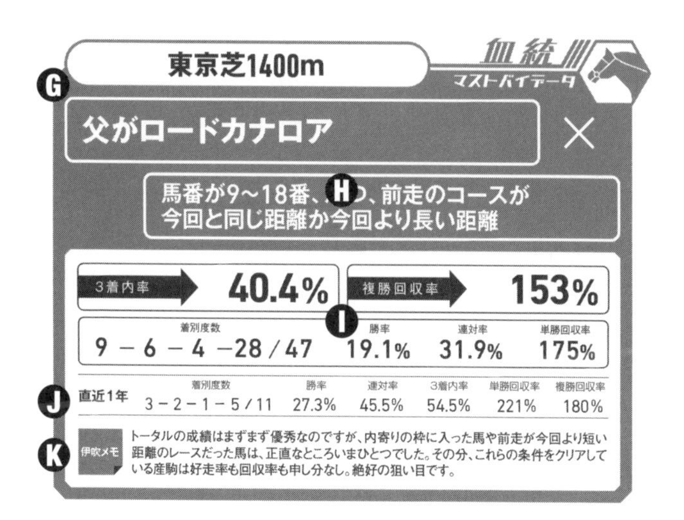

G 「マストバイデータ」適用可能コース

「マストバイデータ」の集計対象としたコース、すなわち当該「マストバイデータ」を適用することが可能なコースの一覧です。

H マストバイデータ

「マストバイデータ」の具体的な内容と、集計期間中の3着内率・複勝回収率です。上記の例ならば、「父がロードカナロア」「馬番が9～18番」「前走のコースが今回と同じ距離か今回より長い距離」という条件を全てクリアした馬が、「マストバイデータ」該当馬となります。

I マストバイデータ 総合成績

本書の集計期間（3年間）における「マストバイデータ」該当馬の総合成績です。

J マストバイデータ 直近1年成績

集計期間内の直近1年における「マストバイデータ」該当馬の成績です。こちらも水準以上であることが採用条件となっております。

K 伊吹メモ

伊吹雅也による解説です。「条件から多少外れていても狙って良さそう」「世間の評価が追いつく前の、妙味のあるうちに狙うべし」といった項目ごとの微妙な機微などを挙げています。

CONTENTS

東京競馬場
TOKYO RACE COURSE

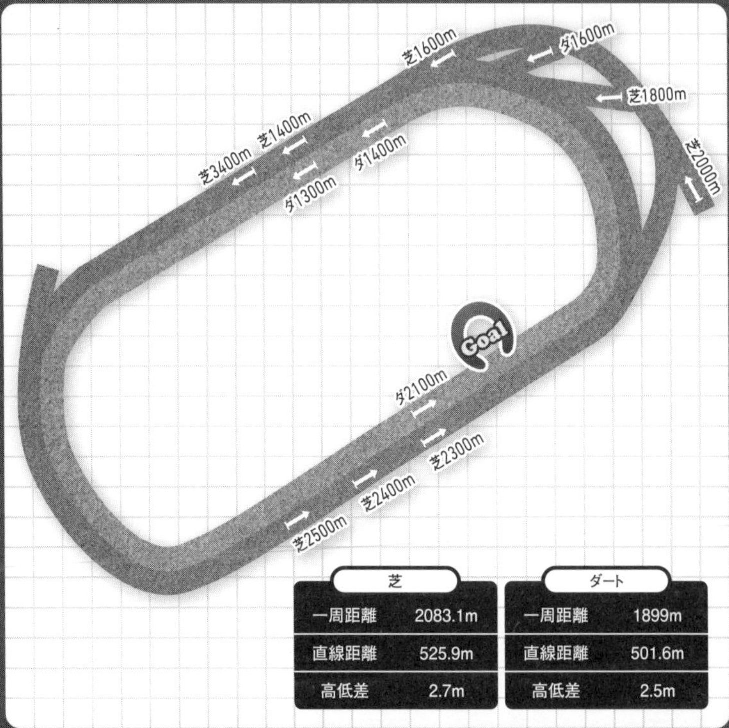

芝	
一周距離	2083.1m
直線距離	525.9m
高低差	2.7m

ダート	
一周距離	1899m
直線距離	501.6m
高低差	2.5m

過去3年
レース数 158

過去1年
レース数 52

東京芝1400m

血統偏差値

要注目種牡馬

父がロードカナロア マストバイデータあり	➡P021
父がダイワメジャー 血統偏差値63.5	3着内率 33.3% 複勝回収率 180%
父がディープインパクト 血統偏差値57.9	3着内率 36.1% 複勝回収率 97%
父がエピファネイア 血統偏差値54.9	3着内率 34.6% 複勝回収率 87%

ジョッキー偏差値

要注目騎手

鞍上が戸崎圭太騎手 マストバイデータあり	➡P021
鞍上がM.デムーロ騎手 ジョッキー偏差値57.5	3着内率 46.2% 複勝回収率 101%
鞍上が三浦皇成騎手 ジョッキー偏差値56.2	3着内率 28.0% 複勝回収率 98%
鞍上が横山武史騎手 ジョッキー偏差値55.9	3着内率 41.3% 複勝回収率 95%

まずはロードカナロア産駒に注目しておきたい

注目しておきたい種牡馬の筆頭格はロードカナロア。この東京芝1400mにおいては出走数も3着内数も断然のトップでしたし、それでいて3着内率28・8％、複勝回収率102％と非常に優秀な成績を収めています。

このロードカナロアを血統偏差値ランキングで上回ったのがダイワメジャーとディープインパクト。それぞれ好走率も回収率も申し分のない高水準です。産駒の出走機会はこれから減っていきそうですが、残された貴重なチャンスを見逃してしまわないよう、しっかりチェックしておきましょう。

ジョッキー偏差値ランキングで頭ひとつ抜けたトップに立っていたのは戸崎圭太騎手。非常に堅実なうえ、思いのほか人気の盲点になりがちでした。

血統偏差値ランキング

当該コース

血統偏差値	騎手	好走率偏差値	回収率偏差値	着別度数	勝率	連対率	3着内率	単勝回収率	複勝回収率
63.5	ダイワメジャー	63.5	84.0	4－10－7－42／63	6.3%	22.2%	33.3%	236%	180%
57.9	ディープインパクト	66.9	57.9	6－7－9－39／61	9.8%	21.3%	36.1%	48%	97%
57.8	ロードカナロア	57.8	59.5	21－14－9－109／153	13.7%	22.9%	28.8%	116%	102%
54.9	エピファネイア	65.1	54.9	7－16－5－53／81	8.6%	28.4%	34.6%	76%	87%
53.2	マクフィ	53.2	66.0	5－2－3－30／40	12.5%	17.5%	25.0%	390%	123%
53.0	キズナ	60.8	53.0	2－2－10－31／45	4.4%	8.9%	31.1%	9%	81%
52.6	イスラボニータ	61.4	52.6	7－3－2－26／38	18.4%	26.3%	31.6%	231%	80%
48.2	リオンディーズ	61.7	48.2	6－4－4－30／44	13.6%	22.7%	31.8%	71%	66%
46.9	ヴィクトワールピサ	60.1	46.9	3－6－2－25／36	8.3%	25.0%	30.6%	51%	62%
45.4	ドレフォン	52.4	45.4	4－5－1－31／41	9.8%	22.0%	24.4%	67%	57%
43.9	オルフェーヴル	49.7	43.9	4－1－3－28／36	11.1%	13.9%	22.2%	86%	52%
43.2	モーリス	51.1	43.2	5－5－4－46／60	8.3%	16.7%	23.3%	57%	50%
43.0	ハーツクライ	50.6	43.0	5－4－2－37／48	10.4%	18.8%	22.9%	57%	49%
39.1	スクリーンヒーロー	40.4	39.1	4－4－1－52／61	6.6%	13.1%	14.8%	15%	37%
38.7	ドゥラメンテ	50.3	38.7	2－5－3－34／44	4.5%	15.9%	22.7%	9%	36%

ジョッキー偏差値ランキング

当該コース

ジョッキー偏差値	騎手	好走率偏差値	回収率偏差値	着別度数	勝率	連対率	3着内率	単勝回収率	複勝回収率
64.0	戸崎圭太	66.0	64.0	17－15－11－62／105	16.2%	30.5%	41.0%	101%	124%
57.5	M.デムーロ	69.9	57.5	8－10－12－35／65	12.3%	27.7%	46.2%	68%	101%
56.2	三浦皇成	56.2	56.7	6－11－6－59／82	7.3%	20.7%	28.0%	127%	98%
55.9	横山武史	66.2	55.9	10－9－14－47／80	12.5%	23.8%	41.3%	129%	95%
52.9	C.ルメール	76.4	52.9	22－17－13－43／95	23.2%	41.1%	54.7%	70%	84%
52.7	横山和生	60.9	52.7	7－4－1－23／35	20.0%	31.4%	34.3%	74%	84%
52.2	田辺裕信	57.1	52.2	9－6－6－51／72	12.5%	20.8%	29.2%	247%	82%
49.9	北村宏司	49.9	51.1	4－3－5－49／61	6.6%	11.5%	19.7%	223%	78%
49.9	津村明秀	51.1	49.9	5－4－5－52／66	7.6%	13.6%	21.2%	78%	73%
48.6	杉原誠人	48.6	60.3	2－5－2－41／50	4.0%	14.0%	18.0%	45%	111%
47.2	菅原明良	57.1	47.2	8－9－7－58／82	9.8%	20.7%	29.3%	79%	64%
46.1	内田博幸	46.1	46.7	4－1－5－58／68	5.9%	7.4%	14.7%	79%	62%
45.6	永野猛蔵	45.6	69.6	3－5－6－86／100	3.0%	8.0%	14.0%	39%	145%
44.4	大野拓弥	44.4	51.8	0－3－7－71／81	0.0%	3.7%	12.3%	0%	80%
37.4	石川裕紀人	44.1	37.4	5－0－4－66／75	6.7%	6.7%	12.0%	21%	28%

過去3年レース数 214
過去1年レース数 72

東京芝1600m

血統偏差値

要注目種牡馬

	3着内率	複勝回収率
父がスクリーンヒーロー マストバイデータあり	➡P022	
父がハービンジャー 血統偏差値59.4	34.3%	102%
父がハーツクライ 血統偏差値55.7	34.5%	74%
父がキタサンブラック 血統偏差値55.1	38.3%	73%

ジョッキー偏差値

要注目騎手

	3着内率	複勝回収率
鞍上が田辺裕信騎手 ジョッキー偏差値59.8	36.1%	110%
鞍上がC.ルメール騎手 ジョッキー偏差値57.7	64.1%	89%
鞍上が川田将雅騎手 ジョッキー偏差値54.6	46.6%	80%
鞍上が戸崎圭太騎手 ジョッキー偏差値54.0	37.3%	78%

川田将雅騎手やC・ルメール騎手は信頼していい

血統偏差値ランキング首位のハービンジャーは、集計期間中の3着内数（23回）も単独7位。23年にはナミュールが富士Sを、チェルヴィニアがアルテミスSを制していますし、条件クラスのレースで穴をあけた例も少なくありません。このコース向きというイメージを持っている方はまだそれほど多くないと思うので、今後も引き続きマークしておきましょう。

ジョッキー偏差値ランキングのトップは、集計期間中の複勝回収率が110％に達していた田辺裕信騎手。ただし、川田将雅騎手やC・ルメール騎手といった注目を集めがちなトップジョッキーも、他の主要な騎手と比べれば複勝回収率はやや高めでしたから、無理に逆らう必要はなさそうです。

血統偏差値ランキング

当該コース

血統偏差値	騎手	好走率偏差値	回収率偏差値	着別度数	勝率	連対率	3着内率	単勝回収率	複勝回収率
59.4	ハービンジャー	59.4	67.6	7－10－6－44／67	10.4%	25.4%	34.3%	35%	102%
55.7	ハーツクライ	59.6	55.7	7－11－11－55／84	8.3%	21.4%	34.5%	57%	74%
55.1	キタサンブラック	64.0	55.1	9－6－3－29／47	19.1%	31.9%	38.3%	80%	73%
54.6	エピファネイア	55.1	54.6	17－10－8－79／114	14.9%	23.7%	30.7%	102%	72%
54.2	イスラボニータ	58.2	54.2	6－9－4－38／57	10.5%	26.3%	33.3%	90%	71%
54.0	スクリーンヒーロー	54.0	74.1	6－8－8－52／74	8.1%	18.9%	29.7%	44%	117%
52.5	ロードカナロア	56.8	52.5	19－21－15－116／171	11.1%	23.4%	32.2%	69%	67%
48.7	ディープインパクト	52.3	48.7	24－11－10－114／159	15.1%	22.0%	28.3%	97%	58%
48.4	モーリス	53.3	48.4	11－11－13－85／120	9.2%	18.3%	29.2%	42%	57%
48.1	キングカメハメハ	49.0	48.1	6－5－4－44／59	10.2%	18.6%	25.4%	32%	57%
47.7	ドゥラメンテ	57.1	47.7	14－9－10－69／102	13.7%	22.5%	32.4%	72%	56%
47.0	キズナ	53.3	47.0	7－10－4－51／72	9.7%	23.6%	29.2%	53%	54%
46.4	リアルインパクト	46.4	50.2	4－2－4－33／43	9.3%	14.0%	23.3%	65%	62%
46.0	ダイワメジャー	46.0	46.5	6－5－8－64／83	7.2%	13.3%	22.9%	22%	53%
43.4	ルーラーシップ	43.4	46.1	6－5－7－69／87	6.9%	12.6%	20.7%	62%	52%

ジョッキー偏差値ランキング

当該コース

ジョッキー偏差値	騎手	好走率偏差値	回収率偏差値	着別度数	勝率	連対率	3着内率	単勝回収率	複勝回収率
59.8	田辺裕信	59.8	64.7	11－9－15－62／97	11.3%	20.6%	36.1%	56%	110%
57.7	C.ルメール	79.8	57.7	41－30－22－52／145	28.3%	49.0%	64.1%	68%	89%
54.6	川田将雅	67.3	54.6	13－8－6－31／58	22.4%	36.2%	46.6%	180%	80%
54.0	戸崎圭太	60.7	54.0	17－15－21－89／142	12.0%	22.5%	37.3%	49%	78%
51.7	松山弘平	59.8	51.7	5－9－4－32／50	10.0%	28.0%	36.0%	78%	71%
51.0	吉田豊	51.7	51.0	6－5－6－52／69	8.7%	15.9%	24.6%	82%	68%
50.9	菅原明良	50.9	66.5	10－6－8－78／102	9.8%	15.7%	23.5%	81%	116%
50.0	石橋脩	50.0	62.7	2－6－6－49／63	3.2%	12.7%	22.2%	24%	104%
48.5	三浦皇成	48.9	48.5	4－10－9－88／111	3.6%	12.6%	20.7%	40%	61%
48.0	津村明秀	48.0	69.7	4－4－7－62／77	5.2%	10.4%	19.5%	345%	125%
47.9	M.デムーロ	52.5	47.9	8－9－6－66／89	9.0%	19.1%	25.8%	55%	59%
47.9	横山武史	57.7	47.9	12－17－13－85／127	9.4%	22.8%	33.1%	45%	59%
45.6	石川裕紀人	45.6	50.0	4－6－4－73／87	4.6%	11.5%	16.1%	23%	66%
45.1	大野拓弥	45.1	48.1	6－5－4－82／97	6.2%	11.3%	15.5%	98%	60%
43.8	木幡巧也	43.8	60.4	2－6－4－76／88	2.3%	9.1%	13.6%	46%	97%

過去3年 レース数 168
過去1年 レース数 57

東京芝1800m

血統偏差値

要注目種牡馬

父がキズナ マストバイデータあり	➡P023
父がモーリス マストバイデータあり	➡P022
父がジャスタウェイ 血統偏差値56.4	3着内率 35.2% 複勝回収率 86%
父がハーツクライ 血統偏差値54.1	3着内率 35.2% 複勝回収率 77%

ジョッキー偏差値

要注目騎手

鞍上が川田将雅騎手 マストバイデータあり	➡P023
鞍上がC.ルメール騎手 ジョッキー偏差値59.9	3着内率 64.9% 複勝回収率 87%
鞍上が松山弘平騎手 ジョッキー偏差値57.5	3着内率 35.9% 複勝回収率 127%
鞍上が戸崎圭太騎手 ジョッキー偏差値53.9	3着内率 39.8% 複勝回収率 71%

キズナ産駒やモーリス産駒を積極的に狙いたい

比較的優秀な複勝回収率をマークしていた種牡馬はキズナとモーリス。好走率もまずまず高く、血統偏差値ランキングの上位に君臨していました。一方、集計期間中の3着内数が比較的多かった種牡馬のうち、ディープインパクト、ドゥラメンテ、ロードカナロアあたりは複勝回収率がいまひとつ。配当的な妙味はあまり期待できないと見ておいた方が良いかもしれません。

ジョッキー偏差値ランキングは川田将雅騎手が1位、C・ルメール騎手が2位という結果に。3着内率が高いのは当然として、複勝回収率も相対的に見れば十分過ぎるほどの高水準です。たとえ伏兵を狙う場合でも、買い目を組み立てる際にこの2名を軽視してしまわないよう心掛けるべきでしょう。

血統偏差値ランキング

当該コース

血統偏差値	騎手	好走率偏差値	回収率偏差値	着別度数	勝率	連対率	3着内率	単勝回収率	複勝回収率
62.0	モーリス	69.1	62.0	15－9－7－34／65	23.1%	36.9%	47.7%	90%	97%
56.7	キズナ	56.7	66.8	7－8－7－40／62	11.3%	24.2%	35.5%	51%	109%
56.4	ジャスタウェイ	56.4	57.5	5－8－6－35／54	9.3%	24.1%	35.2%	54%	86%
54.1	ハーツクライ	56.4	54.1	9－17－12－70／108	8.3%	24.1%	35.2%	30%	77%
50.3	エピファネイア	50.3	50.3	12－12－9－80／113	10.6%	21.2%	29.2%	58%	67%
50.1	キングカメハメハ	53.0	50.1	4－6－5－32／47	8.5%	21.3%	31.9%	50%	67%
46.8	ルーラーシップ	46.8	66.0	4－3－10－49／66	6.1%	10.6%	25.8%	42%	107%
46.7	ドゥラメンテ	53.8	46.7	10－13－11－70／104	9.6%	22.1%	32.7%	40%	58%
45.6	ディープインパクト	52.8	45.6	21－16－14－110／161	13.0%	23.0%	31.7%	53%	55%
44.6	ロードカナロア	56.9	44.6	13－9－13－63／98	13.3%	22.4%	35.7%	42%	53%
43.2	ハービンジャー	46.0	43.2	7－9－5－63／84	8.3%	19.0%	25.0%	55%	49%
38.0	オルフェーヴル	38.0	42.6	1－2－3－29／35	2.9%	8.6%	17.1%	7%	48%
33.0	ゴールドシップ	33.0	40.3	2－2－7－79／90	2.2%	4.4%	12.2%	13%	42%
30.3	スクリーンヒーロー	30.7	30.3	2－1－1－36／40	5.0%	7.5%	10.0%	41%	17%

ジョッキー偏差値ランキング

当該コース

ジョッキー偏差値	騎手	好走率偏差値	回収率偏差値	着別度数	勝率	連対率	3着内率	単勝回収率	複勝回収率
63.0	川田将雅	70.7	63.0	6－9－6－16／37	16.2%	40.5%	56.8%	42%	95%
59.9	C.ルメール	75.9	59.9	29－26－19－40／114	25.4%	48.2%	64.9%	68%	87%
57.5	松山弘平	57.5	75.0	7－4－3－25／39	17.9%	28.2%	35.9%	148%	127%
53.9	戸崎圭太	60.0	53.9	13－13－15－62／103	12.6%	25.2%	39.8%	48%	71%
53.4	M.デムーロ	56.8	53.4	10－7－7－45／69	14.5%	24.6%	34.8%	75%	70%
53.0	津村明秀	53.0	60.0	3－5－7－37／52	5.8%	15.4%	28.8%	25%	87%
51.9	北村宏司	51.9	65.1	4－3－6－35／48	8.3%	14.6%	27.1%	43%	101%
51.3	石橋脩	53.3	51.3	8－4－5－41／58	13.8%	20.7%	29.3%	84%	64%
50.8	菅原明良	51.3	50.8	5－12－2－54／73	6.8%	23.3%	26.0%	39%	62%
50.8	三浦皇成	50.8	52.9	4－8－8－59／79	5.1%	15.2%	25.3%	58%	68%
48.0	横山武史	56.4	48.0	11－11－7－56／85	12.9%	25.9%	34.1%	52%	55%
44.0	田辺裕信	49.9	44.0	8－4－4－51／67	11.9%	17.9%	23.9%	34%	44%
42.7	柴田大知	42.7	52.5	1－1－8－70／80	1.3%	2.5%	12.5%	10%	67%
42.4	大野拓弥	42.4	43.2	3－1－4－58／66	4.5%	6.1%	12.1%	23%	42%
39.4	石川裕紀人	43.7	39.4	1－5－4－61／71	1.4%	8.5%	14.1%	15%	32%

過去3年レース数 131

過去1年レース数 44

東京芝2000m

血統偏差値

要注目種牡馬

父がキズナ マストバイデータあり	➡P023
父がキタサンブラック 血統偏差値50.7	3着内率 41.7% 複勝回収率 82%
父がロードカナロア 血統偏差値50.6	3着内率 32.7% 複勝回収率 82%
父がキングカメハメハ 血統偏差値50.1	3着内率 37.2% 複勝回収率 80%

ジョッキー偏差値

要注目騎手

鞍上がC.ルメール騎手 ジョッキー偏差値58.9	3着内率 70.7% 複勝回収率 90%
鞍上がM.デムーロ騎手 ジョッキー偏差値54.9	3着内率 36.7% 複勝回収率 82%
鞍上が横山武史騎手 ジョッキー偏差値54.9	3着内率 37.3% 複勝回収率 82%
鞍上が吉田豊騎手 ジョッキー偏差値54.1	3着内率 32.3% 複勝回収率 99%

C.ルメール騎手が驚異的な好成績を収めている

本書の集計期間中に限ると、東京芝2000mのキズナ産駒は3着内率が43.5%、複勝回収率が176%。回収率偏差値はもちろん、好走率偏差値も非常に優秀でした。年次別の成績も安定していましたし、引き続きしっかりマークしておきましょう。

なお、そのキズナが飛び抜けて高い複勝回収率を記録した影響もあり、血統偏差値ランキングは全体的に数値が低く出ています。キタサンブラックやロードカナロアあたりも、コース適性はかなり高いと見て良さそうです。

ジョッキー偏差値ランキングのトップはC.ルメール騎手。3着内率は7割を超える高水準ですし、単勝回収率100%、複勝回収率90%と、実は配当的な妙味も申し分ありません。

血統偏差値ランキング

当該コース

血統偏差値	騎手	好走率偏差値	回収率偏差値	着別度数	勝率	連対率	3着内率	単勝回収率	複勝回収率
66.2	キズナ	66.2	79.7	10－7－3－26／46	21.7%	37.0%	43.5%	274%	176%
50.7	キタサンブラック	63.9	50.7	7－5－3－21／36	19.4%	33.3%	41.7%	51%	82%
50.6	ロードカナロア	52.5	50.6	4－10－4－37／55	7.3%	25.5%	32.7%	27%	82%
50.1	キングカメハメハ	58.2	50.1	7－8－1－27／43	16.3%	34.9%	37.2%	114%	80%
48.0	モーリス	52.5	48.0	9－4－4－35／52	17.3%	25.0%	32.7%	70%	73%
45.9	ドゥラメンテ	45.9	51.1	8－4－4－42／58	13.8%	20.7%	27.6%	47%	83%
45.4	エピファネイア	56.6	45.4	10－4－9－41／64	15.6%	21.9%	35.9%	129%	65%
45.4	ルーラーシップ	48.4	45.4	5－5－8－43／61	8.2%	16.4%	29.5%	28%	64%
44.4	ゴールドシップ	47.0	44.4	6－7－12－63／88	6.8%	14.8%	28.4%	43%	61%
42.6	ハーツクライ	50.9	42.6	9－12－13－74／108	8.3%	19.4%	31.5%	38%	56%
42.4	ディープインパクト	50.6	42.4	11－16－13－88／128	8.6%	21.1%	31.3%	39%	55%
41.9	スクリーンヒーロー	41.9	64.2	2－4－4－31／41	4.9%	14.6%	24.4%	37%	126%
39.7	ハービンジャー	40.4	39.7	6－7－4－56／73	8.2%	17.8%	23.3%	48%	46%
24.9	オルフェーヴル	24.9	45.7	0－1－2－24／27	0.0%	3.7%	11.1%	0%	65%

ジョッキー偏差値ランキング

当該コース

ジョッキー偏差値	騎手	好走率偏差値	回収率偏差値	着別度数	勝率	連対率	3着内率	単勝回収率	複勝回収率
58.9	C.ルメール	83.6	58.9	31－15－12－24／82	37.8%	56.1%	70.7%	100%	90%
54.9	M.デムーロ	57.4	54.9	4－5－13－38／60	6.7%	15.0%	36.7%	45%	82%
54.9	横山武史	57.9	54.9	12－7－6－42／67	17.9%	28.4%	37.3%	133%	82%
54.1	吉田豊	54.1	63.4	2－6－2－21／31	6.5%	25.8%	32.3%	49%	99%
51.6	田辺裕信	51.9	51.6	6－7－5－43／61	9.8%	21.3%	29.5%	73%	75%
49.2	横山和生	49.2	55.0	2－2－3－20／27	7.4%	14.8%	25.9%	115%	82%
48.9	三浦皇成	48.9	52.7	3－5－5－38／51	5.9%	15.7%	25.5%	70%	77%
45.5	大野拓弥	45.5	46.4	3－4－4－41／52	5.8%	13.5%	21.2%	41%	64%
45.3	石川裕紀人	45.3	58.7	2－3－5－38／48	4.2%	10.4%	20.8%	16%	89%
42.6	戸崎圭太	56.2	42.6	11－6－10－50／77	14.3%	22.1%	35.1%	58%	56%
40.9	菅原明良	50.2	40.9	7－5－3－40／55	12.7%	21.8%	27.3%	138%	53%
39.3	木幡巧也	40.5	39.3	1－2－4－41／48	2.1%	6.3%	14.6%	9%	50%
39.3	柴田大知	39.3	60.4	3－2－2－47／54	5.6%	9.3%	13.0%	37%	93%
38.1	石橋脩	49.1	38.1	4－3－1－23／31	12.9%	22.6%	25.8%	54%	47%
35.1	津村明秀	45.5	35.1	2－4－2－30／38	5.3%	15.8%	21.1%	35%	41%

過去3年 レース数 90

過去1年 レース数 29

東京芝2400m

血統偏差値

要注目種牡馬

父がドゥラメンテ マストバイデータあり	➡P024
父がディープインパクト系種牡馬 マストバイデータあり	➡P024
父がキズナ 血統偏差値61.0	3着内率 35.3% 複勝回収率 175%
父がディープインパクト 血統偏差値55.1	3着内率 33.6% 複勝回収率 92%

ジョッキー偏差値

要注目騎手

鞍上が田辺裕信騎手 マストバイデータあり	➡P025
鞍上がC.ルメール騎手 マストバイデータあり	➡P025
鞍上が三浦皇成騎手 ジョッキー偏差値53.8	3着内率 35.0% 複勝回収率 91%
鞍上が菅原明良騎手 ジョッキー偏差値50.8	3着内率 25.0% 複勝回収率 77%

C.ルメール騎手の期待値が高い点に注目したい

注目しておくべき種牡馬の筆頭格は、やはり血統偏差値ランキング首位のキズナ。集計期間中は勝ち切った例こそなかったものの、3着内率は35.3%に、複勝回収率は175%に達しています。23年4月29日の青葉賞（3歳GⅡ）では、単勝オッズ144.0倍（11番人気）のティムールが3着に好走。超人気薄であっても侮れません。

他に強調しておきたいのはドゥラメンテの健闘ぶり。23年に限れば3着内率54.2%、複勝回収率125%なので、引き続き注目しておきましょう。

ジョッキー別の3着内数を見ると、C.ルメール騎手（45回）が断然のトップ。好走率が非常に高いうえ、単複の回収率も100%を超えていましたから、逆らう必要はなさそうです。

血統偏差値ランキング

当該コース

血統偏差値	騎手	好走率偏差値	回収率偏差値	着別度数	勝率	連対率	3着内率	単勝回収率	複勝回収率
61.0	キズナ	61.0	74.7	0－6－6－22／34	0.0%	17.6%	35.3%	0%	175%
55.3	ドゥラメンテ	71.6	55.3	9－7－7－28／51	17.6%	31.4%	45.1%	57%	93%
55.1	ディープインパクト	59.2	55.1	15－15－13－85／128	11.7%	23.4%	33.6%	111%	92%
53.8	オルフェーヴル	53.8	59.6	3－1－4－20／28	10.7%	14.3%	28.6%	25%	111%
53.7	キングカメハメハ	58.1	53.7	7－6－2－31／46	15.2%	28.3%	32.6%	103%	86%
49.0	ハービンジャー	56.3	49.0	8－10－3－47／68	11.8%	26.5%	30.9%	139%	67%
44.9	ルーラーシップ	49.9	44.9	4－8－4－48／64	6.3%	18.8%	25.0%	25%	49%
43.8	モーリス	49.9	43.8	4－0－2－18／24	16.7%	16.7%	25.0%	220%	45%
43.2	ハーツクライ	44.3	43.2	9－4－6－77／96	9.4%	13.5%	19.8%	65%	42%
42.0	キタサンブラック	57.3	42.0	3－2－2－15／22	13.6%	22.7%	31.8%	20%	37%
41.7	ロードカナロア	45.6	41.7	1－3－0－15／19	5.3%	21.1%	21.1%	77%	36%
41.1	ゴールドシップ	41.1	45.8	3－5－6－69／83	3.6%	9.6%	16.9%	32%	53%
40.9	ジャスタウェイ	40.9	67.7	0－1－2－15／18	0.0%	5.6%	16.7%	0%	145%
39.5	エピファネイア	41.4	39.5	1－2－3－29／35	2.9%	8.6%	17.1%	5%	27%
37.0	ジャングルポケット	37.0	44.6	0－0－3－20／23	0.0%	0.0%	13.0%	0%	48%

ジョッキー偏差値ランキング

当該コース

ジョッキー偏差値	騎手	好走率偏差値	回収率偏差値	着別度数	勝率	連対率	3着内率	単勝回収率	複勝回収率
58.7	田辺裕信	65.8	58.7	7－11－6－22／46	15.2%	39.1%	52.2%	117%	116%
55.7	C.ルメール	75.8	55.7	25－16－4－19／64	39.1%	64.1%	70.3%	121%	101%
53.8	三浦皇成	56.3	53.8	4－4－6－26／40	10.0%	20.0%	35.0%	65%	91%
50.8	菅原明良	50.8	51.0	3－3－4－30／40	7.5%	15.0%	25.0%	132%	77%
49.1	大野拓弥	49.1	56.8	2－2－3－25／32	6.3%	12.5%	21.9%	64%	106%
48.7	M.デムーロ	54.9	48.7	4－2－6－25／37	10.8%	16.2%	32.4%	43%	65%
48.4	戸崎圭太	51.7	48.4	4－9－3－44／60	6.7%	21.7%	26.7%	59%	64%
46.2	内田博幸	50.8	46.2	2－3－2－21／28	7.1%	17.9%	25.0%	23%	52%
46.0	川田将雅	61.3	46.0	3－6－2－14／25	12.0%	36.0%	44.0%	20%	51%
45.3	北村宏司	45.3	65.9	1－0－2－17／20	5.0%	5.0%	15.0%	227%	153%
44.9	横山武史	52.2	44.9	4－4－3－29／40	10.0%	20.0%	27.5%	29%	46%
44.1	吉田豊	44.1	54.4	1－1－2－27／31	3.2%	6.5%	12.9%	23%	94%
43.5	石橋脩	43.6	43.5	0－1－2－22／25	0.0%	4.0%	12.0%	0%	38%
42.8	津村明秀	47.0	42.8	1－1－2－18／22	4.5%	9.1%	18.2%	27%	35%
42.4	永野猛蔵	44.9	42.4	2－1－2－30／35	5.7%	8.6%	14.3%	39%	33%

過去3年レース数	6	過去1年レース数	2

東京芝2300m

血統偏差値ランキング

当該コース

血統偏差値	種牡馬	好走率偏差値	回収率偏差値	着別度数	勝率	連対率	3着内率	単勝回収率	複勝回収率
59.6	ジャスタウェイ	59.6	60.5	0－1－0－1／2	0.0%	50.0%	50.0%	0%	85%
59.6	ドゥラメンテ	59.6	70.1	1－1－0－2／4	25.0%	50.0%	50.0%	42%	125%
55.1	モーリス	59.6	55.1	1－1－0－2／4	25.0%	50.0%	50.0%	42%	62%
53.5	ハーツクライ	62.4	53.5	2－1－1－3／7	28.6%	42.9%	57.1%	70%	55%
53.3	ロードカナロア	59.6	53.3	1－0－0－1／2	50.0%	50.0%	50.0%	105%	55%
52.8	ハービンジャー	52.8	56.9	1－0－1－4／6	16.7%	16.7%	33.3%	81%	70%
39.3	エピファネイア	39.3	40.1	0－0－0－2／2	0.0%	0.0%	0.0%	0%	0%
39.3	ゴールドシップ	39.3	40.1	0－0－0－6／6	0.0%	0.0%	0.0%	0%	0%
39.3	サトノダイヤモンド	39.3	40.1	0－0－0－2／2	0.0%	0.0%	0.0%	0%	0%
39.3	ブラックタイド	39.3	40.1	0－0－0－2／2	0.0%	0.0%	0.0%	0%	0%

ジョッキー偏差値ランキング

当該コース

ジョッキー偏差値	騎手	好走率偏差値	回収率偏差値	着別度数	勝率	連対率	3着内率	単勝回収率	複勝回収率
65.9	M.デムーロ	65.9	67.7	0－3－1－1／5	0.0%	60.0%	80.0%	0%	194%
57.7	横山武史	64.4	57.7	1－1－1－1／4	25.0%	50.0%	75.0%	122%	112%
52.9	C.ルメール	62.0	52.9	2－0－0－1／3	66.7%	66.7%	66.7%	96%	73%
52.2	永野猛蔵	52.2	79.1	0－1－0－2／3	0.0%	33.3%	33.3%	0%	286%
51.7	田辺裕信	52.2	51.7	0－0－1－2／3	0.0%	0.0%	33.3%	0%	63%
43.9	木幡巧也	57.1	43.9	0－0－1－1／2	0.0%	0.0%	50.0%	0%	0%
42.5	石川裕紀人	42.5	43.9	0－0－0－2／2	0.0%	0.0%	0.0%	0%	0%
42.5	石橋脩	42.5	43.9	0－0－0－2／2	0.0%	0.0%	0.0%	0%	0%
42.5	岩田望来	42.5	43.9	0－0－0－2／2	0.0%	0.0%	0.0%	0%	0%
42.5	大野拓弥	42.5	43.9	0－0－0－2／2	0.0%	0.0%	0.0%	0%	0%

ハーツクライ産駒の活躍が目立っている点は覚えておきたい

集計期間中の3着内数が3回以上だった種牡馬はハーツクライのみ。上位人気に推されていた馬が多く、複勝回収率はいまひとつだったものの、異なる4頭の産駒が馬券に絡んでいましたし、このコースが合っていると見て良いのではないでしょうか。ちなみに、後継種牡馬であるジャスタウェイの産駒の好走例もありました。

ジョッキー別成績を見ると、M.デムーロ騎手と横山武史騎手がそれぞれ優秀な成績を収めています。このコースと相性の良いジョッキーとして、頭に入れておいた方が良さそうです。

※「父がドゥラメンテ」の馬(→P024)、「父がディープインパクト系種牡馬」の馬(→P024)は、このコースで適用可能な「マストバイデータ」あり

東京芝2500m

過去3年レース数 7 過去1年レース数 3

血統偏差値上位ランキング
当該コース

血統偏差値	種牡馬	好走率偏差値	回収率偏差値	着別度数	勝率	連対率	3着内率	単勝回収率	複勝回収率
64.9	ゴールドシップ	64.9	69.5	1－0－1－2／4	25.0%	25.0%	50.0%	415%	252%
62.8	スクリーンヒーロー	77.8	62.8	0－3－1－1／5	0.0%	60.0%	80.0%	0%	186%
58.8	ハーツクライ	58.8	76.8	1－2－2－9／14	7.1%	21.4%	35.7%	25%	324%
54.2	ノヴェリスト	54.2	55.6	1－0－0－3／4	25.0%	25.0%	25.0%	442%	115%
53.7	キングカメハメハ	63.0	53.7	2－1－2－6／11	18.2%	27.3%	45.5%	115%	96%
46.7	ディープインパクト	49.3	46.7	1－1－1－19／22	4.5%	9.1%	13.6%	10%	27%
45.6	オルフェーヴル	48.2	45.6	1－0－0－8／9	11.1%	11.1%	11.1%	33%	16%
43.4	ヴィクトワールピサ	43.4	43.9	0－0－0－2／2	0.0%	0.0%	0.0%	0%	0%
43.4	エピファネイア	43.4	43.9	0－0－0－3／3	0.0%	0.0%	0.0%	0%	0%
43.4	キズナ	43.4	43.9	0－0－0－2／2	0.0%	0.0%	0.0%	0%	0%

ジョッキー偏差値上位ランキング
当該コース

ジョッキー偏差値	騎手	好走率偏差値	回収率偏差値	着別度数	勝率	連対率	3着内率	単勝回収率	複勝回収率
72.5	北村宏司	72.5	102.2	1－0－1－1／3	33.3%	33.3%	66.7%	120%	1260%
54.8	武豊	64.6	54.8	0－1－0－1／2	0.0%	50.0%	50.0%	0%	190%
53.7	松岡正海	56.7	53.7	0－0－1－2／3	0.0%	0.0%	33.3%	0%	166%
53.4	北村友一	64.6	53.4	0－1－0－1／2	0.0%	50.0%	50.0%	0%	160%
51.3	M.デムーロ	59.9	51.3	0－2－0－3／5	0.0%	40.0%	40.0%	0%	112%
50.8	川田将雅	64.6	50.8	0－1－0－1／2	0.0%	50.0%	50.0%	0%	100%
50.4	田辺裕信	50.4	50.4	1－0－0－4／5	20.0%	20.0%	20.0%	354%	92%
49.3	浜中俊	56.7	49.3	1－0－0－2／3	33.3%	33.3%	33.3%	163%	66%
49.2	C.ルメール	59.9	49.2	1－0－1－3／5	20.0%	20.0%	40.0%	60%	64%
49.1	戸崎圭太	52.8	49.1	0－0－1－3／4	0.0%	0.0%	25.0%	0%	62%

ハーツクライ産駒やスクリーンヒーロー産駒は今後も楽しみ

古馬GⅡの目黒記念とアルゼンチン共和国杯に加え、23年は10月14日に3歳以上2勝クラスの平場が組まれました。3着以内となった回数が4回以上の種牡馬は、キングカメハメハ・ハーツクライ・スクリーンヒーロー。それぞれ複勝回収率も優秀でしたし、コース適性は高いと見て良さそうです。

ジョッキー別成績を確認してみると、馬券に絡んだ例が複数あったのは北村宏司騎手・M.デムーロ騎手・C.ルメール騎手の3名だけ。ジョッキー偏差値には差があるものの、他の騎手よりはやや高く評価するべきでしょう。

※「鞍上がC.ルメール騎手」の馬(P025)は、このコースで適用可能な「マストバイデータ」あり

過去3年 レース数 3 過去1年 レース数 1

東京芝3400m

血統偏差値ランキング

当該コース

血統偏差値	種牡馬	好走率偏差値	回収率偏差値	着別度数	勝率	連対率	3着内率	単勝回収率	複勝回収率
61.3	オルフェーヴル	61.3	67.4	1－2－0－2／5	20.0%	60.0%	60.0%	74%	288%
59.4	リオンディーズ	73.2	59.4	1－0－0－0／1	100.0%	100.0%	100.0%	400%	190%
56.2	トーセンジョーダン	73.2	56.2	0－0－1－0／1	0.0%	0.0%	100.0%	0%	150%
53.5	キングカメハメハ	53.5	78.5	0－1－0－2／3	0.0%	33.3%	33.3%	0%	423%
50.7	ルーラーシップ	51.0	50.7	1－0－0－3／4	25.0%	25.0%	25.0%	430%	82%
46.2	ハーツクライ	49.5	46.2	0－0－1－4／5	0.0%	0.0%	20.0%	0%	28%
45.9	ディープインパクト	45.9	46.0	0－0－1－12／13	0.0%	0.0%	7.7%	0%	24%
43.6	キズナ	43.6	44.0	0－0－0－1／1	0.0%	0.0%	0.0%	0%	0%
43.6	ゴールドシップ	43.6	44.0	0－0－0－3／3	0.0%	0.0%	0.0%	0%	0%
43.6	ステイゴールド	43.6	44.0	0－0－0－1／1	0.0%	0.0%	0.0%	0%	0%

ジョッキー偏差値ランキング

当該コース

ジョッキー偏差値	騎手	好走率偏差値	回収率偏差値	着別度数	勝率	連対率	3着内率	単勝回収率	複勝回収率
59.3	菱田裕二	72.8	59.3	1－0－0－0／1	100.0%	100.0%	100.0%	400%	190%
58.6	田辺裕信	58.6	87.7	0－1－0－1／2	0.0%	50.0%	50.0%	0%	570%
57.1	石川裕紀人	58.6	57.1	0－0－1－1／2	0.0%	0.0%	50.0%	0%	160%
57.1	西村淳也	72.8	57.1	1－0－0－0／1	100.0%	100.0%	100.0%	370%	160%
55.9	C.ルメール	72.8	55.9	0－0－2－0／2	0.0%	0.0%	100.0%	0%	145%
55.6	川田将雅	72.8	55.6	0－1－0－0／1	0.0%	100.0%	100.0%	0%	140%
53.3	三浦皇成	53.9	53.3	1－0－0－2／3	33.3%	33.3%	33.3%	573%	110%
44.5	岩田望来	44.5	45.1	0－0－0－1／1	0.0%	0.0%	0.0%	0%	0%
44.5	内田博幸	44.5	45.1	0－0－0－2／2	0.0%	0.0%	0.0%	0%	0%
44.5	菅原明良	44.5	45.1	0－0－0－1／1	0.0%	0.0%	0.0%	0%	0%

オルフェーヴル産駒はコース適性が高いと見て良さそう

23年2月18日のダイヤモンドS（4歳以上GⅢ）は、オルフェーヴル産駒のワンツーフィニッシュ決着。単勝オッズ3.7倍（2番人気）のミクソロジーが優勝を果たしたうえ、単勝オッズ77.5倍（13番人気）のヒュミドールが2着に食い込みました。21年2月20日のダイヤモンドS（4歳以上GⅢ）でも、単勝オッズ2.9倍（1番人気）の支持を集めていたとはいえ、オルフェーヴル産駒のオーソリティが2着を確保。もし24年以降のダイヤモンドSにも産駒が出走してくるようであれば、積極的に狙ってみたいところです。

※「鞍上がC.ルメール騎手」の馬（P025）は、このコースで適用可能な「マストバイデータ」あり

東京芝1400m

父がロードカナロア ×

馬番が9～18番、かつ、前走のコースが今回と同じ距離か今回より長い距離

3着内率	複勝回収率
40.4%	153%

着別度数	勝率	連対率	単勝回収率
9－6－4－28／47	19.1%	31.9%	175%

	着別度数	勝率	連対率	3着内率	単勝回収率	複勝回収率
直近1年	3－2－1－5／11	27.3%	45.5%	54.5%	221%	180%

伊吹メモ　トータルの成績はまずまず優秀なのですが、内寄りの枠に入った馬や前走が今回より短い距離のレースだった馬は、正直なところいまひとつでした。その分、これらの条件をクリアしている産駒は好走率も回収率も申し分なし。絶好の狙い目です。

東京芝1400m

鞍上が戸崎圭太騎手 ×

（無条件）

3着内率	複勝回収率
41.0%	124%

着別度数	勝率	連対率	単勝回収率
17－15－11－62／105	16.2%	30.5%	101%

	着別度数	勝率	連対率	3着内率	単勝回収率	複勝回収率
直近1年	7－4－3－19／33	21.2%	33.3%	42.4%	210%	122%

伊吹メモ　昨年度版でもまったく同じ条件を「マストバイデータ」とした通り、戸崎圭太騎手の好走率や回収率が非常に高いコース。思いのほか人気の盲点になりやすいので、妙味あるオッズがついている場面を見逃さないよう常にマークしておきましょう。

東京芝1600m

父がスクリーンヒーロー ×

馬齢が3歳以上、かつ、前走の馬体重が430kg以上

3着内率	複勝回収率
40.8%	144%

着別度数	勝率	連対率	単勝回収率
6－7－7－29／49	12.2%	26.5%	67%

	着別度数	勝率	連対率	3着内率	単勝回収率	複勝回収率
直近1年	2－3－2－8／15	13.3%	33.3%	46.7%	85%	157%

伊吹メモ 昨年度版でもほぼ同様の条件を「マストバイデータ」としましたが、東京芝1600mのスクリーンヒーロー産駒は相変わらず期待値が高め。2歳馬や極端に小柄な馬でなければ、たとえ近走成績がいまひとつであっても、強気に狙って良いと思います。

東京芝1800m

父がモーリス ×

性が牡・セン

3着内率	複勝回収率
59.6%	124%

着別度数	勝率	連対率	単勝回収率
13－9－6－19／47	27.7%	46.8%	108%

	着別度数	勝率	連対率	3着内率	単勝回収率	複勝回収率
直近1年	7－8－1－6／22	31.8%	68.2%	72.7%	95%	152%

伊吹メモ 東京芝1800mのレースに出走したモーリス産駒は、牝馬に限ると3着内率16.7%、複勝回収率25%。出走機会が多くなかったとはいえ、あまり上位に食い込めていません。しかし、牡馬やセン馬の産駒は好走率も回収率も申し分のない高水準でした。

東京
東京 中山 京都 阪神 福島 新潟 中京 小倉 札幌 函館

ジョッキー マストバイデータ

鞍上が川田将雅騎手 × 枠番が1～7枠

3着内率	複勝回収率
72.4%	121%

着別度数	勝率	連対率	単勝回収率
6－9－6－8／29	20.7%	51.7%	54%

	着別度数	勝率	連対率	3着内率	単勝回収率	複勝回収率
直近1年	0－4－4－2／10	0.0%	40.0%	80.0%	0%	157%

伊吹メモ 注目を集めがちなトップジョッキーですが、このコースは世間の見立てを上回る頻度で馬券に絡んでおり、結果的に回収率が高くなっています。ただし、8枠を引いてしまったレースは8戦して3着以内ゼロでしたから、その点だけ注意しましょう。

東京芝1800m・芝2000m

血統 マストバイデータ

父がキズナ × 馬齢が3歳以下

3着内率	複勝回収率
42.0%	172%

着別度数	勝率	連対率	単勝回収率
11－11－7－40／69	15.9%	31.9%	191%

	着別度数	勝率	連対率	3着内率	単勝回収率	複勝回収率
直近1年	4－9－2－20／35	11.4%	37.1%	42.9%	42%	213%

伊吹メモ 東京芝1800～2000mのレースに出走したキズナ産駒は、集計期間中のトータルでも3着内率38.9%、複勝回収率138%。馬齢が4歳以上の馬も3着内率33.3%、複勝回収率77%で、極端に悪いわけではなかったものの、より狙いやすいのは2～3歳馬です。

東京芝2300m・芝2400m

父がドゥラメンテ × 前走の馬体重が470kg以上

3着内率 57.1%　複勝回収率 129%

着別度数	勝率	連対率	単勝回収率
7－8－5－15／35	20.0%	42.9%	67%

	着別度数	勝率	連対率	3着内率	単勝回収率	複勝回収率
直近1年	4－4－4－6／18	22.2%	44.4%	66.7%	67%	158%

伊吹メモ　2023年5月21日のオークス（3歳GI・東京芝2400m）では、単勝オッズ103.4倍（15番人気）のドゥーラが3着に食い込み、好配当決着を演出。小柄な産駒はやや苦戦していましたが、妙味あるオッズがついていたらあまり気にしなくて良いと思います。

東京芝2300m・芝2400m

父がディープインパクト系種牡馬 × 枠番が1～4枠、かつ、前走のコースが2000m以上

3着内率 41.8%　複勝回収率 170%

着別度数	勝率	連対率	単勝回収率
9－12－17－53／91	9.9%	23.1%	100%

	着別度数	勝率	連対率	3着内率	単勝回収率	複勝回収率
直近1年	0－9－6－15／30	0.0%	30.0%	50.0%	0%	199%

伊吹メモ　東京芝2300～2400mのレースに出走したディープインパクト系種牡馬の産駒は、集計期間中に延べ248頭もいて、3着内率が31.9%、複勝回収率が98%。内寄りの枠に入った馬は好走率も回収率も申し分のない高水準でしたから、今後も目が離せません。

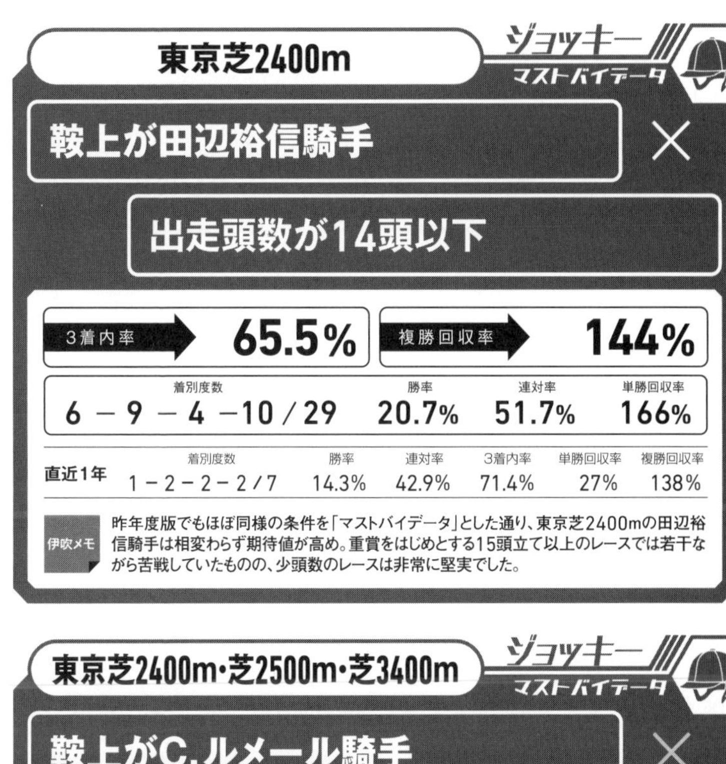

東京芝2400m

ジョッキー マストバイデータ

鞍上が田辺裕信騎手 ×

出走頭数が14頭以下

3着内率 **65.5%**　複勝回収率 **144%**

着別度数	勝率	連対率	単勝回収率
6－9－4－10／29	20.7%	51.7%	166%

	着別度数	勝率	連対率	3着内率	単勝回収率	複勝回収率
直近1年	1－2－2－2／7	14.3%	42.9%	71.4%	27%	138%

伊吹メモ　昨年度版でもほぼ同様の条件を「マストバイデータ」とした通り、東京芝2400mの田辺裕信騎手は相変わらず期待値が高め。重賞をはじめとする15頭立て以上のレースでは若干ながら苦戦していたものの、少頭数のレースは非常に堅実でした。

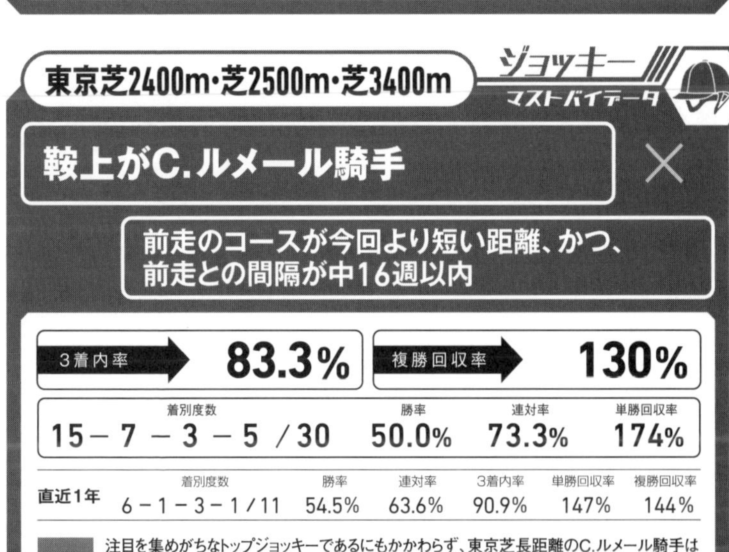

東京芝2400m・芝2500m・芝3400m

ジョッキー マストバイデータ

鞍上がC.ルメール騎手 ×

前走のコースが今回より短い距離、かつ、前走との間隔が中16週以内

3着内率 **83.3%**　複勝回収率 **130%**

着別度数	勝率	連対率	単勝回収率
15－7－3－5／30	50.0%	73.3%	174%

	着別度数	勝率	連対率	3着内率	単勝回収率	複勝回収率
直近1年	6－1－3－1／11	54.5%	63.6%	90.9%	147%	144%

伊吹メモ　注目を集めがちなトップジョッキーであるにもかかわらず、東京芝長距離のC.ルメール騎手は好走率が非常に優秀で、結果的に回収率も高め。これらの条件に多少引っ掛かっている馬であっても、無理に逆らう必要はまったくなさそうです。

過去3年レース数 72
過去1年レース数 24

東京ダ1300m

血統偏差値

要注目種牡馬

	3着内率	複勝回収率
父がリオンディーズ 血統偏差値60.9	33.3%	125%
父がパイロ 血統偏差値58.0	36.0%	112%
父がミッキーアイル 血統偏差値57.7	35.3%	111%
父がアジアエクスプレス 血統偏差値55.8	28.6%	162%

ジョッキー偏差値

要注目騎手

	3着内率	複勝回収率
鞍上が松山弘平騎手 マストバイデータあり	➡P034	
鞍上が石橋脩騎手 ジョッキー偏差値54.5	43.8%	126%
鞍上がC.ルメール騎手 ジョッキー偏差値51.1	27.6%	102%
鞍上が内田博幸騎手 ジョッキー偏差値50.7	22.0%	105%

戸崎圭太騎手やC.ルメール騎手は信頼できる

東京ダの他コースに比べるとやや施行レース数が少ないため、血統偏差値ランキングは混戦模様。3着内数（13回）がもっとも多かったヘニーヒューズは複勝回収率が73％にとどまっていました。一方、3着内数（9回）が2番目に多かったパイロは、3着内率や複勝回収率も十分な高水準。狙いやすいのはこちらの方かもしれません。

飛び抜けて高い複勝回収率を記録した騎手がいたため、ジョッキー偏差値ランキングは全体的に数値が低く出ています。ジョッキー別の3着内数を見ると、戸崎圭太騎手（20回）が断然のトップ。3着内率が4割を超えているうえ、複勝回収率も88％ですから、無理に逆らう必要はないでしょう。あとはC・ルメール騎手あたりも堅実です。

血統偏差値ランキング

当該コース

血統偏差値	騎手	好走率偏差値	回収率偏差値	着別度数	勝率	連対率	3着内率	単勝回収率	複勝回収率
60.9	リオンディーズ	60.9	60.9	1－1－3－10／15	6.7%	13.3%	33.3%	30%	125%
58.0	パイロ	63.8	58.0	3－5－1－16／25	12.0%	32.0%	36.0%	48%	112%
57.7	ミッキーアイル	63.0	57.7	2－3－1－11／17	11.8%	29.4%	35.3%	72%	111%
55.8	アジアエクスプレス	55.8	69.1	5－3－0－20／28	17.9%	28.6%	28.6%	216%	162%
53.2	イスラボニータ	60.9	53.2	3－3－0－12／18	16.7%	33.3%	33.3%	171%	90%
51.1	キズナ	53.7	51.1	0－2－2－11／15	0.0%	13.3%	26.7%	0%	81%
50.2	サウスヴィグラス	54.0	50.2	2－3－2－19／26	7.7%	19.2%	26.9%	114%	77%
49.3	ヘニーヒューズ	54.8	49.3	5－3－5－34／47	10.6%	17.0%	27.7%	36%	73%
46.6	リアルインパクト	46.6	58.3	1－3－0－16／20	5.0%	20.0%	20.0%	82%	113%
46.2	ダイワメジャー	53.4	46.2	1－1－3－14／19	5.3%	10.5%	26.3%	58%	59%
45.5	ロードカナロア	53.4	45.5	3－1－1－14／19	15.8%	21.1%	26.3%	105%	56%
45.4	ダノンレジェンド	60.9	45.4	6－0－0－12／18	33.3%	33.3%	33.3%	182%	55%
45.1	ディスクリートキャット	51.9	45.1	0－2－4－18／24	0.0%	8.3%	25.0%	0%	54%
44.7	ドレフォン	53.4	44.7	1－3－1－14／19	5.3%	21.1%	26.3%	13%	52%
41.6	ホッコータルマエ	41.6	74.6	2－1－1－22／26	7.7%	11.5%	15.4%	210%	186%

ジョッキー偏差値ランキング

当該コース

ジョッキー偏差値	騎手	好走率偏差値	回収率偏差値	着別度数	勝率	連対率	3着内率	単勝回収率	複勝回収率
54.5	石橋脩	68.8	54.5	3－2－2－9／16	18.8%	31.3%	43.8%	137%	126%
51.1	C.ルメール	76.0	51.1	5－2－4－10／21	23.8%	33.3%	52.4%	97%	97%
50.7	内田博幸	50.7	52.1	4－2－3－32／41	9.8%	14.6%	22.0%	120%	105%
50.2	戸崎圭太	67.1	50.2	7－6－7－28／48	14.6%	27.1%	41.7%	57%	88%
50.2	原優介	50.2	55.6	2－3－1－22／28	7.1%	17.9%	21.4%	47%	136%
49.7	M.デムーロ	61.5	49.7	2－2－3－13／20	10.0%	20.0%	35.0%	92%	85%
49.7	三浦皇成	64.6	49.7	4－5－3－19／31	12.9%	29.0%	38.7%	77%	84%
49.4	北村宏司	49.9	49.4	1－1－2－15／19	5.3%	10.5%	21.1%	182%	82%
48.7	菅原明良	49.0	48.7	3－2－2－28／35	8.6%	14.3%	20.0%	171%	75%
46.2	横山武史	55.1	46.2	3－5－4－32／44	6.8%	18.2%	27.3%	17%	54%
45.4	永野猛蔵	45.4	46.4	2－2－4－43／51	3.9%	7.8%	15.7%	28%	55%
45.2	柴田大知	45.2	46.9	0－1－3－22／26	0.0%	3.8%	15.4%	0%	60%
45.1	田辺裕信	51.8	45.1	2－4－1－23／30	6.7%	20.0%	23.3%	31%	44%
44.4	石川裕紀人	47.3	44.4	2－5－0－32／39	5.1%	17.9%	17.9%	15%	38%
43.5	吉田豊	43.5	50.0	1－1－2－26／30	3.3%	6.7%	13.3%	26%	87%

過去3年 レース数 277

過去1年 レース数 94

東京ダ1400m

血統偏差値

要注目種牡馬

父がイスラボニータ マストバイデータあり	➡P035
父がシニスターミニスター マストバイデータあり	➡P034
父がカレンブラックヒル 血統偏差値61.6	3着内率 33.8% 複勝回収率 148%
父がダノンレジェンド 血統偏差値61.6	3着内率 31.7% 複勝回収率 206%

ジョッキー偏差値

要注目騎手

鞍上が石川裕紀人騎手 マストバイデータあり	➡P035
鞍上が松山弘平騎手 マストバイデータあり	➡P034
鞍上がM.デムーロ騎手 ジョッキー偏差値54.7	3着内率 35.2% 複勝回収率 90%
鞍上が菅原明良騎手 ジョッキー偏差値53.3	3着内率 26.1% 複勝回収率 85%

比較的買いやすいのはシニスターミニスター産駒

種牡馬別の3着内数を見ると、トップはヘニーヒューズ（62回）で、2位はシニスターミニスター（42回）。もっともヘニーヒューズは3着内率が26・8％に、複勝回収率が77％にとどまっています。これなら、3着内率38・5％、複勝回収率114％のシニスターミニスターをより高く評価するべきでしょう。やや3着内数は少なかったものの、カレンブラックヒルやダノンレジェンドも好走率や回収率が非常に高かったので、出走している産駒を見かけたらぜひ注目してみてください。

ジョッキー偏差値ランキングから強調できるのは、石川裕紀人騎手やM・デムーロ騎手あたり。石川裕紀人騎手は回収率が、M・デムーロ騎手は好走率が高い水準に達していました。

血統偏差値ランキング

当該コース

血統偏差値	騎手	好走率偏差値	回収率偏差値	着別度数	勝率	連対率	3着内率	単勝回収率	複勝回収率
61.6	カレンブラックヒル	65.0	61.6	4－12－8－47／71	5.6%	22.5%	33.8%	98%	148%
61.6	ダノンレジェンド	61.6	73.5	6－4－9－41／60	10.0%	16.7%	31.7%	55%	206%
54.6	シニスターミニスター	72.6	54.6	17－11－14－67／109	15.6%	25.7%	38.5%	168%	114%
54.3	ドゥラメンテ	54.3	69.3	10－7－2－51／70	14.3%	24.3%	27.1%	560%	185%
54.1	サウスヴィグラス	54.1	58.1	4－7－6－46／63	6.3%	17.5%	27.0%	29%	131%
49.1	アジアエクスプレス	51.9	49.1	4－10－7－61／82	4.9%	17.1%	25.6%	32%	87%
47.6	ロードカナロア	52.2	47.6	12－13－8－95／128	9.4%	19.5%	25.8%	61%	80%
47.1	ヘニーヒューズ	53.9	47.1	23－21－18－169／231	10.0%	19.0%	26.8%	62%	77%
45.0	マクフィ	53.0	45.0	4－5－11－56／76	5.3%	11.8%	26.3%	66%	67%
44.5	パイロ	44.5	47.1	3－5－13－79／100	3.0%	8.0%	21.0%	20%	77%
43.9	ディスクリートキャット	53.0	43.9	6－7－7－56／76	7.9%	17.1%	26.3%	58%	62%
43.7	キンシャサノキセキ	43.7	62.3	8－9－9－101／127	6.3%	13.4%	20.5%	42%	151%
43.5	リオンディーズ	43.5	44.1	2－4－6－47／59	3.4%	10.2%	20.3%	13%	63%
42.0	ドレフォン	56.3	42.0	12－5－6－58／81	14.8%	21.0%	28.4%	68%	52%
40.4	マジェスティックウォリアー	40.4	42.8	6－5－1－53／65	9.2%	16.9%	18.5%	65%	56%

ジョッキー偏差値ランキング

当該コース

ジョッキー偏差値	騎手	好走率偏差値	回収率偏差値	着別度数	勝率	連対率	3着内率	単勝回収率	複勝回収率
54.7	石川裕紀人	54.7	79.9	8－19－8－107／142	5.6%	19.0%	24.6%	188%	171%
54.7	M.デムーロ	65.3	54.7	10－10－12－59／91	11.0%	22.0%	35.2%	44%	90%
53.3	菅原明良	56.1	53.3	11－14－11－102／138	8.0%	18.1%	26.1%	84%	85%
51.7	吉田豊	51.7	57.5	4－12－9－90／115	3.5%	13.9%	21.7%	33%	99%
51.4	石橋脩	56.4	51.4	6－10－8－67／91	6.6%	17.6%	26.4%	36%	79%
50.2	横山武史	64.4	50.2	14－16－16－88／134	10.4%	22.4%	34.3%	32%	75%
50.0	木幡巧也	50.0	58.7	9－10－9－112／140	6.4%	13.6%	20.0%	110%	103%
49.3	戸崎圭太	66.7	49.3	26－18－12－97／153	17.0%	28.8%	36.6%	94%	72%
48.5	内田博幸	52.9	48.5	11－11－16－128／166	6.6%	13.3%	22.9%	54%	69%
47.4	C.ルメール	74.1	47.4	25－10－12－60／107	23.4%	32.7%	43.9%	71%	66%
46.4	三浦皇成	57.6	46.4	17－12－9－100／138	12.3%	21.0%	27.5%	93%	62%
45.8	野中悠太郎	45.8	47.8	3－4－10－90／107	2.8%	6.5%	15.9%	69%	67%
45.7	津村明秀	49.6	45.7	10－5－9－98／122	8.2%	12.3%	19.7%	92%	60%
44.8	田辺裕信	52.5	44.8	9－6－12－93／120	7.5%	12.5%	22.5%	65%	57%
43.1	永野猛蔵	43.1	48.0	7－10－7－158／182	3.8%	9.3%	13.2%	17%	68%

過去3年レース数 341
過去1年レース数 116

東京ダ1600m

血統偏差値

要注目種牡馬

父がイスラボニータ マストバイデータあり	➡P035
父がヘニーヒューズ マストバイデータあり	➡P036
父がエーピーインディ系種牡馬 マストバイデータあり	➡P036
父がストームキャット系種牡馬 マストバイデータあり	➡P037

ジョッキー偏差値

要注目騎手

鞍上が石橋脩騎手 マストバイデータあり	➡P037
鞍上がM.デムーロ騎手 ジョッキー偏差値58.1	3着内率 31.7% 複勝回収率 92%
鞍上が横山和生騎手 ジョッキー偏差値55.2	3着内率 29.8% 複勝回収率 85%
鞍上が田辺裕信騎手 ジョッキー偏差値54.7	3着内率 30.8% 複勝回収率 84%

ヘニーヒューズ産駒は複勝回収率も相当な高水準

集計期間中の3着内数がもっとも多かった種牡馬はヘニーヒューズ（84回）。2位タイのドゥラメンテとドレフォン（各36回）にダブルスコアの差をつけています。しかも、3着内率や複勝回収率は他の主要種牡馬と比べてもやや高め。それなりに実績のある産駒は素直に信頼して良いでしょう。

ジョッキー偏差値ランキングで上位に君臨していたのは石橋脩騎手やM・デムーロ騎手。いずれも3着内率が比較的高いうえ、複勝回収率も90％を超えていました。3着内数が多かったC・ルメール騎手あたりと比べても、複勝回収率の数字はそれなりに高く評価して良さそう。人気の盲点になっている場面があったら、買い目の中心に据えて好配当を狙いたいところです。

血統偏差値ランキング

当該コース

血統偏差値	騎手	好走率偏差値	回収率偏差値	着別度数	勝率	連対率	3着内率	単勝回収率	複勝回収率
57.2	キンシャサノキセキ	61.9	57.2	6-10-9-57/82	7.3%	19.5%	30.5%	60%	103%
55.2	ドレフォン	55.7	55.2	15-12-9-95/131	11.5%	20.6%	27.5%	68%	98%
54.1	ヘニーヒューズ	72.1	54.1	26-27-31-153/237	11.0%	22.4%	35.4%	47%	96%
52.9	キングカメハメハ	52.9	53.0	8-11-4-65/88	9.1%	21.6%	26.1%	56%	93%
52.8	ジャスタウェイ	60.4	52.8	10-7-8-59/84	11.9%	20.2%	29.8%	143%	92%
52.7	ストロングリターン	52.7	53.0	7-6-6-54/73	9.6%	17.8%	26.0%	39%	93%
52.0	ホッコータルマエ	52.0	57.6	10-7-11-81/109	9.2%	15.6%	25.7%	220%	104%
51.6	ディスクリートキャット	56.0	51.6	9-5-12-68/94	9.6%	14.9%	27.7%	119%	90%
48.4	マジェスティックウォリアー	48.4	56.8	6-6-11-73/96	6.3%	12.5%	24.0%	49%	102%
46.4	ルーラーシップ	47.9	46.4	8-11-13-103/135	5.9%	14.1%	23.7%	35%	77%
46.2	シニスターミニスター	46.8	46.2	6-8-12-86/112	5.4%	12.5%	23.2%	40%	76%
44.7	ロードカナロア	49.1	44.7	12-8-14-106/140	8.6%	14.3%	24.3%	85%	73%
41.1	キズナ	41.1	53.3	6-5-8-74/93	6.5%	11.8%	20.4%	29%	94%
40.2	パイロ	40.2	75.3	5-7-8-80/100	5.0%	12.0%	20.0%	582%	147%
38.6	ドゥラメンテ	60.9	38.6	16-10-10-84/120	13.3%	21.7%	30.0%	56%	58%

ジョッキー偏差値ランキング

当該コース

ジョッキー偏差値	騎手	好走率偏差値	回収率偏差値	着別度数	勝率	連対率	3着内率	単勝回収率	複勝回収率
59.1	石橋脩	63.5	59.1	11-16-11-68/106	10.4%	25.5%	35.8%	70%	95%
58.1	M.デムーロ	59.7	58.1	10-14-9-71/104	9.6%	23.1%	31.7%	73%	92%
55.2	横山和生	57.9	55.2	13-5-7-59/84	15.5%	21.4%	29.8%	182%	85%
54.7	田辺裕信	58.8	54.7	19-19-14-117/169	11.2%	22.5%	30.8%	111%	84%
52.6	三浦皇成	58.5	52.6	13-24-15-119/171	7.6%	21.6%	30.4%	82%	79%
52.3	津村明秀	52.3	54.7	9-11-11-100/131	6.9%	15.3%	23.7%	44%	84%
51.1	菅原明良	54.1	51.1	14-18-13-131/176	8.0%	18.2%	25.6%	51%	75%
50.8	C.ルメール	76.1	50.8	37-23-24-85/169	21.9%	35.5%	49.7%	69%	74%
50.2	戸崎圭太	60.4	50.2	26-21-17-133/197	13.2%	23.9%	32.5%	50%	73%
50.2	横山武史	63.8	50.2	22-16-16-95/149	14.8%	25.5%	36.2%	110%	73%
47.8	吉田豊	47.8	49.4	6-9-9-104/128	4.7%	11.7%	18.8%	73%	71%
46.7	内田博幸	46.7	48.2	5-15-12-150/182	2.7%	11.0%	17.6%	25%	68%
46.6	石川裕紀人	46.6	66.2	9-8-11-133/161	5.6%	10.6%	17.4%	130%	112%
45.1	永野猛蔵	45.1	55.2	7-14-13-182/216	3.2%	9.7%	15.7%	20%	85%
37.7	大野拓弥	43.9	37.7	8-4-11-136/159	5.0%	7.5%	14.5%	53%	43%

過去3年レース数 114

過去1年レース数 38

東京ダ2100m

血統偏差値

要注目種牡馬

父がイスラボニータ マストバイデータあり	➡P035
父がキングカメハメハ 血統偏差値71.0	3着内率 38.9% 複勝回収率 153%
父がキズナ 血統偏差値59.4	3着内率 29.7% 複勝回収率 83%
父がオルフェーヴル 血統偏差値57.2	3着内率 27.3% 複勝回収率 81%

ジョッキー偏差値

要注目騎手

鞍上が大野拓弥騎手 マストバイデータあり	➡P038
鞍上がC.ルメール騎手 マストバイデータあり	➡P038
鞍上が武藤雅騎手 ジョッキー偏差値58.5	3着内率 29.6% 複勝回収率 168%
鞍上が柴田大知騎手 ジョッキー偏差値52.5	3着内率 22.9% 複勝回収率 157%

キングカメハメハに取って代わりそうなキズナ

血統偏差値ランキングのトップに君臨しているうえ、集計期間中の3着内数(35回)も頭ひとつ抜けていたのがキングカメハメハ。しかし、残念ながら23年は3着内率が29・6%に、複勝回収率が55%にとどまっていました。これからさらに成績が上向いてきそうなのはキズナ。こちらは23年に限ると3着内率が38・1%、複勝回収率が94%でしたから、引き続きしっかりマークしておきましょう。

3着内数がもっとも多かったジョッキーはC・ルメール騎手(27回)。当然ながら3着内率が高いうえ、複勝回収率も90%に達しています。妙味を感じないオッズがついていたとしても、無理に逆らうのではなく、上手く買い目に組み込んでおきたいところです。

血統偏差値ランキング

当該コース

血統偏差値	騎手	好走率偏差値	回収率偏差値	着別度数	勝率	連対率	3着内率	単勝回収率	複勝回収率
71.0	キングカメハメハ	71.0	81.5	16－11－8－55／90	17.8%	30.0%	38.9%	462%	153%
59.4	キズナ	60.0	59.4	7－4－8－45／64	10.9%	17.2%	29.7%	141%	83%
57.2	オルフェーヴル	57.2	58.6	3－4－5－32／44	6.8%	15.9%	27.3%	52%	81%
54.3	ホッコータルマエ	56.0	54.3	4－3－8－42／57	7.0%	12.3%	26.3%	78%	67%
53.7	ディープインパクト	59.0	53.7	7－8－2－42／59	11.9%	25.4%	28.8%	74%	65%
53.5	ドゥラメンテ	57.5	53.5	3－3－2－21／29	10.3%	20.7%	27.6%	53%	65%
50.2	エイシンフラッシュ	50.2	56.5	0－3－3－22／28	0.0%	10.7%	21.4%	0%	74%
48.9	エピファネイア	60.1	48.9	1－6－4－26／37	2.7%	18.9%	29.7%	14%	50%
48.0	パイロ	53.2	48.0	1－3－2－19／25	4.0%	16.0%	24.0%	24%	47%
45.2	ブラックタイド	54.4	45.2	1－6－1－24／32	3.1%	21.9%	25.0%	4%	38%
42.8	ハーツクライ	42.8	49.1	1－6－2－50／59	1.7%	11.9%	15.3%	8%	51%
42.3	ヘニーヒューズ	45.4	42.3	2－1－1－19／23	8.7%	13.0%	17.4%	27%	29%
41.7	ルーラーシップ	41.7	46.1	2－1－6－54／63	3.2%	4.8%	14.3%	38%	41%
41.0	ラブリーデイ	44.5	41.0	2－1－1－20／24	8.3%	12.5%	16.7%	20%	25%
36.0	ジャスタウェイ	36.0	40.7	1－2－1－38／42	2.4%	7.1%	9.5%	11%	24%

ジョッキー偏差値ランキング

当該コース

ジョッキー偏差値	騎手	好走率偏差値	回収率偏差値	着別度数	勝率	連対率	3着内率	単勝回収率	複勝回収率
58.5	武藤雅	58.5	75.1	3－4－1－19／27	11.1%	25.9%	29.6%	788%	168%
57.4	大野拓弥	57.4	58.3	5－7－7－48／67	7.5%	17.9%	28.4%	94%	98%
56.5	C.ルメール	77.6	56.5	13－8－6－26／53	24.5%	39.6%	50.9%	80%	90%
52.5	柴田大知	52.5	72.3	1－2－5－27／35	2.9%	8.6%	22.9%	52%	157%
51.9	三浦皇成	54.4	51.9	2－2－8－36／48	4.2%	8.3%	25.0%	19%	71%
51.4	M.デムーロ	61.9	51.4	5－3－1－18／27	18.5%	29.6%	33.3%	81%	69%
51.3	菅原明良	57.1	51.3	8－5－3－41／57	14.0%	22.8%	28.1%	91%	68%
50.8	戸崎圭太	63.0	50.8	11－12－3－49／75	14.7%	30.7%	34.7%	63%	66%
50.2	木幡巧也	50.2	69.7	4－4－5－51／64	6.3%	12.5%	20.3%	390%	146%
48.5	横山武史	60.7	48.5	5－6－6－36／53	9.4%	20.8%	32.1%	34%	57%
48.0	田辺裕信	54.4	48.0	4－6－3－39／52	7.7%	19.2%	25.0%	47%	55%
46.3	丸田恭介	46.3	50.7	0－2－5－37／44	0.0%	4.5%	15.9%	0%	66%
43.6	石川裕紀人	44.2	43.6	3－1－5－57／66	4.5%	6.1%	13.6%	21%	36%
43.4	内田博幸	43.4	44.3	2－4－3－62／71	2.8%	8.5%	12.7%	18%	39%
42.5	永野猛蔵	45.0	42.5	3－4－3－59／69	4.3%	10.1%	14.5%	47%	31%

東京ダ1300m・ダ1400m

鞍上が松山弘平騎手 ×

前走の4コーナー通過順が3番手以下

3着内率 ➡ **55.6%**　複勝回収率 ➡ **145%**

着別度数	勝率	連対率	単勝回収率
10－4－6－16／36	27.8%	38.9%	212%

	着別度数	勝率	連対率	3着内率	単勝回収率	複勝回収率
直近1年	4－1－3－7／15	26.7%	33.3%	53.3%	180%	138%

伊吹メモ　東京ダ1300～1400mの松山弘平騎手は、集計期間中のトータルでも3着内率44.2%、複勝回収率110%。参戦機会はそれほど多くないものの、隠れた得意条件と言えます。騎乗しているのが先行馬であっても、オッズ次第ではマークしておきましょう。

東京ダ1400m

父がシニスターミニスター ×

性が牡・セン

3着内率 ➡ **47.7%**　複勝回収率 ➡ **135%**

着別度数	勝率	連対率	単勝回収率
12－8－11－34／65	18.5%	30.8%	133%

	着別度数	勝率	連対率	3着内率	単勝回収率	複勝回収率
直近1年	4－1－5－10／20	20.0%	25.0%	50.0%	245%	187%

伊吹メモ　シニスターミニスター産駒の牡馬およびセン馬は、東京ダの全コースを対象とした集計期間中のトータルでも3着内率32.7%、複勝回収率111%。東京ダ1400mは好走率も申し分のない高水準ですが、他コースでもたびたび波乱を演出していました。

東京ダ1400m

鞍上が石川裕紀人騎手 ×

父か母の父がミスタープロスペクター系種牡馬、
かつ、前走の着順が11着以内

3着内率	複勝回収率
42.2%	242%

着別度数	勝率	連対率	単勝回収率
3 −12− 4 −26 / 45	6.7%	33.3%	179%

	着別度数	勝率	連対率	3着内率	単勝回収率	複勝回収率
直近1年	2 − 8 − 2 − 5 / 17	11.8%	58.8%	70.6%	25%	351%

伊吹メモ　特に条件を付けずとも単勝回収率188%、複勝回収率171%でしたから、このコースで名前を見かけたら必ず押さえておきたいところ。父か母の父にミスタープロスペクター系種牡馬を持つ馬とタッグを組んだレースは、好走率も非常に優秀です。

東京ダ1400m・ダ1600m・ダ2100m

父がイスラボニータ ×

前走の着順が9着以内、かつ、
前走の馬体重が460kg以上

3着内率	複勝回収率
50.0%	150%

着別度数	勝率	連対率	単勝回収率
7 − 6 − 8 −21 / 42	16.7%	31.0%	98%

	着別度数	勝率	連対率	3着内率	単勝回収率	複勝回収率
直近1年	4 − 5 − 6 −16/ 31	12.9%	29.0%	48.4%	52%	139%

伊吹メモ　大敗直後の馬や小柄な馬を除けば、東京ダの各コースでほぼ満遍なく優秀な成績を収めている種牡馬。まだキャリアが浅い分、コース適性の高さに気付いている方はそれほど多くないでしょうから、もうしばらくは過小評価されると思います。

東京ダ1600m

父がヘニーヒューズ × 前走のコースが今回と同じ距離か今回より長距離、かつ、前走の出走頭数が15頭以下

3着内率	複勝回収率
47.7%	137%

着別度数	勝率	連対率	単勝回収率
8－10－13－34／65	12.3%	27.7%	40%

	着別度数	勝率	連対率	3着内率	単勝回収率	複勝回収率
直近1年	4－2－8－10/24	16.7%	25.0%	58.3%	56%	120%

伊吹メモ　昨年度版でもほぼ同様の条件を「マストバイデータ」とした通り、東京ダ1600mはヘニーヒューズ産駒を狙いやすい舞台。ちなみに、前走が1600m未満のレースだった馬、前走が16頭立て以上のレースだった馬も、好走率自体は悪くありません。

東京ダ1600m

父がエーピーインディ系種牡馬 × 前走の着順が3着以内、かつ、前走のコースが中央場所

3着内率	複勝回収率
42.0%	137%

着別度数	勝率	連対率	単勝回収率
9－9－11－40／69	13.0%	26.1%	174%

	着別度数	勝率	連対率	3着内率	単勝回収率	複勝回収率
直近1年	3－3－1－13/20	15.0%	30.0%	35.0%	437%	254%

伊吹メモ　東京ダ1600mのレースを使ったエーピーインディ系種牡馬の産駒は、集計期間中のトータルでも単勝回収率194%、複勝回収率121%と妙味十分。大敗直後の馬はもちろん、前走好走馬も意外と軽視されがちで、たびたび波乱を演出していました。

東京ダ1600m

父がストームキャット系種牡馬 ×

馬齢が4歳以上、かつ、
前走のコースが今回と同じコース

3着内率	複勝回収率
42.3%	130%

着別度数	勝率	連対率	単勝回収率
13－7－13－45／78	16.7%	25.6%	136%

	着別度数	勝率	連対率	3着内率	単勝回収率	複勝回収率
直近1年	8－4－11－22／45	17.8%	26.7%	51.1%	161%	136%

伊吹メモ　4歳以上の古馬、かつ東京ダ1600mを走り慣れている馬に限ると、このコースはヘニーヒューズ以外のストームキャット系種牡馬も好成績。たとえ近走成績がいまひとつであっても、何かのきっかけで一変する可能性はあると見ておきましょう。

東京ダ1600m

鞍上が石橋脩騎手 ×

前走の着順が7着以内、かつ、性が牡・セン

3着内率	複勝回収率
51.0%	129%

着別度数	勝率	連対率	単勝回収率
9－7－10－25／51	17.6%	31.4%	122%

	着別度数	勝率	連対率	3着内率	単勝回収率	複勝回収率
直近1年	2－4－3－6／15	13.3%	40.0%	60.0%	141%	150%

伊吹メモ　東京ダ1600mの石橋脩騎手は、大敗直後の馬に騎乗したレースを除くとかなり堅実。牝馬とタッグを組んだレースも決して悪くはないのですが、騎乗馬が牡馬およびセン馬ならより期待できます。該当馬を見逃さないよう心掛けたいところです。

東京ダ2100m

鞍上が大野拓弥騎手 ×

前走の着順が8着以内、かつ、出走頭数が13頭以上

3着内率 **43.2%**　複勝回収率 **152%**

着別度数	勝率	連対率	単勝回収率
4－6－6－21／37	10.8%	27.0%	147%

	着別度数	勝率	連対率	3着内率	単勝回収率	複勝回収率
直近1年	2－2－2－10/16	12.5%	25.0%	37.5%	234%	205%

伊吹メモ　集計期間中に施行された東京ダ2100mのレースにおけるジョッキー別の3着内数ランキングを見ると、大野拓弥騎手（19回）はC.ルメール騎手（27回）、戸崎圭太騎手（26回）に次ぐ単独3位。人気の盲点になりがちですし、今後も目が離せません。

東京ダ2100m

鞍上がC.ルメール騎手 ×

枠番が1～4枠

3着内率 **70.8%**　複勝回収率 **136%**

着別度数	勝率	連対率	単勝回収率
6－7－4－7／24	25.0%	54.2%	88%

	着別度数	勝率	連対率	3着内率	単勝回収率	複勝回収率
直近1年	5－2－2－2/11	45.5%	63.6%	81.8%	172%	144%

伊吹メモ　東京芝長距離でも非常に優秀な成績を収めていましたが、この東京ダ2100mも世間の見立てを上回る高確率で馬券に絡んでおり、結果的に期待値が高くなっている得意条件。枠順別成績を見たところ、内寄りの枠に入ったレースは特に堅実でした。

中山競馬場

NAKAYAMA COURSE

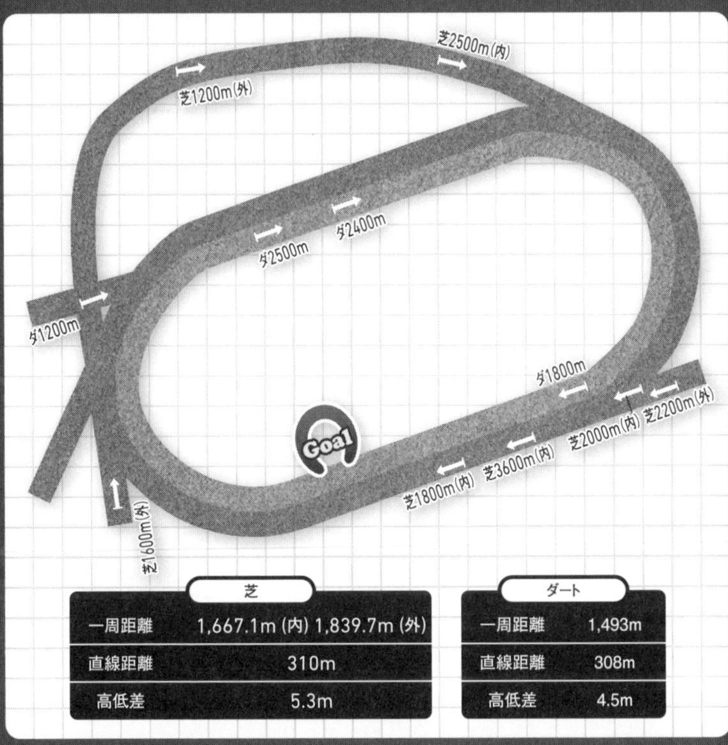

芝	
一周距離	1,667.1m (内) 1,839.7m (外)
直線距離	310m
高低差	5.3m

ダート	
一周距離	1,493m
直線距離	308m
高低差	4.5m

過去3年レース数 104

過去1年レース数 35

中山芝1200m外

血統偏差値

要注目種牡馬

父がシルバーステート マストバイデータあり	➡P053
父がアドマイヤムーン 血統偏差値65.2	3着内率 36.4% 複勝回収率 135%
父がキズナ 血統偏差値58.5	3着内率 28.0% 複勝回収率 133%
父がディープインパクト 血統偏差値57.7	3着内率 33.3% 複勝回収率 106%

ジョッキー偏差値

要注目騎手

鞍上が丸田恭介騎手 ジョッキー偏差値61.3	3着内率 36.4% 複勝回収率 175%
鞍上が石川裕紀人騎手 ジョッキー偏差値55.1	3着内率 28.6% 複勝回収率 182%
鞍上が横山和生騎手 ジョッキー偏差値53.9	3着内率 48.1% 複勝回収率 104%
鞍上が木幡巧也騎手 ジョッキー偏差値53.5	3着内率 26.7% 複勝回収率 114%

今後はキズナやシルバーステートが伸びてきそう

種牡馬別の3着内数を見ていくと、トップはロードカナロア(24回)、2位はアドマイヤムーン(16回)、3位はダイワメジャー(14回)となっていました。もっとも、ダイワメジャーとロードカナロアは複勝回収率がかなり低めですし、出走機会が年々減っているアドマイヤムーンも狙いづらい存在。これなら、キズナやシルバーステートの伸びしろに期待したいところです。

注目しておきたいジョッキーの代表格は菅原明良騎手。3着内数(16回)、3着内率(25・4%)、複勝回収率(106%)と、それぞれ悪くない数字をマークしています。もちろん、ジョッキー偏差値ランキングのトップに君臨している丸田恭介騎手も、名前を見かけたら必ずマークしておきましょう。

血統偏差値ランキング

当該コース

血統偏差値	騎手	好走率偏差値	回収率偏差値	着別度数	勝率	連対率	3着内率	単勝回収率	複勝回収率
65.2	アドマイヤムーン	67.9	65.2	3－8－5－28／44	6.8%	25.0%	36.4%	17%	135%
58.5	キズナ	58.5	64.7	1－2－4－18／25	4.0%	12.0%	28.0%	121%	133%
57.7	ディープインパクト	64.5	57.7	2－2－5－18／27	7.4%	14.8%	33.3%	243%	106%
55.0	シルバーステート	56.1	55.0	5－1－1－20／27	18.5%	22.2%	25.9%	169%	96%
51.1	マツリダゴッホ	54.2	51.1	2－1－5－25／33	6.1%	9.1%	24.2%	73%	81%
50.8	ミッキーアイル	50.8	53.5	2－2－3－26／33	6.1%	12.1%	21.2%	43%	90%
48.3	イスラボニータ	48.3	58.4	3－0－1－17／21	14.3%	14.3%	19.0%	115%	109%
46.9	ロードカナロア	56.0	46.9	10－8－6－69／93	10.8%	19.4%	25.8%	49%	65%
45.9	スクリーンヒーロー	59.1	45.9	2－2－4－20／28	7.1%	14.3%	28.6%	49%	61%
45.9	ダイワメジャー	51.9	45.9	3－5－6－49／63	4.8%	12.7%	22.2%	24%	61%
44.4	キンシャサノキセキ	44.4	46.6	1－4－2－38／45	2.2%	11.1%	15.6%	65%	64%
44.2	エイシンフラッシュ	44.2	54.7	2－1－1－22／26	7.7%	11.5%	15.4%	113%	95%
44.2	ディスクリートキャット	44.2	61.6	1－1－2－22／26	3.8%	7.7%	15.4%	54%	121%
40.1	エピファネイア	40.9	40.1	1－0－2－21／24	4.2%	4.2%	12.5%	119%	39%
36.6	ビッグアーサー	45.1	36.6	3－1－2－31／37	8.1%	10.8%	16.2%	46%	25%

ジョッキー偏差値ランキング

当該コース

ジョッキー偏差値	騎手	好走率偏差値	回収率偏差値	着別度数	勝率	連対率	3着内率	単勝回収率	複勝回収率
61.3	丸田恭介	61.3	68.7	3－3－2－14／22	13.6%	27.3%	36.4%	315%	175%
55.1	石川裕紀人	55.1	70.3	5－2－3－25／35	14.3%	20.0%	28.6%	154%	182%
53.9	横山和生	70.7	53.9	6－5－2－14／27	22.2%	40.7%	48.1%	140%	104%
53.5	木幡巧也	53.5	56.0	3－5－4－33／45	6.7%	17.8%	26.7%	82%	114%
52.5	菅原明良	52.5	54.4	3－5－8－47／63	4.8%	12.7%	25.4%	37%	106%
52.2	石橋脩	52.2	56.8	1－1－5－21／28	3.6%	7.1%	25.0%	35%	118%
50.7	丹内祐次	52.9	50.7	4－5－6－43／58	6.9%	15.5%	25.9%	47%	88%
50.1	田辺裕信	64.2	50.1	4－5－5－21／35	11.4%	25.7%	40.0%	68%	86%
48.4	C.ルメール	67.4	48.4	6－3－2－14／25	24.0%	36.0%	44.0%	109%	77%
48.0	横山武史	64.2	48.0	8－10－6－36／60	13.3%	30.0%	40.0%	55%	76%
46.6	M.デムーロ	58.9	46.6	6－1－2－18／27	22.2%	25.9%	33.3%	122%	69%
45.9	柴田大知	45.9	49.9	1－3－3－34／41	2.4%	9.8%	17.1%	26%	84%
43.9	戸崎圭太	56.1	43.9	6－6－5－40／57	10.5%	21.1%	29.8%	37%	56%
43.2	永野猛蔵	47.5	43.2	2－3－3－34／42	4.8%	11.9%	19.0%	39%	53%
42.6	三浦皇成	48.5	42.6	1－8－2－43／54	1.9%	16.7%	20.4%	12%	49%

過去3年レース数 192

過去1年レース数 64

中山芝1600m外

血統偏差値

要注目種牡馬

父がキズナ マストバイデータあり	➡P054
父がシルバーステート マストバイデータあり	➡P053
父がディープインパクト 血統偏差値58.5	3着内率 32.2% 複勝回収率 103%
父がドレフォン 血統偏差値56.0	3着内率 30.0% 複勝回収率 97%

ジョッキー偏差値

要注目騎手

鞍上がM.デムーロ騎手 マストバイデータあり	➡P053
鞍上が津村明秀騎手 ジョッキー偏差値61.8	3着内率 33.7% 複勝回収率 130%
鞍上が横山和生騎手 ジョッキー偏差値59.0	3着内率 31.8% 複勝回収率 107%
鞍上が北村宏司騎手 ジョッキー偏差値57.3	3着内率 29.2% 複勝回収率 127%

シルバーステート産駒やM・デムーロ騎手に注目

血統偏差値ランキングで首位に立っていたのはシルバーステート。まだ上級条件のレースに出走した産駒が少ないとはいえ、集計期間中の3着内率は39・3%に、複勝回収率は138%に達しています。父のディープインパクトや、自身と同じディープインパクトの後継種牡馬にあたるキズナも素晴らしい成績を収めていますから、もうしばらくは快進撃が続きそうです。

ジョッキー偏差値ランキングはM・デムーロ騎手がトップ。好走率も回収率も申し分のない高水準でしたし、集計期間中の3着内数（33回）はジョッキーの中だと3位タイでした。このM・デムーロ騎手を上回る複勝回収率をマークした津村明秀騎手も、狙いやすいジョッキーのひとりと言えるでしょう。

血統偏差値ランキング

当該コース

血統偏差値	騎手	好走率偏差値	回収率偏差値	着別度数	勝率	連対率	3着内率	単勝回収率	複勝回収率
69.7	シルバーステート	69.7	71.3	11－6－7－37／61	18.0%	27.9%	39.3%	123%	138%
58.5	ディープインパクト	59.7	58.5	16－9－4－61／90	17.8%	27.8%	32.2%	160%	103%
56.0	ドレフォン	56.6	56.0	7－3－5－35／50	14.0%	20.0%	30.0%	113%	97%
55.4	キズナ	55.4	68.4	8－8－5－51／72	11.1%	22.2%	29.2%	88%	130%
53.1	ハービンジャー	54.9	53.1	3－7－9－47／66	4.5%	15.2%	28.8%	63%	89%
50.7	ダイワメジャー	56.3	50.7	6－8－14－66／94	6.4%	14.9%	29.8%	60%	82%
49.9	ロードカナロア	56.5	49.9	12－16－10－89／127	9.4%	22.0%	29.9%	51%	80%
48.9	ルーラーシップ	59.9	48.9	9－10－4－48／71	12.7%	26.8%	32.4%	39%	77%
47.3	スクリーンヒーロー	47.3	47.9	2－9－4－49／64	3.1%	17.2%	23.4%	15%	75%
45.5	イスラボニータ	49.5	45.5	5－6－1－36／48	10.4%	22.9%	25.0%	77%	68%
45.3	ドゥラメンテ	56.1	45.3	4－11－9－57／81	4.9%	18.5%	29.6%	16%	68%
44.1	リオンディーズ	56.1	44.1	8－5－3－38／54	14.8%	24.1%	29.6%	75%	64%
41.1	モーリス	41.1	56.8	7－4－9－85／105	6.7%	10.5%	19.0%	19%	99%
40.2	エピファネイア	41.2	40.2	10－5－6－89／110	9.1%	13.6%	19.1%	58%	54%
37.2	ハーツクライ	41.3	37.2	7－2－5－59／73	9.6%	12.3%	19.2%	70%	46%

ジョッキー偏差値ランキング

当該コース

ジョッキー偏差値	騎手	好走率偏差値	回収率偏差値	着別度数	勝率	連対率	3着内率	単勝回収率	複勝回収率
62.7	M.デムーロ	71.7	62.7	15－7－11－43／76	19.7%	28.9%	43.4%	114%	117%
61.8	津村明秀	61.8	67.6	8－10－13－61／92	8.7%	19.6%	33.7%	82%	130%
59.0	横山和生	59.9	59.0	10－6－5－45／66	15.2%	24.2%	31.8%	136%	107%
57.3	北村宏司	57.3	66.3	4－8－9－51／72	5.6%	16.7%	29.2%	77%	127%
52.3	大野拓弥	52.3	56.2	9－9－8－81／107	8.4%	16.8%	24.3%	106%	99%
50.7	戸崎圭太	66.1	50.7	15－14－12－67／108	13.9%	26.9%	38.0%	104%	84%
50.3	三浦皇成	58.9	50.3	5－12－11－63／91	5.5%	18.7%	30.8%	32%	83%
49.9	菅原明良	56.8	49.9	8－12－13－82／115	7.0%	17.4%	28.7%	73%	82%
47.4	内田博幸	47.4	56.6	4－4－5－54／67	6.0%	11.9%	19.4%	221%	100%
45.0	横山武史	59.5	45.0	20－12－5－81／118	16.9%	27.1%	31.4%	56%	68%
43.8	石川裕紀人	45.2	43.8	3－6－7－77／93	3.2%	9.7%	17.2%	68%	65%
42.9	C.ルメール	66.8	42.9	13－11－3－43／70	18.6%	34.3%	38.6%	62%	63%
42.8	松岡正海	54.1	42.8	3－5－5－37／50	6.0%	16.0%	26.0%	22%	63%
41.7	田辺裕信	53.8	41.7	10－11－5－75／101	9.9%	20.8%	25.7%	83%	60%
36.4	石橋脩	49.2	36.4	7－3－4－52／66	10.6%	15.2%	21.2%	48%	45%

過去3年 レース数 108

過去1年 レース数 35

中山芝1800m内

血統偏差値

要注目種牡馬

父がキズナ マストバイデータあり	➡P054
父がシルバーステート マストバイデータあり	➡P053
父がリアルスティール マストバイデータあり	➡P055
父がディープインパクト系種牡馬 マストバイデータあり	➡P054

ジョッキー偏差値

要注目騎手

鞍上が横山武史騎手 マストバイデータあり	➡P055
鞍上がM.デムーロ騎手 ジョッキー偏差値56.9	3着内率 36.4% 複勝回収率 84%
鞍上が菅原明良騎手 ジョッキー偏差値53.1	3着内率 29.0% 複勝回収率 75%
鞍上が石川裕紀人騎手 ジョッキー偏差値51.1	3着内率 24.4% 複勝回収率 91%

まずは横山武史騎手の騎乗馬をチェックしたい

種牡馬別の3着内数を見ると、トップはディープインパクト(27回)で、2位がドゥラメンテ(26回)。この2種牡馬は3着内率や複勝回収率も非常に優秀でした。さらに付け加えると、ディープインパクトの後継にあたるキズナや、ドゥラメンテの父にあたるキングカメハメハも、血統偏差値ランキングで上位に食い込んでいる種牡馬。主要父系の主力サイアーを素直に狙うべきコースなのかもしれません。

ジョッキー偏差値ランキングで首位に立っている横山武史騎手は、集計期間中の3着内数(36回)がもっとも多かったジョッキーでもあります。23年のスプリングS(3歳GⅡ)をベラジオオペラとのコンビで制すなど、上級条件のレースでも頼りになる存在です。

血統偏差値ランキング

当該コース

血統偏差値	騎手	好走率偏差値	回収率偏差値	着別度数	勝率	連対率	3着内率	単勝回収率	複勝回収率
63.5	キズナ	63.5	66.6	3－6－7－28／44	6.8%	20.5%	36.4%	66%	117%
59.2	ディープインパクト	63.1	59.2	10－8－9－48／75	13.3%	24.0%	36.0%	55%	99%
58.3	キングカメハメハ	58.3	66.7	2－4－4－21／31	6.5%	19.4%	32.3%	28%	118%
57.1	ドゥラメンテ	62.6	57.1	14－6－6－47／73	19.2%	27.4%	35.6%	140%	94%
51.6	ヴィクトワールピサ	51.6	65.0	5－1－1－19／26	19.2%	23.1%	26.9%	343%	113%
50.2	モーリス	51.1	50.2	2－7－4－36／49	4.1%	18.4%	26.5%	31%	77%
47.7	ハービンジャー	54.7	47.7	4－4－7－36／51	7.8%	15.7%	29.4%	97%	70%
45.3	ハーツクライ	47.6	45.3	6－3－5－45／59	10.2%	15.3%	23.7%	71%	64%
44.1	エピファネイア	44.1	44.7	7－6－4－64／81	8.6%	16.0%	21.0%	134%	63%
44.0	ルーラーシップ	49.6	44.0	4－8－6－53／71	5.6%	16.9%	25.4%	28%	61%
43.0	ダイワメジャー	44.9	43.0	1－4－3－29／37	2.7%	13.5%	21.6%	6%	59%
42.3	ロードカナロア	59.7	42.3	7－10－2－38／57	12.3%	29.8%	33.3%	52%	57%
41.6	ゴールドシップ	47.5	41.6	2－7－9－58／76	2.6%	11.8%	23.7%	14%	55%
37.5	スクリーンヒーロー	37.5	44.5	3－1－2－32／38	7.9%	10.5%	15.8%	113%	62%
30.5	ジャスタウェイ	36.2	30.5	4－0－1－29／34	11.8%	11.8%	14.7%	60%	27%

ジョッキー偏差値ランキング

当該コース

ジョッキー偏差値	騎手	好走率偏差値	回収率偏差値	着別度数	勝率	連対率	3着内率	単勝回収率	複勝回収率
61.7	横山武史	76.6	61.7	10－12－14－31／67	14.9%	32.8%	53.7%	67%	96%
56.9	M.デムーロ	61.5	56.9	3－4－5－21／33	9.1%	21.2%	36.4%	45%	84%
53.1	菅原明良	55.1	53.1	4－8－6－44／62	6.5%	19.4%	29.0%	46%	75%
51.1	石川裕紀人	51.1	59.6	1－5－4－31／41	2.4%	14.6%	24.4%	16%	91%
50.9	横山和生	50.9	63.6	3－3－1－22／29	10.3%	20.7%	24.1%	148%	101%
49.8	C.ルメール	73.3	49.8	8－9－2－19／38	21.1%	44.7%	50.0%	59%	67%
48.6	田辺裕信	49.7	48.6	3－6－4－44／57	5.3%	15.8%	22.8%	40%	64%
48.3	津村明秀	50.0	48.3	4－3－5－40／52	7.7%	13.5%	23.1%	40%	63%
48.1	三浦皇成	53.9	48.1	4－5－7－42／58	6.9%	15.5%	27.6%	28%	63%
47.0	柴田大知	47.0	62.8	3－5－2－41／51	5.9%	15.7%	19.6%	84%	99%
47.0	丹内祐次	47.0	51.9	4－2－5－45／56	7.1%	10.7%	19.6%	86%	72%
46.2	戸崎圭太	58.0	46.2	13－4－5－46／68	19.1%	25.0%	32.4%	71%	58%
45.5	吉田豊	45.5	47.9	2－3－2－32／39	5.1%	12.8%	17.9%	23%	62%
43.6	北村宏司	43.7	43.6	2－2－3－37／44	4.5%	9.1%	15.9%	22%	52%
43.1	大野拓弥	45.9	43.1	1－4－4－40／49	2.0%	10.2%	18.4%	37%	51%

過去3年レース数 149

過去1年レース数 51

中山芝2000m内

血統偏差値

要注目種牡馬

父がエピファネイア マストバイデータあり	➡P056
父がモーリス マストバイデータあり	➡P056
父がリアルスティール マストバイデータあり	➡P055
父がドゥラメンテ 血統偏差値57.2	3着内率 31.9% 複勝回収率 90%

ジョッキー偏差値

要注目騎手

鞍上が田辺裕信騎手 マストバイデータあり	➡P057
鞍上が戸崎圭太騎手 ジョッキー偏差値61.7	3着内率 37.5% 複勝回収率 95%
鞍上が菅原明良騎手 ジョッキー偏差値56.6	3着内率 30.7% 複勝回収率 89%
鞍上がC.ルメール騎手 ジョッキー偏差値55.6	3着内率 54.4% 複勝回収率 80%

ディープインパクト関連の血統は過信禁物!?

集計期間中の3着内数がもっとも多かった種牡馬はディープインパクトとハーツクライ（各32回）。ただ、ディープインパクトの複勝回収率が69%どまりだったのに対し、ハーツクライの複勝回収率は98%に達しています。

このハーツクライと同等以上に高く評価して良さそうな種牡馬は、エピファネイア、ドゥラメンテ、モーリスあたり。それぞれしっかりマークしておきたいところです。一方、ディープインパクトを父に持つキズナや、ブラックタイドとキタサンブラックの親仔は、血統偏差値がかなり低めでした。

ジョッキー偏差値ランキングから強調できるのは、田辺裕信騎手や戸崎圭太騎手あたり。あとはC・ルメール騎手も高く評価して良いでしょう。

血統偏差値ランキング

当該コース

血統偏差値	騎手	好走率偏差値	回収率偏差値	着別度数	勝率	連対率	3着内率	単勝回収率	複勝回収率
60.0	モーリス	63.0	60.0	7－6－6－36／55	12.7%	23.6%	34.5%	53%	97%
58.6	エピファネイア	61.4	58.6	10－8－10－56／84	11.9%	21.4%	33.3%	46%	93%
57.2	ドゥラメンテ	59.5	57.2	7－11－11－62／91	7.7%	19.8%	31.9%	166%	90%
57.1	エイシンフラッシュ	57.1	57.6	6－5－1－28／40	15.0%	27.5%	30.0%	273%	91%
55.0	ハーツクライ	55.0	60.3	16－9－7－81／113	14.2%	22.1%	28.3%	140%	98%
49.1	ディープインパクト	61.4	49.1	9－14－9－64／96	9.4%	24.0%	33.3%	50%	69%
48.9	キングカメハメハ	74.2	48.9	5－4－4－17／30	16.7%	30.0%	43.3%	59%	69%
48.6	ブラックタイド	48.6	48.7	3－2－2－23／30	10.0%	16.7%	23.3%	89%	68%
46.0	キズナ	46.0	48.2	5－3－5－48／61	8.2%	13.1%	21.3%	32%	67%
46.0	ロードカナロア	50.7	46.0	3－6－3－36／48	6.3%	18.8%	25.0%	55%	61%
45.5	オルフェーヴル	45.5	54.3	1－6－2－34／43	2.3%	16.3%	20.9%	22%	82%
42.9	ハービンジャー	48.0	42.9	11－6－7－81／105	10.5%	16.2%	22.9%	104%	53%
42.0	ルーラーシップ	46.4	42.0	7－4－10－76／97	7.2%	11.3%	21.6%	73%	51%
38.2	ゴールドシップ	38.2	40.4	5－11－4－111／131	3.8%	12.2%	15.3%	50%	47%
36.7	キタサンブラック	48.0	36.7	4－3－1－27／35	11.4%	20.0%	22.9%	39%	37%

ジョッキー偏差値ランキング

当該コース

ジョッキー偏差値	騎手	好走率偏差値	回収率偏差値	着別度数	勝率	連対率	3着内率	単勝回収率	複勝回収率
61.7	戸崎圭太	62.4	61.7	13－13－10－60／96	13.5%	27.1%	37.5%	120%	95%
58.5	田辺裕信	58.5	73.6	9－7－9－51／76	11.8%	21.1%	32.9%	139%	125%
56.6	菅原明良	56.6	59.3	8－10－9－61／88	9.1%	20.5%	30.7%	112%	89%
55.6	C.ルメール	76.6	55.6	18－9－10－31／68	26.5%	39.7%	54.4%	60%	80%
51.7	M.デムーロ	58.4	51.7	5－7－8－41／61	8.2%	19.7%	32.8%	29%	70%
50.8	三浦皇成	50.8	51.4	3－8－7－58／76	3.9%	14.5%	23.7%	44%	70%
49.9	横山武史	65.7	49.9	17－14－10－58／99	17.2%	31.3%	41.4%	82%	66%
48.6	横山和生	48.6	53.2	3－4－4－41／52	5.8%	13.5%	21.2%	57%	74%
47.9	丹内祐次	47.9	49.8	4－5－7－63／79	5.1%	11.4%	20.3%	52%	66%
45.9	石川裕紀人	47.1	45.9	3－5－4－50／62	4.8%	12.9%	19.4%	19%	56%
45.1	北村宏司	51.9	45.1	3－4－6－39／52	5.8%	13.5%	25.0%	33%	54%
45.1	津村明秀	45.1	50.6	5－3－4－59／71	7.0%	11.3%	16.9%	67%	68%
44.4	大野拓弥	50.0	44.4	6－7－2－51／66	9.1%	19.7%	22.7%	63%	53%
43.2	石橋脩	47.7	43.2	5－4－2－44／55	9.1%	16.4%	20.0%	26%	50%
41.9	柴田大知	44.9	41.9	3－6－3－60／72	4.2%	12.5%	16.7%	27%	46%

過去3年レース数 51
過去1年レース数 17

中山芝2200m外

血統偏差値

要注目種牡馬

父がモーリス マストバイデータあり	➡P056
父がディープインパクト系種牡馬 マストバイデータあり	➡P057
父がシルバーステート 血統偏差値68.8	3着内率 61.5% 複勝回収率 190%
父がゴールドシップ 血統偏差値55.5	3着内率 30.9% 複勝回収率 135%

ジョッキー偏差値

要注目騎手

鞍上が田辺裕信騎手 マストバイデータあり	➡P057
鞍上がM.デムーロ騎手 ジョッキー偏差値52.0	3着内率 54.5% 複勝回収率 126%
鞍上が松岡正海騎手 ジョッキー偏差値51.8	3着内率 27.3% 複勝回収率 531%

田辺裕信騎手やM.デムーロ騎手あたりが狙い目

血統偏差値ランキングで2位に食い込んだゴールドシップは、集計期間中の3着内数がもっとも多かった種牡馬。23年の成績はいまひとつでしたが、コース適性は高いと見て良さそうですし、まだ見限るべきではありません。

そのゴールドシップを血統偏差値で上回ったのがシルバーステート。上級条件のレースに出走した産駒が少ないとはいえ、中山芝では全体的に素晴らしい成績を収めていますから、今後もしっかりマークしておきましょう。

飛び抜けて高い複勝回収率を記録した騎手がいたため、ジョッキー偏差値ランキングは全体的に数値が低く出ているものの、田辺裕信騎手やM・デムーロ騎手あたりは、非常に狙いやすいジョッキーとみなして良いと思います。

血統偏差値ランキング

当該コース

血統偏差値	騎手	好走率偏差値	回収率偏差値	着別度数	勝率	連対率	3着内率	単勝回収率	複勝回収率
68.8	シルバーステート	78.8	68.8	2－5－1－5／13	15.4%	53.8%	61.5%	41%	190%
55.5	ゴールドシップ	55.5	59.7	4－11－6－47／68	5.9%	22.1%	30.9%	92%	135%
52.5	モーリス	56.7	52.5	4－3－4－23／34	11.8%	20.6%	32.4%	109%	92%
51.5	ディープインパクト	56.8	51.5	6－4－4－29／43	14.0%	23.3%	32.6%	171%	86%
48.9	キングカメハメハ	54.9	48.9	5－0－1－14／20	25.0%	25.0%	30.0%	169%	71%
48.3	ドゥラメンテ	60.2	48.3	2－3－5－17／27	7.4%	18.5%	37.0%	23%	67%
47.3	ルーラーシップ	48.8	47.3	2－4－3－32／41	4.9%	14.6%	22.0%	57%	62%
46.7	エピファネイア	53.4	46.7	2－1－4－18／25	8.0%	12.0%	28.0%	24%	58%
46.3	キズナ	46.3	53.1	1－1－1－13／16	6.3%	12.5%	18.8%	176%	96%
46.1	ハーツクライ	48.2	46.1	3－3－5－41／52	5.8%	11.5%	21.2%	50%	54%
45.9	ステイゴールド	45.9	78.6	0－2－0－9／11	0.0%	18.2%	18.2%	0%	248%
44.2	ロードカナロア	47.3	44.2	2－0－1－12／15	13.3%	13.3%	20.0%	69%	43%
44.1	オルフェーヴル	51.9	44.1	2－2－2－17／23	8.7%	17.4%	26.1%	29%	42%
41.6	スクリーンヒーロー	41.6	42.2	2－0－0－14／16	12.5%	12.5%	12.5%	167%	31%
40.4	ハービンジャー	42.1	40.4	2－1－2－33／38	5.3%	7.9%	13.2%	38%	21%

ジョッキー偏差値ランキング

当該コース

ジョッキー偏差値	騎手	好走率偏差値	回収率偏差値	着別度数	勝率	連対率	3着内率	単勝回収率	複勝回収率
52.4	田辺裕信	61.1	52.4	7－2－1－15／25	28.0%	36.0%	40.0%	483%	131%
52.0	M.デムーロ	71.6	52.0	2－4－6－10／22	9.1%	27.3%	54.5%	80%	126%
51.8	松岡正海	51.8	89.6	0－1－2－8／11	0.0%	9.1%	27.3%	0%	531%
48.9	C.ルメール	70.0	48.9	4－3－4－10／21	19.0%	33.3%	52.4%	90%	94%
48.0	横山武史	64.5	48.0	8－6－3－21／38	21.1%	36.8%	44.7%	119%	83%
47.7	柴田大知	47.8	47.7	2－2－1－18／23	8.7%	17.4%	21.7%	260%	81%
47.6	北村宏司	51.1	47.6	0－1－4－14／19	0.0%	5.3%	26.3%	0%	79%
47.5	石橋脩	58.8	47.5	4－1－2－12／19	21.1%	26.3%	36.8%	212%	78%
47.3	戸崎圭太	62.1	47.3	5－4－3－17／29	17.2%	31.0%	41.4%	108%	76%
46.6	永野猛蔵	46.6	49.4	2－1－0－12／15	13.3%	20.0%	20.0%	61%	99%
46.2	三浦皇成	47.6	46.2	1－2－3－22／28	3.6%	10.7%	21.4%	35%	65%
45.9	津村明秀	45.9	45.9	1－2－1－17／21	4.8%	14.3%	19.0%	25%	61%
45.2	内田博幸	45.2	50.0	0－0－4－18／22	0.0%	0.0%	18.2%	0%	105%
44.9	横山典弘	46.6	44.9	1－1－1－12／15	6.7%	13.3%	20.0%	52%	51%
42.8	石川裕紀人	42.8	57.2	0－3－1－23／27	0.0%	11.1%	14.8%	0%	182%

過去3年レース数	32
過去1年レース数	10

中山芝2500m内

血統偏差値

要注目種牡馬

	3着内率	複勝回収率
父がブラックタイド 血統偏差値60.2	44.4%	106%
父がハーツクライ 血統偏差値53.9	29.3%	208%
父がドゥラメンテ 血統偏差値53.5	38.5%	75%
父がノヴェリスト 血統偏差値52.1	33.3%	68%

ジョッキー偏差値

要注目騎手

	3着内率	複勝回収率
鞍上が横山和生騎手 ジョッキー偏差値54.5	53.8%	124%
鞍上がC.ルメール騎手 ジョッキー偏差値54.1	75.0%	120%
鞍上が永野猛蔵騎手 ジョッキー偏差値53.5	38.5%	113%
鞍上が石川裕紀人騎手 ジョッキー偏差値52.7	28.6%	580%

23年末の有馬記念をイメージして予想に臨むべし

有馬記念の舞台としておなじみのコースですが、集計期間中の施行レース数は33と少なめ。種牡馬別の3着内数を見ると、ディープインパクトとハーツクライ（各12回）が首位タイでした。もっとも、ハーツクライの複勝回収率が208%と優秀だったのに対し、ディープインパクトの複勝回収率は48%どまりなので注意しましょう。

ジョッキー偏差値ランキングから強調できるのは横山和生騎手とC・ルメール騎手。23年12月24日の有馬記念（3歳以上GⅠ）では、単勝オッズ8・6倍（7番人気）のスターズオンアースとタッグを組んだC・ルメール騎手が2着に、同8・3倍（6番人気）のタイトルホルダーとタッグを組んだ横山和生騎手が3着に健闘しています。

血統偏差値ランキング

当該コース

血統偏差値	騎手	好走率偏差値	回収率偏差値	着別度数	勝率	連対率	3着内率	単勝回収率	複勝回収率
60.2	ブラックタイド	66.3	60.2	0－4－0－5／9	0.0%	44.4%	44.4%	0%	106%
53.9	ハーツクライ	53.9	82.0	4－3－5－29／41	9.8%	17.1%	29.3%	172%	208%
53.5	ドゥラメンテ	61.4	53.5	2－2－1－8／13	15.4%	30.8%	38.5%	30%	75%
52.1	ノヴェリスト	57.3	52.1	0－1－2－6／9	0.0%	11.1%	33.3%	0%	68%
50.4	キングカメハメハ	54.1	50.4	0－4－1－12／17	0.0%	23.5%	29.4%	0%	61%
49.0	エピファネイア	61.4	49.0	4－1－0－8／13	30.8%	38.5%	38.5%	95%	54%
48.6	オルフェーヴル	48.6	52.4	1－0－4－17／22	4.5%	4.5%	22.7%	11%	70%
48.3	ジャスタウェイ	62.7	48.3	2－2－0－6／10	20.0%	40.0%	40.0%	46%	51%
48.2	キズナ	48.2	53.3	1－1－0－7／9	11.1%	22.2%	22.2%	177%	74%
47.8	ディープインパクト	51.4	47.8	2－3－7－34／46	4.3%	10.9%	26.1%	10%	48%
42.5	ルーラーシップ	42.6	42.5	1－2－1－22／26	3.8%	11.5%	15.4%	5%	24%
41.7	エイシンフラッシュ	41.7	43.1	0－0－1－6／7	0.0%	0.0%	14.3%	0%	27%
41.7	ハービンジャー	41.7	42.5	0－1－2－18／21	0.0%	4.8%	14.3%	0%	24%
40.3	ジャングルポケット	40.3	43.7	0－1－0－7／8	0.0%	12.5%	12.5%	0%	30%
38.2	ゴールドシップ	38.2	41.7	2－1－0－27／30	6.7%	10.0%	10.0%	15%	20%

ジョッキー偏差値ランキング

当該コース

ジョッキー偏差値	騎手	好走率偏差値	回収率偏差値	着別度数	勝率	連対率	3着内率	単勝回収率	複勝回収率
54.5	横山和生	66.2	54.5	3－2－2－6／13	23.1%	38.5%	53.8%	216%	124%
54.1	C.ルメール	77.5	54.1	5－1－3－3／12	41.7%	50.0%	75.0%	140%	120%
53.5	永野猛蔵	58.0	53.5	2－2－1－8／13	15.4%	30.8%	38.5%	227%	113%
52.7	石川裕紀人	52.7	94.1	0－1－1－5／7	0.0%	14.3%	28.6%	0%	580%
51.0	戸崎圭太	64.2	51.0	2－5－3－10／20	10.0%	35.0%	50.0%	29%	84%
49.6	横山武史	58.8	49.6	2－1－3－9／15	13.3%	20.0%	40.0%	70%	68%
49.3	三浦皇成	49.8	49.3	0－1－2－10／13	0.0%	7.7%	23.1%	0%	64%
49.2	内田博幸	55.3	49.2	1－2－1－8／12	8.3%	25.0%	33.3%	16%	64%
48.6	田辺裕信	50.0	48.6	2－1－1－13／17	11.8%	17.6%	23.5%	181%	57%
47.0	大野拓弥	52.7	47.0	4－0－0－10／14	28.6%	28.6%	28.6%	90%	38%
47.0	菅原明良	51.7	47.0	2－2－0－11／15	13.3%	26.7%	26.7%	46%	38%
46.2	石橋脩	48.1	46.2	0－1－1－8／10	0.0%	10.0%	20.0%	0%	29%
45.1	木幡巧也	45.1	46.5	0－1－0－6／7	0.0%	14.3%	14.3%	0%	32%
45.1	丸山元気	45.1	46.4	0－1－0－6／7	0.0%	14.3%	14.3%	0%	31%
44.6	津村明秀	44.6	46.3	2－0－0－13／15	13.3%	13.3%	13.3%	95%	30%

過去3年レース数 3 過去1年レース数 1

中山芝3600m内

血統偏差値ランキング

当該コース

血統偏差値	種牡馬	好走率偏差値	回収率偏差値	着別度数	勝率	連対率	3着内率	単勝回収率	複勝回収率
70.3	リオンディーズ	70.6	70.3	0-1-0-0/1	0.0%	100.0%	100.0%	0%	220%
69.1	スクリーンヒーロー	70.6	69.1	0-0-1-0/1	0.0%	0.0%	100.0%	0%	210%
69.1	ワークフォース	70.6	69.1	1-0-1-0/2	50.0%	50.0%	100.0%	385%	210%
57.4	ゴールドシップ	57.4	61.9	0-1-0-1/2	0.0%	50.0%	50.0%	0%	150%
55.9	オルフェーヴル	55.9	57.4	2-1-1-5/9	22.2%	33.3%	44.4%	273%	112%
44.0	キズナ	44.2	44.0	0-0-0-2/2	0.0%	0.0%	0.0%	0%	0%
44.0	キングカメハメハ	44.2	44.0	0-0-0-4/4	0.0%	0.0%	0.0%	0%	0%
44.0	ダンカーク	44.2	44.0	0-0-0-1/1	0.0%	0.0%	0.0%	0%	0%
44.0	ディープインパクト	44.2	44.0	0-0-0-5/5	0.0%	0.0%	0.0%	0%	0%
44.0	ディープブリランテ	44.2	44.0	0-0-0-1/1	0.0%	0.0%	0.0%	0%	0%

ジョッキー偏差値ランキング

当該コース

ジョッキー偏差値	騎手	好走率偏差値	回収率偏差値	着別度数	勝率	連対率	3着内率	単勝回収率	複勝回収率
76.0	浜中俊	77.3	76.0	0-1-0-0/1	0.0%	100.0%	100.0%	0%	220%
66.4	石橋脩	66.4	72.2	1-1-0-1/3	33.3%	66.7%	66.7%	640%	193%
66.4	横山武史	66.4	68.9	0-1-1-1/3	0.0%	33.3%	66.7%	0%	170%
61.0	内田博幸	61.0	61.1	0-0-1-1/2	0.0%	0.0%	50.0%	0%	115%
59.6	田辺裕信	61.0	59.6	1-0-0-1/2	50.0%	50.0%	50.0%	385%	105%
54.7	戸崎圭太	55.6	54.7	0-0-1-2/3	0.0%	0.0%	33.3%	0%	70%
44.7	石川裕紀人	44.8	44.7	0-0-0-1/1	0.0%	0.0%	0.0%	0%	0%
44.7	岩田望来	44.8	44.7	0-0-0-1/1	0.0%	0.0%	0.0%	0%	0%
44.7	大野拓弥	44.8	44.7	0-0-0-1/1	0.0%	0.0%	0.0%	0%	0%
44.7	鮫島克駿	44.8	44.7	0-0-0-1/1	0.0%	0.0%	0.0%	0%	0%

ディープインパクト系種牡馬の産駒は割り引きが必要!?

ステイヤーズS（3歳以上GⅡ）のみが施行されるコースとしておなじみ。相性が良い血統の代表格はオルフェーヴルです。23年のステイヤーズSをアイアンバローズが、22年のステイヤーズSをシルヴァーソニックが制しているうえ、この2頭は21年のステイヤーズSでも2着と3着に健闘。24年以降も、産駒がエントリーしてきたらしっかりマークしておきましょう。

なお、集計期間中に限ると、ディープインパクト系種牡馬の産駒は3着以内なし。キングカメハメハ系種牡馬の産駒も3着内率11.1%でした。

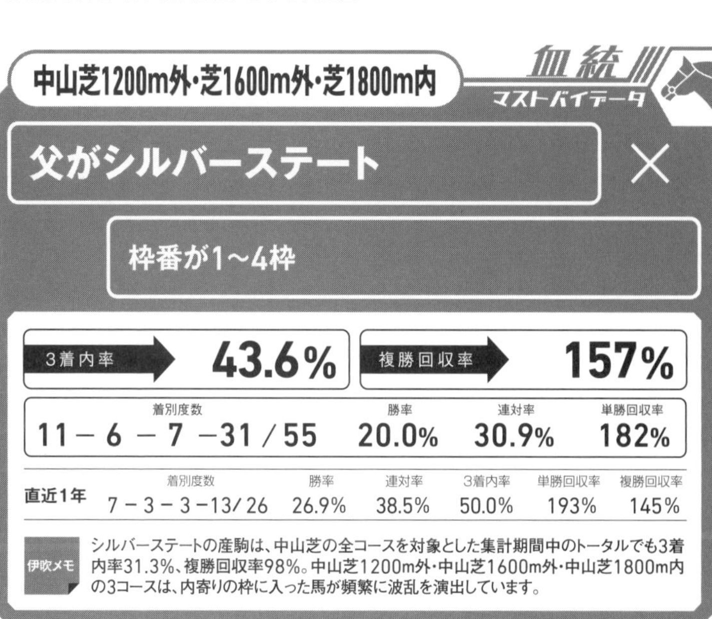

中山芝1200m外・芝1600m外・芝1800m内

血統マストバイデータ

父がシルバーステート ×

枠番が1～4枠

3着内率	複勝回収率
43.6%	157%

着別度数	勝率	連対率	単勝回収率
11－6－7－31／55	20.0%	30.9%	182%

	着別度数	勝率	連対率	3着内率	単勝回収率	複勝回収率
直近1年	7－3－3－13／26	26.9%	38.5%	50.0%	193%	145%

伊吹メモ シルバーステートの産駒は、中山芝の全コースを対象とした集計期間中のトータルでも3着内率31.3%、複勝回収率98%。中山芝1200m外・中山芝1600m外・中山芝1800m内の3コースは、内寄りの枠に入った馬が頻繁に波乱を演出しています。

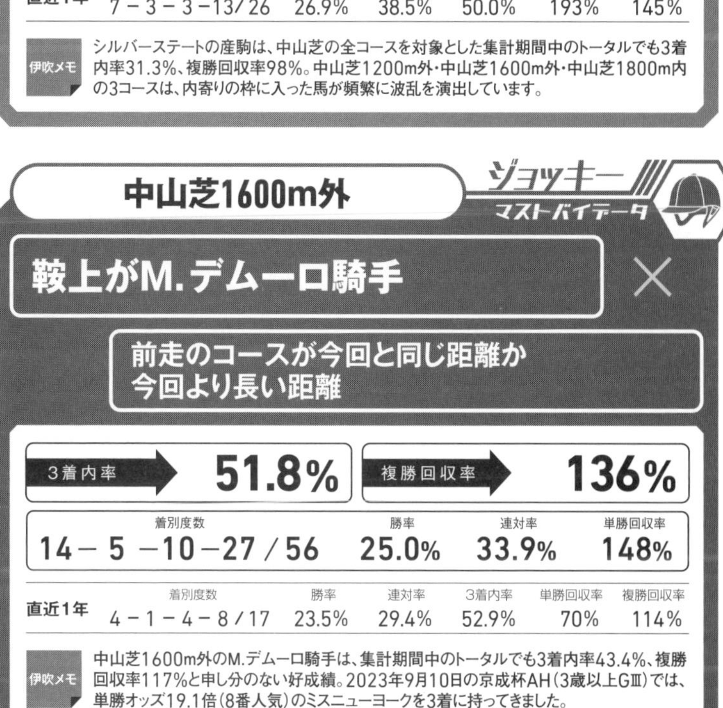

中山芝1600m外

ジョッキーマストバイデータ

鞍上がM.デムーロ騎手 ×

前走のコースが今回と同じ距離か今回より長い距離

3着内率	複勝回収率
51.8%	136%

着別度数	勝率	連対率	単勝回収率
14－5－10－27／56	25.0%	33.9%	148%

	着別度数	勝率	連対率	3着内率	単勝回収率	複勝回収率
直近1年	4－1－4－8／17	23.5%	29.4%	52.9%	70%	114%

伊吹メモ 中山芝1600m外のM.デムーロ騎手は、集計期間中のトータルでも3着内率43.4%、複勝回収率117%と申し分のない好成績。2023年9月10日の京成杯AH（3歳以上GⅢ）では、単勝オッズ19.1倍（8番人気）のミスニューヨークを3着に持ってきました。

中山芝1600m外・芝1800m内

父がキズナ ×

前走の馬体重が460kg以上

3着内率	複勝回収率
40.3%	178%

着別度数	勝率	連対率	単勝回収率
8－9－8－37/62	12.9%	27.4%	136%

	着別度数	勝率	連対率	3着内率	単勝回収率	複勝回収率
直近1年	5－5－2－12/24	20.8%	41.7%	50.0%	302%	220%

伊吹メモ 中山芝1600m外・中山芝1800m内の2コースでそれぞれ優秀な数字をマークしている種牡馬。集計期間中は小柄な産駒がやや足を引っ張っていたものの、前走の馬体重が460kg以上だった馬に限ると、好走率も回収率も十分過ぎるほどの高水準です。

中山芝1800m内

父がディープインパクト系種牡馬 ×

前走の上がり3ハロンタイム順位が3位以内

3着内率	複勝回収率
54.2%	155%

着別度数	勝率	連対率	単勝回収率
13－10－9－27/59	22.0%	39.0%	100%

	着別度数	勝率	連対率	3着内率	単勝回収率	複勝回収率
直近1年	5－4－1－10/20	25.0%	45.0%	50.0%	127%	166%

伊吹メモ 中山芝1800m内のレースを使ったディープインパクト系種牡馬の産駒は、集計期間中のトータルだと3着内率が28.4%、複勝回収率が76%。ただし、前走で出走メンバー中上位の上がり3ハロンタイムをマークした馬は頻繁に波乱を演出しています。

中山芝1800m内

鞍上が横山武史騎手 ×

前走の上がり3ハロンタイム順位が4位以内

3着内率	複勝回収率
72.4%	140%

着別度数	勝率	連対率	単勝回収率
5－8－8－8／29	17.2%	44.8%	82%

	着別度数	勝率	連対率	3着内率	単勝回収率	複勝回収率
直近1年	2－2－2－3/9	22.2%	44.4%	66.7%	54%	155%

伊吹メモ 2023年3月11日の中山牝馬S（4歳以上GⅢ）では、単勝オッズ13.2倍（6番人気）のストーリアを2着に持ってきました。先行馬に騎乗したレースも当然ながら好走率は高いのですが、末脚を活かしたいタイプはより狙い目と覚えておきましょう。

中山芝1800m内・芝2000m内

血統
マストバイデータ

父がリアルスティール ×

馬番が1～13番、かつ、負担重量が減量なし

3着内率	複勝回収率
44.1%	153%

着別度数	勝率	連対率	単勝回収率
7－4－4－19／34	20.6%	32.4%	100%

	着別度数	勝率	連対率	3着内率	単勝回収率	複勝回収率
直近1年	5－4－3－13/25	20.0%	36.0%	48.0%	117%	118%

伊吹メモ リアルスティールの産駒は、中山芝の全コースを対象とした集計期間中のトータルでも3着内率32.4%、複勝回収率125%。この2コースは、極端な外枠に入った馬や減量ジョッキーが騎乗したレースを除くと、好走率も回収率も相当に優秀です。

中山芝2000m内

父がエピファネイア ×

馬齢が3歳以下、かつ、性が牡・セン

3着内率	複勝回収率
46.5%	129%

着別度数	勝率	連対率	単勝回収率
7－6－7－23／43	16.3%	30.2%	53%

	着別度数	勝率	連対率	3着内率	単勝回収率	複勝回収率
直近1年	2－3－2－8／15	13.3%	33.3%	46.7%	36%	154%

伊吹メモ　中山芝の他コースは複勝回収率が低迷していたものの、この中山芝2000m内はまずまず妙味あり。2～3歳の牡馬およびセン馬は特に堅実で、近年に限っても思いのほか人気の盲点となりがちですから、しっかりマークしておくべきだと思います。

中山芝2000m内・芝2200m外

父がモーリス ×

前走との間隔が中5週以上、かつ、出走頭数が17頭以下

3着内率	複勝回収率
53.7%	169%

着別度数	勝率	連対率	単勝回収率
10－5－7－19／41	24.4%	36.6%	152%

	着別度数	勝率	連対率	3着内率	単勝回収率	複勝回収率
直近1年	5－2－1－7／15	33.3%	46.7%	53.3%	139%	126%

伊吹メモ　モーリスの産駒は、中山芝の全コースを対象とした集計期間中のトータルでも3着内率27.2%、複勝回収率94%。基本的にこの競馬場が合うタイプと見て良いかもしれません。中山芝2000m内と中山芝2200m外は、近年の成績も比較的優秀でした。

中山芝2000m内・芝2200m外

鞍上が田辺裕信騎手 ×

調教師の所属が美浦、かつ、
前走のコースが1800m以上

3着内率	複勝回収率
45.7%	160%

着別度数	勝率	連対率	単勝回収率
13－9－10－38／70	18.6%	31.4%	222%

	着別度数	勝率	連対率	3着内率	単勝回収率	複勝回収率
直近1年	4－5－4－10/23	17.4%	39.1%	56.5%	236%	151%

伊吹メモ 2021年9月20日のセントライト記念（3歳GII・中山芝2200m外）を、単勝オッズ42.7倍（9番人気）だったアサマノイタズラで勝利。その後も条件クラスのレースを中心にこの2コースでよく穴をあけていますから、常に激走を警戒しておきましょう。

中山芝2200m外

父がディープインパクト系種牡馬 ×

馬齢が4歳以下、かつ、負担重量が減量なし

3着内率	複勝回収率
43.1%	155%

着別度数	勝率	連対率	単勝回収率
11－9－8－37／65	16.9%	30.8%	185%

	着別度数	勝率	連対率	3着内率	単勝回収率	複勝回収率
直近1年	5－5－6－15/31	16.1%	32.3%	51.6%	177%	114%

伊吹メモ 中山芝2200m外のレースを使ったディープインパクト系種牡馬の産駒は、集計期間中のトータルでも3着内率31.2%、複勝回収率112%。5歳以上の高齢馬や、減量ジョッキーを起用した馬はいまひとつだったものの、その他の馬は非常に堅実です。

過去3年レース数 379
過去1年レース数 126

中山ダ1200m

血統偏差値

要注目種牡馬

父がイスラボニータ マストバイデータあり	➡P067
父がロードカナロア マストバイデータあり	➡P065
父がリオンディーズ 血統偏差値62.9	3着内率 29.3% 複勝回収率 95%
父がアジアエクスプレス 血統偏差値55.1	3着内率 28.4% 複勝回収率 79%

ジョッキー偏差値

要注目騎手

鞍上が石橋脩騎手 マストバイデータあり	➡P065
鞍上が津村明秀騎手 マストバイデータあり	➡P066
鞍上が三浦皇成騎手 マストバイデータあり	➡P066
鞍上が横山武史騎手 マストバイデータあり	➡P067

ロードカナロア産駒の激走を警戒しておきたい

集計期間中の種牡馬別3着内数を見ると、ヘニーヒューズ(78回)とアジアエクスプレス(48回)の親仔がワンツーフィニッシュを決めていました。複勝回収率69%のヘニーヒューズは少々微妙なところですが、アジアエクスプレスの複勝回収率79%は出走数の多さを考えるとまずまずなので、それなりに高く評価するべきでしょう。

より狙いやすいのはロードカナロア。3着内数(43回)はアジアエクスプレスと同水準ですし、単複の回収率も申し分のない高水準に達しています。

ジョッキー偏差値ランキングから強調できるのは、石橋脩騎手、津村明秀騎手、M・デムーロ騎手あたり。いずれも意外と人気の盲点になりがちでしたから、今後も目が離せません。

血統偏差値ランキング

当該コース

血統偏差値	騎手	好走率偏差値	回収率偏差値	着別度数	勝率	連対率	3着内率	単勝回収率	複勝回収率
62.9	リオンディーズ	62.9	63.2	13-6-5-58/82	15.9%	23.2%	29.3%	231%	95%
59.4	ロードカナロア	59.4	60.9	19-12-12-115/158	12.0%	19.6%	27.2%	147%	90%
55.1	アジアエクスプレス	61.4	55.1	16-20-12-121/169	9.5%	21.3%	28.4%	60%	79%
55.0	ザファクター	56.2	55.0	6-4-10-59/79	7.6%	12.7%	25.3%	84%	79%
52.9	キンシャサノキセキ	52.9	55.8	17-10-19-151/197	8.6%	13.7%	23.4%	102%	81%
52.5	カレンブラックヒル	52.5	54.3	11-9-5-83/108	10.2%	18.5%	23.1%	175%	78%
51.8	ミッキーアイル	51.8	63.2	8-9-3-68/88	9.1%	19.3%	22.7%	186%	95%
49.8	ドレフォン	60.1	49.8	10-9-7-68/94	10.6%	20.2%	27.7%	47%	69%
49.6	ヘニーヒューズ	64.1	49.6	39-15-24-182/260	15.0%	20.8%	30.0%	83%	69%
48.0	サウスヴィグラス	48.0	63.6	4-12-11-105/132	3.0%	12.1%	20.5%	12%	95%
45.0	パイロ	45.0	47.8	5-3-9-74/91	5.5%	8.8%	18.7%	27%	66%
43.2	ディスクリートキャット	56.0	43.2	14-9-6-86/115	12.2%	20.0%	25.2%	70%	57%
42.8	シニスターミニスター	42.8	54.3	3-6-7-76/92	3.3%	9.8%	17.4%	10%	78%
41.4	ビッグアーサー	46.3	41.4	3-6-6-62/77	3.9%	11.7%	19.5%	28%	54%
39.1	ジョーカプチーノ	39.1	40.1	2-3-7-67/79	2.5%	6.3%	15.2%	17%	51%

ジョッキー偏差値ランキング

当該コース

ジョッキー偏差値	騎手	好走率偏差値	回収率偏差値	着別度数	勝率	連対率	3着内率	単勝回収率	複勝回収率
62.2	M.デムーロ	69.2	62.2	13-14-10-57/94	13.8%	28.7%	39.4%	124%	99%
61.5	津村明秀	61.5	67.2	15-13-18-99/145	10.3%	19.3%	31.7%	187%	112%
61.2	石橋脩	69.4	61.2	8-16-14-58/96	8.3%	25.0%	39.6%	93%	96%
57.9	横山武史	67.1	57.9	31-13-22-111/177	17.5%	24.9%	37.3%	91%	88%
57.2	三浦皇成	64.6	57.2	18-19-19-105/161	11.2%	23.0%	34.8%	44%	86%
54.6	菅原明良	54.6	54.7	13-17-16-139/185	7.0%	16.2%	24.9%	64%	79%
50.5	戸崎圭太	65.2	50.5	24-18-15-104/161	14.9%	26.1%	35.4%	77%	68%
49.7	田辺裕信	62.1	49.7	18-14-10-88/130	13.8%	24.6%	32.3%	57%	66%
49.4	木幡巧也	49.4	50.2	6-8-19-134/167	3.6%	8.4%	19.8%	21%	67%
49.3	C.ルメール	69.3	49.3	17-5-8-46/76	22.4%	28.9%	39.5%	69%	65%
49.1	内田博幸	51.1	49.1	7-10-16-121/154	4.5%	11.0%	21.4%	30%	64%
47.2	大野拓弥	50.7	47.2	13-8-12-124/157	8.3%	13.4%	21.0%	41%	59%
46.1	小林脩斗	46.1	49.6	13-13-2-142/170	7.6%	15.3%	16.5%	193%	66%
45.8	江田照男	47.5	45.8	8-8-11-124/151	5.3%	10.6%	17.9%	17%	56%
39.5	永野猛蔵	46.1	39.5	14-11-9-172/206	6.8%	12.1%	16.5%	32%	39%

中山ダ1800m

過去3年 レース数 414
過去1年 レース数 139

血統偏差値

要注目種牡馬

父がイスラボニータ マストバイデータあり	➡P067
父がシニスターミニスター マストバイデータあり	➡P068
父がクロフネ 血統偏差値63.2	3着内率 33.7% 複勝回収率 112%
父がホッコータルマエ 血統偏差値51.9	3着内率 26.4% 複勝回収率 87%

ジョッキー偏差値

要注目騎手

鞍上が横山和生騎手 マストバイデータあり	➡P068
鞍上が石川裕紀人騎手 ジョッキー偏差値50.8	3着内率 22.2% 複勝回収率 89%
鞍上がC.ルメール騎手 ジョッキー偏差値50.8	3着内率 53.5% 複勝回収率 83%

シニスターミニスター産駒の活躍が目立っている

注目しておきたい種牡馬の代表格はシニスターミニスター。集計期間中に延べ130頭の産駒が出走し、3着内率35・4%、複勝回収率129%という素晴らしい好成績を収めています。単純に成績が良いだけでなく、コース適性の高さに世間の評価が追い付いていないのですから、絶好の狙い目です。

ジョッキー偏差値ランキングで首位に立っていたのは横山和生騎手。3着内率は31・7%、複勝回収率は104%で、いずれも当コースの主要ジョッキーとしてはかなり高めでした。23年1月9日の中山3R(3歳未勝利)では、単勝オッズ186・3倍(15番人気)のポンサンを優勝に導き、3連単512万1880円の大波乱決着を演出。超人気薄でも侮れません。

血統偏差値ランキング

当該コース

血統偏差値	騎手	好走率偏差値	回収率偏差値	着別度数	勝率	連対率	3着内率	単勝回収率	複勝回収率
65.8	シニスターミニスター	65.8	75.6	14－21－11－84／130	10.8%	26.9%	35.4%	123%	129%
63.2	クロフネ	63.2	67.8	10－11－10－61／92	10.9%	22.8%	33.7%	90%	112%
51.9	ホッコータルマエ	51.9	56.2	19－10－13－117／159	11.9%	18.2%	26.4%	73%	87%
51.8	ドレフォン	51.8	57.1	17－6－6－81／110	15.5%	20.9%	26.4%	139%	89%
48.6	パイロ	60.4	48.6	12－10－8－64／94	12.8%	23.4%	31.9%	87%	71%
47.6	スクリーンヒーロー	67.3	47.6	11－11－10－56／88	12.5%	25.0%	36.4%	48%	69%
47.0	キズナ	47.0	56.2	11－4－8－76／99	11.1%	15.2%	23.2%	138%	87%
47.0	ハーツクライ	47.0	49.8	7－13－7－89／116	6.0%	17.2%	23.3%	86%	74%
43.3	オルフェーヴル	43.3	47.0	7－6－7－76／96	7.3%	13.5%	20.8%	59%	68%
43.1	ヘニーヒューズ	57.2	43.1	13－17－13－101／144	9.0%	20.8%	29.9%	63%	60%
41.6	ドゥラメンテ	51.6	41.6	14－11－7－90／122	11.5%	20.5%	26.2%	59%	57%
40.5	キングカメハメハ	40.8	40.5	10－5－6－88／109	9.2%	13.8%	19.3%	132%	54%
38.5	ジャスタウェイ	38.5	38.7	8－6－8－102／124	6.5%	11.3%	17.7%	83%	50%
38.5	ルーラーシップ	38.5	46.3	10－13－7－139／169	5.9%	13.6%	17.8%	50%	66%
38.4	アイルハヴアナザー	38.4	43.5	3－8－9－93／113	2.7%	9.7%	17.7%	7%	61%

ジョッキー偏差値ランキング

当該コース

ジョッキー偏差値	騎手	好走率偏差値	回収率偏差値	着別度数	勝率	連対率	3着内率	単勝回収率	複勝回収率
57.4	横山和生	60.1	57.4	12－14－13－84／123	9.8%	21.1%	31.7%	215%	104%
50.8	石川裕紀人	50.8	52.6	14－11－12－130／167	8.4%	15.0%	22.2%	101%	89%
50.8	C.ルメール	81.4	50.8	24－20－10－47／101	23.8%	43.6%	53.5%	68%	83%
48.6	大野拓弥	48.6	48.7	15－13－14－169／211	7.1%	13.3%	19.9%	75%	76%
48.1	田辺裕信	64.2	48.1	22－26－18－118／184	12.0%	26.1%	35.9%	71%	74%
47.4	菅原明良	47.5	47.4	14－13－17－190／234	6.0%	11.5%	18.8%	40%	72%
47.0	三浦皇成	63.9	47.0	25－22－18－118／183	13.7%	25.7%	35.5%	85%	70%
46.9	北村宏司	46.9	48.3	7－7－13－121／148	4.7%	9.5%	18.2%	64%	75%
46.7	吉田豊	46.7	54.3	5－9－11－114／139	3.6%	10.1%	18.0%	15%	94%
46.6	木幡巧也	46.6	60.6	11－7－17－160／195	5.6%	9.2%	17.9%	183%	115%
46.6	丹内祐次	46.6	47.3	10－14－10－156／190	5.3%	12.6%	17.9%	72%	72%
46.2	戸崎圭太	66.0	46.2	25－19－22－109／175	14.3%	25.1%	37.7%	70%	68%
46.1	津村明秀	52.2	46.1	14－14－11－126／165	8.5%	17.0%	23.6%	54%	68%
45.3	横山武史	68.2	45.3	40－30－18－132／220	18.2%	31.8%	40.0%	70%	65%
43.4	内田博幸	45.5	43.4	13－13－10－178／214	6.1%	12.1%	16.8%	60%	59%

過去3年レース数	27
過去1年レース数	9

中山ダ2400m

血統偏差値

要注目種牡馬

父がシニスターミニスター マストバイデータあり	➡P068	
父がジャスタウェイ 血統偏差値62.3	3着内率 37.5%	複勝回収率 332%
父がエイシンフラッシュ 血統偏差値58.3	3着内率 33.3%	複勝回収率 286%
父がキズナ 血統偏差値54.5	3着内率 46.7%	複勝回収率 124%

ジョッキー偏差値

要注目騎手

鞍上が武藤雅騎手 ジョッキー偏差値62.6	3着内率 71.4%	複勝回収率 178%
鞍上が北村宏司騎手 ジョッキー偏差値60.4	3着内率 41.7%	複勝回収率 376%
鞍上が永野猛蔵騎手 ジョッキー偏差値55.5	3着内率 33.3%	複勝回収率 124%
鞍上が横山武史騎手 ジョッキー偏差値55.0	3着内率 40.0%	複勝回収率 120%

キズナ産駒や相性の良いジョッキーに注目したい

23年12月9日の中山12R（3歳以上2勝クラス）を制したのは、キズナ産駒のローズボウル。ゴール前の追い比べに競り勝ち、単勝オッズ22・0倍（8番人気）の低評価を覆しました。

中山ダ2400mのキズナ産駒は、集計期間中の3着内率が46・7％で、複勝回収率も124％。ローズボウル以外の馬もたびたび上位に食い込んでいましたから、今後も目が離せません。

ジョッキー別成績を見ると、3着内数が6回以上だったのは丹内祐次騎手（7回）、戸崎圭太騎手（8回）、横山武史騎手（6回）の3名。いずれも複勝回収率が100％を超えていましたし、コース適性は高いと見て良いでしょう。もちろん、複勝回収率376％の北村宏司騎手も面白い存在です。

血統偏差値ランキング

当該コース

血統偏差値	騎手	好走率偏差値	回収率偏差値	着別度数	勝率	連対率	3着内率	単勝回収率	複勝回収率
62.3	ジャスタウェイ	62.3	80.1	1－1－1－5／8	12.5%	25.0%	37.5%	423%	332%
58.3	エイシンフラッシュ	58.3	74.4	1－2－0－6／9	11.1%	33.3%	33.3%	45%	286%
54.5	キズナ	71.2	54.5	3－1－3－8／15	20.0%	26.7%	46.7%	176%	124%
51.1	ハーツクライ	51.5	51.1	2－2－1－14／19	10.5%	21.1%	26.3%	85%	96%
50.9	マジェスティックウォリアー	63.2	50.9	1－1－3－8／13	7.7%	15.4%	38.5%	147%	95%
50.7	ディープインパクト	63.2	50.7	2－3－0－8／13	15.4%	38.5%	38.5%	80%	93%
48.9	ベルシャザール	53.7	48.9	0－2－0－5／7	0.0%	28.6%	28.6%	0%	78%
47.6	キングカメハメハ	51.8	47.6	2－1－1－11／15	13.3%	20.0%	26.7%	33%	68%
45.8	フェノーメノ	58.3	45.8	0－1－1－4／6	0.0%	16.7%	33.3%	0%	53%
45.4	ヴィクトワールピサ	45.4	46.1	1－0－1－8／10	10.0%	10.0%	20.0%	143%	56%
45.4	スクリーンヒーロー	45.4	46.2	0－1－1－8／10	0.0%	10.0%	20.0%	0%	57%
45.4	ホッコータルマエ	45.4	48.9	0－1－1－8／10	0.0%	10.0%	20.0%	0%	79%
43.3	オルフェーヴル	43.3	45.6	2－2－1－23／28	7.1%	14.3%	17.9%	60%	51%
37.4	フリオーソ	37.4	42.0	0－2－0－15／17	0.0%	11.8%	11.8%	0%	22%
37.2	ルーラーシップ	37.2	43.3	1－1－1－23／26	3.8%	7.7%	11.5%	9%	33%

ジョッキー偏差値ランキング

当該コース

ジョッキー偏差値	騎手	好走率偏差値	回収率偏差値	着別度数	勝率	連対率	3着内率	単勝回収率	複勝回収率
62.6	武藤雅	77.3	62.6	1－2－2－2／7	14.3%	42.9%	71.4%	72%	178%
60.4	北村宏司	60.4	88.4	1－2－2－7／12	8.3%	25.0%	41.7%	119%	376%
55.5	永野猛蔵	55.7	55.5	1－1－1－6／9	11.1%	22.2%	33.3%	22%	124%
55.0	横山武史	59.5	55.0	2－1－3－9／15	13.3%	20.0%	40.0%	32%	120%
54.9	津村明秀	58.0	54.9	1－1－1－5／8	12.5%	25.0%	37.5%	51%	120%
53.8	戸崎圭太	65.1	53.8	3－0－5－8／16	18.8%	18.8%	50.0%	121%	111%
53.4	田辺裕信	53.8	53.4	0－1－2－7／10	0.0%	10.0%	30.0%	0%	108%
52.4	丹内祐次	56.6	52.4	2－2－3－13／20	10.0%	20.0%	35.0%	194%	101%
50.0	横山琉人	58.0	50.0	1－1－1－5／8	12.5%	25.0%	37.5%	28%	82%
49.8	吉田豊	49.8	62.6	0－2－1－10／13	0.0%	15.4%	23.1%	0%	178%
46.9	石橋脩	55.7	46.9	2－0－0－4／6	33.3%	33.3%	33.3%	190%	58%
46.2	菅原明良	46.2	47.2	0－3－0－15／18	0.0%	16.7%	16.7%	0%	60%
45.5	松岡正海	45.5	46.2	0－1－1－11／13	0.0%	7.7%	15.4%	0%	53%
44.8	石川裕紀人	44.8	48.0	1－0－1－12／14	7.1%	7.1%	14.3%	157%	67%
44.3	内田博幸	44.3	45.5	2－0－0－13／15	13.3%	13.3%	13.3%	145%	48%

過去3年レース数	3	過去1年レース数	1

中山ダ2500m

血統偏差値ランキング

当該コース

血統偏差値	種牡馬	好走率偏差値	回収率偏差値	着別度数	勝率	連対率	3着内率	単勝回収率	複勝回収率
72.3	ストロングリターン	73.3	72.3	0－0－1－0／1	0.0%	0.0%	100.0%	0%	240%
63.7	ベルシャザール	63.7	87.3	0－1－1－1／3	0.0%	33.3%	66.7%	0%	373%
63.2	ディーマジェスティ	73.3	63.2	0－0－1－0／1	0.0%	0.0%	100.0%	0%	160%
63.2	ホッコータルマエ	73.3	63.2	1－0－0－0／1	100.0%	100.0%	100.0%	370%	160%
57.2	フェノーメノ	63.7	57.2	0－2－0－1／3	0.0%	66.7%	66.7%	0%	106%
54.2	キングカメハメハ	58.9	54.2	1－0－0－1／2	50.0%	50.0%	50.0%	145%	80%
53.1	ブラックタイド	58.9	53.1	1－0－0－1／2	50.0%	50.0%	50.0%	240%	70%
44.5	エイシンフラッシュ	44.5	45.2	0－0－0－1／1	0.0%	0.0%	0.0%	0%	0%
44.5	エピファネイア	44.5	45.2	0－0－0－2／2	0.0%	0.0%	0.0%	0%	0%
44.5	シニスターミニスター	44.5	45.2	0－0－0－1／1	0.0%	0.0%	0.0%	0%	0%

ジョッキー偏差値ランキング

当該コース

ジョッキー偏差値	騎手	好走率偏差値	回収率偏差値	着別度数	勝率	連対率	3着内率	単勝回収率	複勝回収率
69.8	菅原明良	70.1	69.8	0－0－1－0／1	0.0%	0.0%	100.0%	0%	240%
64.5	小林脩斗	70.1	64.5	0－1－0－0／1	0.0%	100.0%	100.0%	0%	190%
61.3	岩田康誠	70.1	61.3	0－0－1－0／1	0.0%	0.0%	100.0%	0%	160%
61.3	木幡巧也	70.1	61.3	1－0－0－0／1	100.0%	100.0%	100.0%	370%	160%
59.2	小林勝太	70.1	59.2	1－0－0－0／1	100.0%	100.0%	100.0%	480%	140%
57.0	丹内祐次	57.0	84.6	0－1－0－1／2	0.0%	50.0%	50.0%	0%	380%
57.0	松岡正海	57.0	63.4	0－0－1－1／2	0.0%	0.0%	50.0%	0%	180%
52.8	横山和生	57.0	52.8	1－0－0－1／2	50.0%	50.0%	50.0%	145%	80%
51.3	横山琉人	57.0	51.3	0－1－0－1／2	0.0%	50.0%	50.0%	0%	65%
43.9	石川裕紀人	43.9	44.4	0－0－0－1／1	0.0%	0.0%	0.0%	0%	0%

キングカメハメハ系種牡馬がまずまず健闘している

集計期間中に3レースしか施行されていないコース。スタート直後の直線部分が100m長いだけで、コースの形態は中山ダ2400mとほぼ同じです。

種牡馬別成績を見ると、キングカメハメハとその後継種牡馬であるベルシャザール・ホッコータルマエから延べ4頭の3着以内馬が出ています。23年の該当馬は不発に終わったものの、キングカメハメハ系種牡馬は今後もマークしておいた方が良いかもしれません。

なお、3着以内となった回数が2回以上のジョッキーは皆無。中山ダ2400mの成績も参考にしてみましょう。

中山ダ1200m

父がロードカナロア ×

前走の馬体重が480kg以上、かつ、前走の4コーナー通過順が12番手以内

3着内率	複勝回収率
44.4%	169%

着別度数	勝率	連対率	単勝回収率
11－10－3－30／54	20.4%	38.9%	205%

	着別度数	勝率	連対率	3着内率	単勝回収率	複勝回収率
直近1年	5－8－1－15／29	17.2%	44.8%	48.3%	120%	184%

伊吹メモ　小柄な産駒はあまり上位に食い込めていませんでしたが、それなりにダートをこなせそうな馬格であれば狙い目。2023年12月10日のカペラS（3歳以上GⅢ）では、テイエムトッキュウとチェイスザドリームがワンツーフィニッシュを決めています。

中山ダ1200m

鞍上が石橋脩騎手 ×

前走の着順が10着以内、かつ、出走頭数が16頭

3着内率	複勝回収率
50.0%	129%

着別度数	勝率	連対率	単勝回収率
7－13－12－32／64	10.9%	31.3%	132%

	着別度数	勝率	連対率	3着内率	単勝回収率	複勝回収率
直近1年	3－2－2－7／14	21.4%	35.7%	50.0%	487%	191%

伊吹メモ　集計期間中のトータルでも3着内率39.6%、複勝回収率96%と相当に健闘しているジョッキーですが、騎乗馬のうちかなりの割合を大敗直後の馬が占めていて、それを除けば好走率も回収率も申し分のない高水準でした。今後も目が離せませんね。

中山ダ1200m

鞍上が津村明秀騎手 ×

前走のコースが今回と異なる競馬場、かつ、前走の着順が12着以内

3着内率	複勝回収率
44.1%	144%

着別度数	勝率	連対率	単勝回収率
11－9－10－38／68	16.2%	29.4%	266%

	着別度数	勝率	連対率	3着内率	単勝回収率	複勝回収率
直近1年	6－4－6－10／26	23.1%	38.5%	61.5%	227%	186%

伊吹メモ
石橋脩騎手と同様に、集計期間中のトータルでも3着内率31.7%、複勝回収率112%と優秀な成績を収めていた、中山ダ1200mで真っ先に注目しておくべきジョッキーのひとり。人気の盲点になっていそうな場面を見逃さないよう心掛けましょう。

中山ダ1200m

鞍上が三浦皇成騎手 ×

馬齢が4歳以上、かつ、前走の着順が13着以内

3着内率	複勝回収率
44.9%	131%

着別度数	勝率	連対率	単勝回収率
8－12－11－38／69	11.6%	29.0%	46%

	着別度数	勝率	連対率	3着内率	単勝回収率	複勝回収率
直近1年	1－4－5－11／21	4.8%	23.8%	47.6%	11%	162%

伊吹メモ
2～3歳馬とタッグを組んだレースは相応の注目が集まってしまう印象だったものの、4歳以上の古馬に騎乗したレースはより堅実で、しかも思いのほか過小評価されてしまいがち。よほど近走成績の悪い馬でなければ、積極的に狙って良さそうです。

中山ダ1200m

ジョッキー マストバイデータ

鞍上が横山武史騎手 ×

前走の着順が5着以下、かつ、前走の4コーナー通過順が12番手以内

3着内率	複勝回収率
44.4%	142%

着別度数	勝率	連対率	単勝回収率
11－8－13－40／72	15.3%	26.4%	146%

	着別度数	勝率	連対率	3着内率	単勝回収率	複勝回収率
直近1年	5－4－0－11／20	25.0%	45.0%	45.0%	141%	119%

伊吹メモ もともとこのコースにおける好走率が高いうえ、前走好走馬も大敗直後の馬も、同じくらいの確率で3着以内に持ってきているジョッキー。当然ながら、直近のレースで大きく敗れてしまった馬に騎乗したレースは、配当的な妙味がアップします。

中山ダ1200m・ダ1800m

血統 マストバイデータ

父がイスラボニータ ×

性が牝、かつ、負担重量が減量なし

3着内率	複勝回収率
54.3%	123%

着別度数	勝率	連対率	単勝回収率
8－5－6－16／35	22.9%	37.1%	70%

	着別度数	勝率	連対率	3着内率	単勝回収率	複勝回収率
直近1年	5－2－5－9／21	23.8%	33.3%	57.1%	47%	129%

伊吹メモ イスラボニータ産駒の牝馬は、中山ダの全コースを対象とした集計期間中のトータルでも3着内率44.4%、複勝回収率112%。減量ジョッキーとタッグを組んだ馬が波乱を演出したレースもありましたし、無条件で狙った方が良いかもしれません。

中山ダ1800m

鞍上が横山和生騎手 ×

前走の馬体重が480kg以上

3着内率	複勝回収率
42.6%	158%

着別度数	勝率	連対率	単勝回収率
7－10－9－35／61	11.5%	27.9%	333%

	着別度数	勝率	連対率	3着内率	単勝回収率	複勝回収率
直近1年	2－2－6－8／18	11.1%	22.2%	55.6%	1055%	352%

伊吹メモ　中山ダ1200mの成績は微妙でしたが、中山ダ1800mの横山和生騎手は集計期間中のトータルでも3着内率31.7%、複勝回収率104%。比較的小柄な馬とタッグを組むケースなど、騎乗馬に明確な不安がある状況でなければ、高く評価して良いでしょう。

中山ダ1800m・ダ2400m

父がシニスターミニスター ×

前走の着順が9着以内

3着内率	複勝回収率
44.2%	156%

着別度数	勝率	連対率	単勝回収率
12－19－11－53／95	12.6%	32.6%	128%

	着別度数	勝率	連対率	3着内率	単勝回収率	複勝回収率
直近1年	3－7－6－23／39	7.7%	25.6%	41.0%	56%	154%

伊吹メモ　中山ダ1200mのレースを使ったシニスターミニスター産駒は、3着内率が17.4%、複勝回収率が78%どまり。しかし、中山ダ1800mや中山ダ2400mは好走率も回収率も申し分のない高水準に達していました。大敗直後の馬を除けばより堅実です。

京都競馬場

KYOTO RACE COURSE

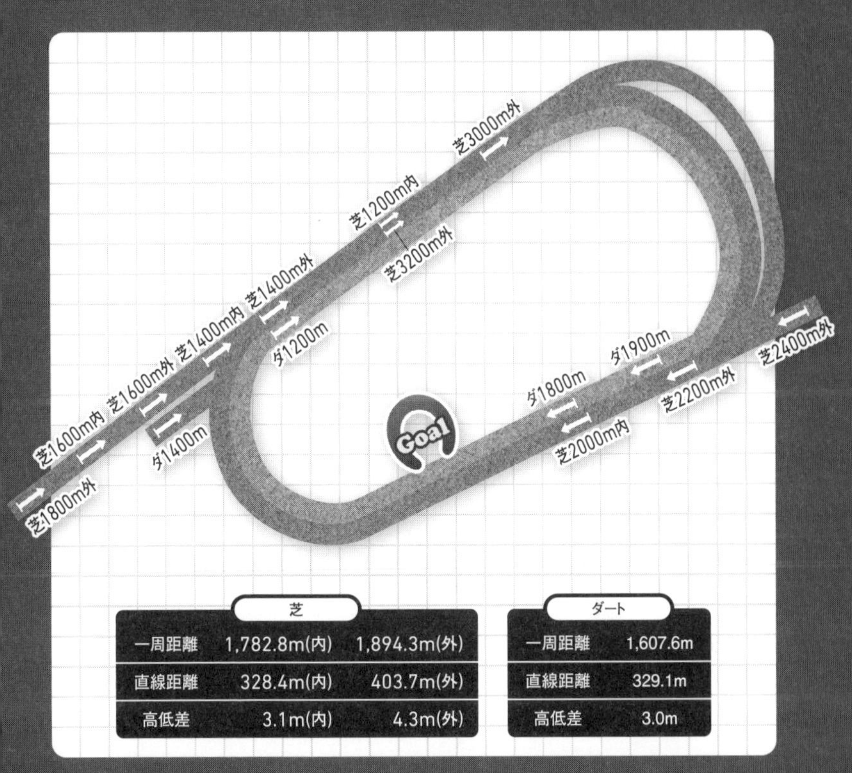

芝		
一周距離	1,782.8m(内)	1,894.3m(外)
直線距離	328.4m(内)	403.7m(外)
高低差	3.1m(内)	4.3m(外)

ダート	
一周距離	1,607.6m
直線距離	329.1m
高低差	3.0m

過去3年レース数	18
過去1年レース数	18

京都芝1200m内

血統偏差値

要注目種牡馬

	3着内率	複勝回収率
父がエイシンヒカリ 血統偏差値71.2	100.0%	257%
父がシャンハイボビー 血統偏差値63.8	60.0%	244%
父がドゥラメンテ 血統偏差値55.8	60.0%	132%
父がFrankel 血統偏差値53.4	50.0%	112%

ジョッキー偏差値

要注目騎手

	3着内率	複勝回収率
鞍上が今村聖奈騎手 ジョッキー偏差値69.8	50.0%	265%
鞍上が西村淳也騎手 ジョッキー偏差値66.2	44.4%	164%
鞍上が和田竜二騎手 ジョッキー偏差値58.9	37.5%	116%
鞍上が角田大河騎手 ジョッキー偏差値56.8	30.0%	158%

エイシンヒカリ産駒は引き続き要注目の存在

リニューアルオープン直後の京都芝1200m内で活躍が目立っていた種牡馬はエイシンヒカリ。エイシンスポッタ―、セリシア、フローレンスハニーと3頭の産駒が計4回出走し、すべて馬券に絡んでいます。今後もしばらくはマークしておくべきでしょう。

なお、出走数（20回）ならびに3着内数（6回）がもっとも多かった種牡馬はロードカナロア。複勝回収率が物足りない水準にとどまっていたとはいえ、上位人気の馬はまずまず堅実でしたから、無理に嫌う必要はありません。

ジョッキー別の3着内数を見ると、トップは鮫島克駿騎手（5回）。まだ何とも言えない段階かもしれませんが、好走率も回収率も及第点でしたし、相応に高く評価して良さそうです。

血統偏差値ランキング

当該コース

血統偏差値	騎手	好走率偏差値	回収率偏差値	着別度数	勝率	連対率	3着内率	単勝回収率	複勝回収率
71.2	エイシンヒカリ	80.2	71.2	2－0－2－0／4	50.0%	50.0%	100.0%	200%	257%
63.8	シャンハイボビー	63.8	69.6	1－0－2－2／5	20.0%	20.0%	60.0%	142%	244%
55.8	ドゥラメンテ	63.8	55.8	0－3－0－2／5	0.0%	60.0%	60.0%	0%	132%
53.4	Frankel	59.7	53.4	1－1－0－2／4	25.0%	50.0%	50.0%	160%	112%
50.9	ヴィクトワールピサ	50.9	72.1	0－0－2－5／7	0.0%	0.0%	28.6%	0%	264%
50.4	モーリス	50.4	55.8	1－1－1－8／11	9.1%	18.2%	27.3%	67%	131%
49.5	ディープインパクト	49.5	53.1	0－0－1－3／4	0.0%	0.0%	25.0%	0%	110%
49.4	ファインニードル	52.9	49.4	2－0－0－4／6	33.3%	33.3%	33.3%	321%	80%
49.4	リオンディーズ	52.9	49.4	0－3－1－8／12	0.0%	25.0%	33.3%	0%	80%
48.1	ロードカナロア	51.5	48.1	3－2－1－14／20	15.0%	25.0%	30.0%	59%	69%
47.4	トーホウジャッカル	47.4	49.7	0－1－0－4／5	0.0%	20.0%	20.0%	0%	82%
46.0	ルーラーシップ	46.0	46.0	0－0－1－5／6	0.0%	0.0%	16.7%	0%	51%
45.1	サトノアラジン	49.5	45.1	0－1－0－3／4	0.0%	25.0%	25.0%	0%	45%
44.8	ビッグアーサー	47.8	44.8	2－0－2－15／19	10.5%	10.5%	21.1%	67%	42%
43.8	ダイワメジャー	43.8	46.8	0－0－1－8／9	0.0%	0.0%	11.1%	0%	58%

ジョッキー偏差値ランキング

当該コース

ジョッキー偏差値	騎手	好走率偏差値	回収率偏差値	着別度数	勝率	連対率	3着内率	単勝回収率	複勝回収率
69.8	今村聖奈	69.8	83.1	1－1－0－2／4	25.0%	50.0%	50.0%	142%	265%
66.2	西村淳也	66.2	66.8	0－1－3－5／9	0.0%	11.1%	44.4%	0%	164%
58.9	和田竜二	61.7	58.9	0－1－2－5／8	0.0%	12.5%	37.5%	0%	116%
56.8	角田大河	56.8	65.7	1－0－2－7／10	10.0%	10.0%	30.0%	49%	158%
55.9	藤岡康太	55.9	56.5	1－1－2－10／14	7.1%	14.3%	28.6%	42%	101%
53.6	団野大成	53.6	58.7	0－1－1－6／8	0.0%	12.5%	25.0%	0%	115%
53.4	鮫島克駿	59.0	53.4	1－3－1－10／15	6.7%	26.7%	33.3%	20%	82%
53.1	坂井瑠星	63.3	53.1	1－2－1－6／10	10.0%	30.0%	40.0%	55%	81%
53.0	岩田康誠	53.6	53.0	0－1－0－3／4	0.0%	25.0%	25.0%	0%	80%
52.2	岩田望来	56.8	52.2	1－0－2－7／10	10.0%	10.0%	30.0%	61%	75%
50.0	浜中俊	63.3	50.0	1－1－0－3／5	20.0%	40.0%	40.0%	44%	62%
49.3	河原田菜々	53.6	49.3	1－0－0－3／4	25.0%	25.0%	25.0%	142%	57%
49.1	田口貫太	49.1	50.8	1－1－0－9／11	9.1%	18.2%	18.2%	64%	66%
47.5	松若風馬	51.8	47.5	1－1－0－7／9	11.1%	22.2%	22.2%	71%	46%
47.4	幸英明	51.2	47.4	1－0－2－11／14	7.1%	7.1%	21.4%	52%	45%

過去3年
レース数 12

過去1年
レース数 12

京都芝1400m内

血統偏差値

要注目種牡馬

	3着内率	複勝回収率
父がニューイヤーズデイ 血統偏差値70.5	66.7%	183%
父がアメリカンペイトリオット 血統偏差値62.0	40.0%	132%
父がエピファネイア 血統偏差値58.1	33.3%	203%
父がマクフィ 血統偏差値58.1	33.3%	116%

ジョッキー偏差値

要注目騎手

	3着内率	複勝回収率
鞍上が鮫島克駿騎手 ジョッキー偏差値65.5	50.0%	233%
鞍上が角田大河騎手 ジョッキー偏差値60.1	57.1%	130%
鞍上が菅原明良騎手 ジョッキー偏差値56.4	33.3%	153%
鞍上が岩田望来騎手 ジョッキー偏差値54.9	42.9%	94%

鮫島克駿騎手は今後も活躍を期待できそう

現在のところ、京都芝1400m内では2~3歳の新馬と未勝利のみが、京都芝1400m外では1勝クラス以上のレースのみが施行されています。

リニューアルオープン直後の京都芝1400m内で好成績を収めていたのがエピファネイア産駒。23年4月30日の京都3R（3歳未勝利）では、単勝オッズ74・5倍（11番人気）のシャングリラが2着に、同15・7倍（5番人気）のロッソジュリアが3着に食い込みました。このコースとは相性が良いとみなして良いかもしれません。

ジョッキー偏差値ランキングでトップに立っていたのは鮫島克駿騎手。京都芝1200m内の成績も良いジョッキーですから、こちらはもうコース適性が高いと判断して良いでしょう。

血統偏差値ランキング

当該コース

血統偏差値	騎手	好走率偏差値	回収率偏差値	着別度数	勝率	連対率	3着内率	単勝回収率	複勝回収率
70.5	ニューイヤーズデイ	77.2	70.5	0-1-1-1/3	0.0%	33.3%	66.7%	0%	183%
62.0	アメリカンペイトリオット	62.0	62.2	0-2-0-3/5	0.0%	40.0%	40.0%	0%	132%
58.1	エピファネイア	58.1	73.7	1-1-2-8/12	8.3%	16.7%	33.3%	122%	203%
58.1	マクフィ	58.1	59.8	0-0-1-2/3	0.0%	0.0%	33.3%	0%	116%
53.9	ブラックタイド	58.1	53.9	0-0-1-2/3	0.0%	0.0%	33.3%	0%	80%
52.8	ドゥラメンテ	58.1	52.8	0-1-0-2/3	0.0%	33.3%	33.3%	0%	73%
52.0	ブリックスアンドモルタル	58.1	52.0	1-1-0-4/6	16.7%	33.3%	33.3%	105%	68%
50.7	Frankel	58.1	50.7	0-0-1-2/3	0.0%	0.0%	33.3%	0%	60%
50.7	リオンディーズ	58.1	50.7	1-0-1-4/6	16.7%	16.7%	33.3%	45%	60%
50.5	ファインニードル	50.5	52.3	0-1-0-4/5	0.0%	20.0%	20.0%	0%	70%
50.2	シルバーステート	55.4	50.2	1-0-1-5/7	14.3%	14.3%	28.6%	32%	57%
50.1	キズナ	58.1	50.1	0-1-0-2/3	0.0%	33.3%	33.3%	0%	56%
48.3	ロードカナロア	53.4	48.3	1-0-1-6/8	12.5%	12.5%	25.0%	50%	45%
47.2	イスラボニータ	50.5	47.2	0-0-1-4/5	0.0%	0.0%	20.0%	0%	38%
47.2	ミッキーアイル	47.2	74.1	0-1-0-6/7	0.0%	14.3%	14.3%	0%	205%

ジョッキー偏差値ランキング

当該コース

ジョッキー偏差値	騎手	好走率偏差値	回収率偏差値	着別度数	勝率	連対率	3着内率	単勝回収率	複勝回収率
65.5	鮫島克駿	65.5	75.3	2-3-0-5/10	20.0%	50.0%	50.0%	174%	233%
60.1	角田大河	69.4	60.1	1-0-3-3/7	14.3%	14.3%	57.1%	38%	130%
56.4	菅原明良	56.4	63.6	1-0-0-2/3	33.3%	33.3%	33.3%	490%	153%
54.9	岩田望来	61.6	54.9	1-1-1-4/7	14.3%	28.6%	42.9%	32%	94%
54.7	和田竜二	56.4	54.7	2-1-0-6/9	22.2%	33.3%	33.3%	172%	93%
53.8	松若風馬	53.8	76.3	0-2-0-5/7	0.0%	28.6%	28.6%	0%	240%
51.0	藤岡佑介	51.8	51.0	0-0-1-3/4	0.0%	0.0%	25.0%	0%	67%
50.8	M.デムーロ	56.4	50.8	0-0-1-2/3	0.0%	0.0%	33.3%	0%	66%
50.7	浜中俊	60.1	50.7	1-1-0-3/5	20.0%	40.0%	40.0%	48%	66%
50.0	藤岡康太	50.3	50.0	1-1-0-7/9	11.1%	22.2%	22.2%	70%	61%
49.9	藤懸貴志	56.4	49.9	0-1-0-2/3	0.0%	33.3%	33.3%	0%	60%
48.7	坂井瑠星	51.8	48.7	0-1-0-3/4	0.0%	25.0%	25.0%	0%	52%
48.4	武豊	56.4	48.4	1-0-0-2/3	33.3%	33.3%	33.3%	80%	50%
48.4	西村淳也	53.8	48.4	0-0-2-5/7	0.0%	0.0%	28.6%	0%	50%
47.9	吉田隼人	56.4	47.9	0-0-1-2/3	0.0%	0.0%	33.3%	0%	46%

過去3年レース数 19
過去1年レース数 19

京都芝1400m外

血統偏差値

要注目種牡馬

	3着内率	複勝回収率
父がサトノダイヤモンド 血統偏差値60.5	50.0%	217%
父がモーリス 血統偏差値51.1	55.6%	102%
父がキンシャサノキセキ 血統偏差値50.7	25.0%	97%
父がハーツクライ 血統偏差値50.0	42.9%	88%

ジョッキー偏差値

要注目騎手

	3着内率	複勝回収率
鞍上が鮫島克駿騎手 ジョッキー偏差値62.4	55.6%	180%
鞍上が坂井瑠星騎手 ジョッキー偏差値58.7	42.9%	171%
鞍上がC.ルメール騎手 ジョッキー偏差値57.4	75.0%	140%
鞍上が岩田康誠騎手 ジョッキー偏差値57.3	40.0%	214%

ロードカナロア産駒は過信禁物と見ておきたい

京都芝1200m内や京都芝1400m内に加え、この京都芝1400m外でもリニューアルオープン直後から素晴らしい成績を収めているのが鮫島克駿騎手。23年11月4日のファンタジーS（2歳GⅢ）では単勝オッズ17・1倍（9番人気）のドナベティを2着に持ってきて、3連単230万6370円の高額配当決着に貢献しました。

京都芝1400m外の種牡馬別成績を見ると、3着内数はモーリスとロードカナロア（各5回）がトップタイ。ただし、モーリスが3着内率55・6％、複勝回収率102％だったのに対し、ロードカナロアは3着内率が20・8％に、複勝回収率が34％にとどまっていますので、同格の存在とはとても言えないので、扱いに注意しましょう。

血統偏差値ランキング

当該コース

血統偏差値	騎手	好走率偏差値	回収率偏差値	着別度数	勝率	連対率	3着内率	単勝回収率	複勝回収率
60.5	サトノダイヤモンド	68.6	60.5	1－1－0－2／4	25.0%	50.0%	50.0%	107%	217%
51.1	モーリス	72.2	51.1	2－2－1－4／9	22.2%	44.4%	55.6%	81%	102%
50.7	キンシャサノキセキ	52.0	50.7	0－0－1－3／4	0.0%	0.0%	25.0%	0%	97%
50.0	ハーツクライ	63.8	50.0	0－2－1－4／7	0.0%	28.6%	42.9%	0%	88%
49.4	ディープインパクト	54.4	49.4	0－1－1－5／7	0.0%	14.3%	28.6%	0%	81%
48.7	キズナ	48.7	48.7	2－2－0－16／20	10.0%	20.0%	20.0%	163%	72%
48.7	シルバーステート	48.7	62.1	0－1－0－4／5	0.0%	20.0%	20.0%	0%	238%
48.7	ドレフォン	48.7	86.2	0－0－1－4／5	0.0%	0.0%	20.0%	0%	534%
46.6	ドゥラメンテ	53.5	46.6	2－1－0－8／11	18.2%	27.3%	27.3%	80%	47%
46.0	アメリカンペイトリオット	52.0	46.0	0－1－0－3／4	0.0%	25.0%	25.0%	0%	40%
45.8	イスラボニータ	54.4	45.8	1－0－1－5／7	14.3%	14.3%	28.6%	21%	37%
45.6	ダイワメジャー	46.5	45.6	1－1－0－10／12	8.3%	16.7%	16.7%	64%	34%
45.6	ロードカナロア	49.2	45.6	2－1－2－19／24	8.3%	12.5%	20.8%	20%	34%
44.6	ビッグアーサー	48.7	44.6	0－0－1－4／5	0.0%	0.0%	20.0%	0%	22%
41.5	リオンディーズ	41.5	44.7	0－0－1－10／11	0.0%	0.0%	9.1%	0%	23%

ジョッキー偏差値ランキング

当該コース

ジョッキー偏差値	騎手	好走率偏差値	回収率偏差値	着別度数	勝率	連対率	3着内率	単勝回収率	複勝回収率
62.4	鮫島克駿	65.1	62.4	3－1－1－4／9	33.3%	44.4%	55.6%	126%	180%
58.7	坂井瑠星	58.7	61.3	0－2－1－4／7	0.0%	28.6%	42.9%	0%	171%
57.4	C.ルメール	74.8	57.4	1－2－0－1／4	25.0%	75.0%	75.0%	147%	140%
57.3	岩田康誠	57.3	66.7	0－1－1－3／5	0.0%	20.0%	40.0%	0%	214%
57.3	松山弘平	57.3	57.4	1－0－1－3／5	20.0%	20.0%	40.0%	154%	140%
53.2	角田大河	57.3	53.2	2－1－1－6／10	20.0%	30.0%	40.0%	92%	107%
52.8	北村友一	67.3	52.8	1－1－1－2／5	20.0%	40.0%	60.0%	48%	104%
49.8	酒井学	49.8	75.6	2－0－0－6／8	25.0%	25.0%	25.0%	1242%	285%
49.8	和田竜二	49.8	64.0	0－1－2－9／12	0.0%	8.3%	25.0%	0%	192%
49.4	斎藤新	54.0	49.4	2－0－0－4／6	33.3%	33.3%	33.3%	216%	76%
48.2	川田将雅	62.3	48.2	1－1－0－2／4	25.0%	50.0%	50.0%	45%	67%
46.7	武豊	56.0	46.7	2－0－1－5／8	25.0%	25.0%	37.5%	71%	55%
45.9	西村淳也	50.6	45.9	1－1－2－11／15	6.7%	13.3%	26.7%	16%	48%
45.5	団野大成	46.4	45.5	1－1－0－9／11	9.1%	18.2%	18.2%	61%	45%
44.9	岩田望来	48.4	44.9	0－0－2－7／9	0.0%	0.0%	22.2%	0%	41%

過去3年レース数	23
過去1年レース数	23

京都芝1600m内

血統偏差値

要注目種牡馬

	3着内率	複勝回収率
父がモーリス 血統偏差値68.0	50.0%	118%
父がキタサンブラック 血統偏差値64.6	44.4%	108%
父がエピファネイア 血統偏差値63.9	43.8%	98%
父がスワーヴリチャード 血統偏差値57.7	33.3%	113%

ジョッキー偏差値

要注目騎手

	3着内率	複勝回収率
鞍上が西村淳也騎手 マストバイデータあり	➡P088	
鞍上が武豊騎手 ジョッキー偏差値59.3	62.5%	127%
鞍上が横山典弘騎手 ジョッキー偏差値55.4	40.0%	98%
鞍上が角田大河騎手 ジョッキー偏差値53.1	37.5%	81%

西村淳也騎手の騎乗馬は無条件に押さえるべし

京都芝、かつ1400mの2コースと同じく、現在のところ京都芝1600m内では2～3歳の新馬と未勝利のみが、京都芝1600m外では1勝クラス以上のレースのみが施行されています。京都芝1400m内で健闘ぶりが目立っていたエピファネイア産駒は、この京都芝1600m内でも上々の数字をマーク。今春以降も引き続きしっかりマークしておきましょう。

ジョッキー偏差値ランキングで断然の首位に君臨している西村淳也騎手は、集計期間中の3着内数（11回）も2位以下のジョッキーにダブルスコアの差をつける単独トップでした。3着内率が8割を超えているうえ、複勝回収率も206％に達していましたから、今後のレースでも目が離せません。

血統偏差値ランキング

当該コース

血統偏差値	騎手	好走率偏差値	回収率偏差値	着別度数	勝率	連対率	3着内率	単勝回収率	複勝回収率
68.0	モーリス	68.0	69.0	2－2－2－6／12	16.7%	33.3%	50.0%	173%	118%
64.6	キタサンブラック	64.6	66.5	2－0－2－5／9	22.2%	22.2%	44.4%	180%	108%
63.9	エピファネイア	64.2	63.9	3－2－2－9／16	18.8%	31.3%	43.8%	140%	98%
57.7	スワーヴリチャード	57.7	67.7	1－1－1－6／9	11.1%	22.2%	33.3%	195%	113%
56.0	シルバーステート	64.6	56.0	0－4－0－5／9	0.0%	44.4%	44.4%	0%	67%
54.7	ミッキーロケット	54.7	59.1	1－0－1－5／7	14.3%	14.3%	28.6%	580%	80%
52.1	ヴィクトワールピサ	52.5	52.1	0－1－1－6／8	0.0%	12.5%	25.0%	0%	52%
50.4	リオンディーズ	52.5	50.4	2－0－1－9／12	16.7%	16.7%	25.0%	29%	45%
49.3	ロードカナロア	53.9	49.3	2－3－1－16／22	9.1%	22.7%	27.3%	63%	41%
48.7	ダイワメジャー	50.3	48.7	2－0－1－11／14	14.3%	14.3%	21.4%	105%	39%
48.0	ジャスタウェイ	50.8	48.0	0－1－1－7／9	0.0%	11.1%	22.2%	0%	36%
46.3	キズナ	51.3	46.3	1－1－1－10／13	7.7%	15.4%	23.1%	26%	30%
46.3	ルーラーシップ	47.4	46.3	0－1－0－5／6	0.0%	16.7%	16.7%	0%	30%
45.9	ドゥラメンテ	45.9	50.0	1－0－0－6／7	14.3%	14.3%	14.3%	212%	44%
45.3	ブリックスアンドモルタル	49.4	45.3	0－1－0－4／5	0.0%	20.0%	20.0%	0%	26%

ジョッキー偏差値ランキング

当該コース

ジョッキー偏差値	騎手	好走率偏差値	回収率偏差値	着別度数	勝率	連対率	3着内率	単勝回収率	複勝回収率
70.1	西村淳也	79.8	70.1	4－2－5－2／13	30.8%	46.2%	84.6%	146%	206%
59.3	武豊	69.1	59.3	0－4－1－3／8	0.0%	50.0%	62.5%	0%	127%
55.4	横山典弘	58.1	55.4	0－0－2－3／5	0.0%	0.0%	40.0%	0%	98%
53.1	角田大河	56.9	53.1	0－1－2－5／8	0.0%	12.5%	37.5%	0%	81%
50.9	坂井瑠星	57.4	50.9	0－3－2－8／13	0.0%	23.1%	38.5%	0%	65%
50.8	藤岡康太	50.8	87.3	1－1－1－9／12	8.3%	16.7%	25.0%	155%	334%
50.2	松山弘平	56.4	50.2	3－1－0－7／11	27.3%	36.4%	36.4%	236%	60%
50.0	北村友一	50.8	50.0	0－1－1－6／8	0.0%	12.5%	25.0%	0%	58%
48.4	浜中俊	48.4	50.5	1－0－0－4／5	20.0%	20.0%	20.0%	298%	62%
48.4	和田竜二	48.4	49.0	1－2－0－12／15	6.7%	20.0%	20.0%	270%	51%
48.3	岩田望来	54.9	48.3	1－3－0－8／12	8.3%	33.3%	33.3%	35%	45%
48.0	池添謙一	58.1	48.0	1－1－0－3／5	20.0%	40.0%	40.0%	34%	44%
46.2	松若風馬	46.2	46.8	2－0－0－11／13	15.4%	15.4%	15.4%	186%	34%
46.0	団野大成	48.4	46.0	1－1－0－8／10	10.0%	20.0%	20.0%	34%	29%
44.8	鮫島克駿	44.8	44.8	1－1－0－14／16	6.3%	12.5%	12.5%	60%	20%

過去3年レース数 15

過去1年レース数 15

京都芝1600m外

血統偏差値

要注目種牡馬

	3着内率	複勝回収率
父がイスラボニータ 血統偏差値70.1	100.0%	186%
父がハービンジャー 血統偏差値58.8	50.0%	172%
父がルーラーシップ 血統偏差値56.8	50.0%	111%
父がキタサンブラック 血統偏差値54.7	40.0%	114%

ジョッキー偏差値

要注目騎手

	3着内率	複勝回収率
鞍上が西村淳也騎手 マストバイデータあり	➡P088	
鞍上が田口貫太騎手 ジョッキー偏差値68.8	60.0%	506%
鞍上が松山弘平騎手 ジョッキー偏差値58.1	44.4%	162%
鞍上が坂井瑠星騎手 ジョッキー偏差値56.9	42.9%	150%

このコースも西村淳也騎手の活躍が目立っている

集計期間中の3着内数が3回以上だった種牡馬は、イスラボニータ、ハーツクライ、リオンディーズ、ルーラーシップ。ただし、3着以内に好走を果たしたリオンディーズ産駒はディオだけで、集計期間中の複勝回収率も58％にとどまっていました。一方、イスラボニータ、ハーツクライ、ルーラーシップはそれぞれ複数の産駒が馬券に絡んでいましたし、それなりに高く評価して良いのではないかと思います。

ジョッキー別の3着内数を見ると、京都芝1600m内と同じく西村淳也騎手（6回）が単独トップ。3着内率が66・7％、複勝回収率が215％と、好走率や回収率も申し分のない高水準です。この快進撃はしばらく続くと考えておいた方が良いかもしれません。

血統偏差値ランキング

当該コース

血統偏差値	騎手	好走率偏差値	回収率偏差値	着別度数	勝率	連対率	3着内率	単勝回収率	複勝回収率
70.1	イスラボニータ	79.5	70.1	3－0－0－0／3	100.0%	100.0%	100.0%	460%	186%
58.8	ハービンジャー	58.8	67.6	1－1－0－2／4	25.0%	50.0%	50.0%	432%	172%
56.8	ルーラーシップ	58.8	56.8	1－1－1－3／6	16.7%	33.3%	50.0%	221%	111%
54.7	キタサンブラック	54.7	57.2	1－1－0－3／5	20.0%	40.0%	40.0%	350%	114%
54.2	キングカメハメハ	65.7	54.2	0－2－0－1／3	0.0%	66.7%	66.7%	0%	96%
53.7	ハーツクライ	53.7	67.1	1－1－1－5／8	12.5%	25.0%	37.5%	52%	170%
52.0	ドリームジャーニー	52.0	58.9	0－0－1－2／3	0.0%	0.0%	33.3%	0%	123%
48.5	エピファネイア	48.5	54.3	0－0－2－6／8	0.0%	0.0%	25.0%	0%	97%
47.5	リオンディーズ	56.6	47.5	0－3－1－5／9	0.0%	33.3%	44.4%	0%	58%
46.5	ドゥラメンテ	46.5	52.6	0－0－1－4／5	0.0%	0.0%	20.0%	0%	88%
45.7	ディープインパクト	45.7	46.1	1－1－0－9／11	9.1%	18.2%	18.2%	124%	50%
45.6	マジェスティックウォリアー	46.5	45.6	0－0－1－4／5	0.0%	0.0%	20.0%	0%	48%
45.1	モーリス	45.1	48.0	0－0－1－5／6	0.0%	0.0%	16.7%	0%	61%
44.0	キズナ	46.5	44.0	1－0－1－8／10	10.0%	10.0%	20.0%	75%	39%
41.6	ダイワメジャー	45.7	41.6	1－1－0－9／11	9.1%	18.2%	18.2%	18%	25%

ジョッキー偏差値ランキング

当該コース

ジョッキー偏差値	騎手	好走率偏差値	回収率偏差値	着別度数	勝率	連対率	3着内率	単勝回収率	複勝回収率
68.8	田口貫太	68.8	90.7	1－0－2－2／5	20.0%	20.0%	60.0%	350%	506%
63.1	西村淳也	72.2	63.1	0－4－2－3／9	0.0%	44.4%	66.7%	0%	215%
58.1	松山弘平	60.8	58.1	2－0－2－5／9	22.2%	22.2%	44.4%	116%	162%
56.9	坂井瑠星	60.0	56.9	2－0－1－4／7	28.6%	28.6%	42.9%	291%	150%
55.1	松若風馬	55.1	62.9	0－0－2－4／6	0.0%	0.0%	33.3%	0%	213%
49.8	鮫島克駿	57.3	49.8	1－1－1－5／8	12.5%	25.0%	37.5%	48%	75%
49.3	川田将雅	63.7	49.3	1－3－0－4／8	12.5%	50.0%	50.0%	25%	70%
48.4	藤岡佑介	52.7	48.4	2－0－0－5／7	28.6%	28.6%	28.6%	154%	60%
47.4	岩田望来	56.7	47.4	0－2－2－7／11	0.0%	18.2%	36.4%	0%	50%
47.3	武豊	52.7	47.3	1－0－1－5／7	14.3%	14.3%	28.6%	60%	48%
46.9	北村友一	50.8	46.9	1－0－0－3／4	25.0%	25.0%	25.0%	82%	45%
46.8	C.ルメール	55.1	46.8	1－0－0－2／3	33.3%	33.3%	33.3%	83%	43%
46.6	藤岡康太	46.6	50.7	1－0－0－5／6	16.7%	16.7%	16.7%	288%	85%
45.8	団野大成	49.4	45.8	0－1－1－7／9	0.0%	11.1%	22.2%	0%	33%
45.3	M.デムーロ	45.3	48.6	0－0－1－6／7	0.0%	0.0%	14.3%	0%	62%

過去3年 レース数 34

過去1年 レース数 34

京都芝1800m外

血統偏差値

要注目種牡馬

父がドゥラメンテ マストバイデータあり	➡P089
父がディープインパクト系種牡馬 マストバイデータあり	➡P088

ジョッキー偏差値

要注目騎手

鞍上が川田将雅騎手 マストバイデータあり	➡P089
鞍上が西村淳也騎手 マストバイデータあり	➡P088

ドゥラメンテやモーリスは高く評価していい

集計期間中の施行レース数がまだ少なく、しかも飛び抜けて高い複勝回収率を記録した種牡馬ならびに騎手がいたため、血統偏差値ランキングもジョッキー偏差値ランキングも、全体的に数値が低く出ています。ただし、たとえ血統偏差値やジョッキー偏差値が50を割っていても、ランキング上位の種牡馬ならびに騎手はそのまま高く評価して良いと思いますので、その辺を踏まえたうえでご参照ください。

3着内数が比較的多かった種牡馬はドゥラメンテ（8回）やモーリス（7回）。それぞれ、3着内率も複勝回収率も十分過ぎるほどの高水準でした。

ジョッキー部門で強調しておきたいのは川田将雅騎手。3着内率90・0％ですから、無理には逆らえません。

血統偏差値ランキング

当該コース

血統偏差値	騎手	好走率偏差値	回収率偏差値	着別度数	勝率	連対率	3着内率	単勝回収率	複勝回収率
48.4	キズナ	53.7	48.4	4-5-1-18/28	14.3%	32.1%	35.7%	44%	116%
48.4	モーリス	60.3	48.4	4-1-2-8/15	26.7%	33.3%	46.7%	118%	120%
48.1	リアルスティール	69.9	48.1	1-2-2-3/8	12.5%	37.5%	62.5%	293%	100%
48.0	ドゥラメンテ	60.5	48.0	3-1-4-9/17	17.6%	23.5%	47.1%	78%	97%
47.8	ディープインパクト	62.3	47.8	1-1-3-5/10	10.0%	20.0%	50.0%	18%	89%
47.4	エピファネイア	58.0	47.4	2-5-2-12/21	9.5%	33.3%	42.9%	60%	66%
47.2	キタサンブラック	47.2	47.3	2-0-2-12/16	12.5%	12.5%	25.0%	39%	59%
47.2	サトノクラウン	47.2	88.6	0-2-0-6/8	0.0%	25.0%	25.0%	0%	2266%
47.2	ジャスタウェイ	47.2	48.5	1-1-0-6/8	12.5%	25.0%	25.0%	161%	123%
47.2	ロードカナロア	51.2	47.2	3-2-1-13/19	15.8%	26.3%	31.6%	40%	52%
46.3	ルーラーシップ	46.3	47.5	1-1-2-13/17	5.9%	11.8%	23.5%	80%	69%
45.5	サトノダイヤモンド	45.5	46.9	1-0-1-7/9	11.1%	11.1%	22.2%	33%	36%
45.5	シルバーステート	45.5	46.8	0-2-0-7/9	0.0%	22.2%	22.2%	0%	31%
37.1	ハーツクライ	37.1	46.4	1-0-0-11/12	8.3%	8.3%	8.3%	15%	10%
36.3	ハービンジャー	36.3	46.6	0-0-1-13/14	0.0%	0.0%	7.1%	0%	22%

ジョッキー偏差値ランキング

当該コース

ジョッキー偏差値	騎手	好走率偏差値	回収率偏差値	着別度数	勝率	連対率	3着内率	単勝回収率	複勝回収率
49.0	西村淳也	62.7	49.0	2-2-4-6/14	14.3%	28.6%	57.1%	35%	128%
48.9	松山弘平	62.7	48.9	2-2-4-6/14	14.3%	28.6%	57.1%	36%	125%
48.9	松若風馬	54.9	48.9	2-2-2-9/15	13.3%	26.7%	40.0%	560%	123%
48.7	川田将雅	77.7	48.7	5-2-2-1/10	50.0%	70.0%	90.0%	145%	115%
48.3	鮫島克駿	58.1	48.3	4-3-1-9/17	23.5%	41.2%	47.1%	111%	90%
48.2	坂井瑠星	62.3	48.2	3-6-0-7/16	18.8%	56.3%	56.3%	48%	85%
48.2	横山典弘	53.7	48.2	1-0-2-5/8	12.5%	12.5%	37.5%	141%	88%
48.0	団野大成	51.8	48.0	1-3-1-10/15	6.7%	26.7%	33.3%	23%	73%
47.5	池添謙一	49.6	47.5	0-1-1-5/7	0.0%	14.3%	28.6%	0%	47%
47.3	武豊	50.7	47.3	2-2-0-9/13	15.4%	30.8%	30.8%	38%	40%
47.2	北村友一	48.0	47.2	1-0-1-6/8	12.5%	12.5%	25.0%	37%	31%
46.2	幸英明	46.2	47.8	0-2-2-15/19	0.0%	10.5%	21.1%	0%	62%
45.7	岩田望来	45.7	47.2	4-1-0-20/25	16.0%	20.0%	20.0%	46%	33%
43.6	和田竜二	43.6	47.1	0-2-0-11/13	0.0%	15.4%	15.4%	0%	26%
41.4	藤岡康太	41.4	46.8	0-0-2-17/19	0.0%	0.0%	10.5%	0%	9%

過去3年レース数	34
過去1年レース数	34

京都芝2000m内

血統偏差値

要注目種牡馬

要注目種牡馬	
父がドゥラメンテ マストバイデータあり	➡P089
父がハービンジャー 血統偏差値62.9	3着内率 43.8% 複勝回収率 273%
父がレイデオロ 血統偏差値60.6	3着内率 45.5% 複勝回収率 223%
父がジャスタウェイ 血統偏差値54.0	3着内率 41.7% 複勝回収率 153%

ジョッキー偏差値

要注目騎手

要注目騎手	
鞍上が川田将雅騎手 マストバイデータあり	➡P089
鞍上が西村淳也騎手 マストバイデータあり	➡P088
鞍上が藤岡佑介騎手 ジョッキー偏差値55.8	3着内率 42.9% 複勝回収率 315%
鞍上がC.ルメール騎手 ジョッキー偏差値52.7	3着内率 71.4% 複勝回収率 105%

驚異的な数字をマークした川田将雅騎手に注目

血統偏差値ランキングから強調できるのはハービンジャー。集計期間中は0勝、2着7回、3着0回という極端な結果だったものの、3着内率は43.8%に、複勝回収率は273%に達していました。手頃なオッズの産駒がいたら積極的に狙っていきましょう。

集計期間中の3着内数がもっとも多かった種牡馬はドゥラメンテ。こちらも3着内率42.9%、複勝回収率167%と、上々の滑り出しです。

ジョッキー偏差値ランキングでトップに君臨していたのは川田将雅騎手。注目を集めがちなトップジョッキーであるにもかかわらず、3着内率が92.9%と極端に高いせいで、単複の回収率も大変優秀な水準をキープしています。今後も目が離せませんね。

血統偏差値ランキング

当該コース

血統偏差値	騎手	好走率偏差値	回収率偏差値	着別度数	勝率	連対率	3着内率	単勝回収率	複勝回収率
62.9	ハービンジャー	62.9	65.3	0－7－0－9／16	0.0%	43.8%	43.8%	0%	273%
60.6	レイデオロ	64.3	60.6	3－0－2－6／11	27.3%	27.3%	45.5%	660%	223%
55.4	ドゥラメンテ	62.2	55.4	2－3－4－12／21	9.5%	23.8%	42.9%	19%	167%
54.0	ジャスタウェイ	61.2	54.0	2－2－1－7／12	16.7%	33.3%	41.7%	31%	153%
49.4	モーリス	49.4	76.2	1－1－1－8／11	9.1%	18.2%	27.3%	33%	390%
48.0	キタサンブラック	52.3	48.0	0－2－2－9／13	0.0%	15.4%	30.8%	0%	88%
45.8	サトノダイヤモンド	50.5	45.8	2－0－0－5／7	28.6%	28.6%	28.6%	321%	65%
44.8	ディープインパクト	56.3	44.8	2－0－3－9／14	14.3%	14.3%	35.7%	32%	54%
43.9	キズナ	49.1	43.9	5－1－1－19／26	19.2%	23.1%	26.9%	126%	45%
43.6	ゴールドシップ	44.6	43.6	2－0－1－11／14	14.3%	14.3%	21.4%	70%	42%
43.6	ハーツクライ	44.3	43.6	2－0－2－15／19	10.5%	10.5%	21.1%	72%	42%
43.3	シルバーステート	45.3	43.3	1－1－0－7／9	11.1%	22.2%	22.2%	32%	38%
42.4	ルーラーシップ	42.4	44.2	1－1－1－13／16	6.3%	12.5%	18.8%	50%	48%
38.2	エピファネイア	38.2	41.6	0－2－1－19／22	0.0%	9.1%	13.6%	0%	20%
27.0	サトノクラウン	27.0	39.7	0－0－0－12／12	0.0%	0.0%	0.0%	0%	0%

ジョッキー偏差値ランキング

当該コース

ジョッキー偏差値	騎手	好走率偏差値	回収率偏差値	着別度数	勝率	連対率	3着内率	単勝回収率	複勝回収率
59.0	川田将雅	80.3	59.0	8－3－2－1／14	57.1%	78.6%	92.9%	147%	150%
55.8	藤岡佑介	55.8	82.6	0－1－2－4／7	0.0%	14.3%	42.9%	0%	315%
54.3	西村淳也	55.8	54.3	0－7－2－12／21	0.0%	33.3%	42.9%	0%	116%
52.7	C.ルメール	69.8	52.7	1－2－2－2／7	14.3%	42.9%	71.4%	57%	105%
52.0	幸英明	52.0	59.5	0－4－3－13／20	0.0%	20.0%	35.0%	0%	153%
51.1	岩田望来	51.1	57.7	4－1－1－12／18	22.2%	27.8%	33.3%	147%	140%
50.6	松山弘平	52.1	50.6	0－4－2－11／17	0.0%	23.5%	35.3%	0%	91%
48.0	河原田菜々	48.8	48.0	0－0－2－5／7	0.0%	0.0%	28.6%	0%	72%
47.1	M.デムーロ	47.1	59.6	1－1－1－9／12	8.3%	16.7%	25.0%	419%	154%
46.8	坂井瑠星	51.1	46.8	3－1－2－12／18	16.7%	22.2%	33.3%	93%	64%
46.1	田口貫太	46.1	46.5	1－0－2－10／13	7.7%	7.7%	23.1%	38%	62%
45.3	鮫島克駿	49.2	45.3	1－3－1－12／17	5.9%	23.5%	29.4%	24%	54%
44.5	池添謙一	44.6	44.5	0－0－2－8／10	0.0%	0.0%	20.0%	0%	48%
42.6	和田竜二	42.6	43.1	0－1－2－16／19	0.0%	5.3%	15.8%	0%	38%
40.8	藤岡康太	47.1	40.8	0－0－3－9／12	0.0%	0.0%	25.0%	0%	22%

過去3年レース数 11　過去1年レース数 11

京都芝2200m外

血統偏差値ランキング

当該コース

血統偏差値	種牡馬	好走率偏差値	回収率偏差値	着別度数	勝率	連対率	3着内率	単勝回収率	複勝回収率
61.3	ジャスタウェイ	71.6	61.3	0－1－2－1／4	0.0%	25.0%	75.0%	0%	137%
59.3	サトノダイヤモンド	59.3	69.8	1－0－1－2／4	25.0%	25.0%	50.0%	70%	187%
54.3	ドゥラメンテ	54.3	73.0	0－1－1－3／5	0.0%	20.0%	40.0%	0%	206%
53.5	キズナ	62.0	53.5	2－2－1－4／9	22.2%	44.4%	55.6%	70%	91%
52.4	ロードカナロア	59.3	52.4	1－1－0－2／4	25.0%	50.0%	50.0%	60%	85%
50.7	ハーツクライ	57.0	50.7	2－1－2－6／11	18.2%	27.3%	45.5%	130%	74%
48.9	ディープインパクト	54.3	48.9	1－1－0－3／5	20.0%	40.0%	40.0%	32%	64%
46.1	キングカメハメハ	46.9	46.1	0－1－0－3／4	0.0%	25.0%	25.0%	0%	47%
46.1	ノヴェリスト	46.9	46.1	0－0－1－3／4	0.0%	0.0%	25.0%	0%	47%
45.0	ハービンジャー	49.4	45.0	1－2－0－7／10	10.0%	30.0%	30.0%	23%	41%

ジョッキー偏差値ランキング

当該コース

ジョッキー偏差値	騎手	好走率偏差値	回収率偏差値	着別度数	勝率	連対率	3着内率	単勝回収率	複勝回収率
60.1	C.ルメール	65.1	60.1	1－1－0－1／3	33.3%	66.7%	66.7%	80%	113%
60.0	川田将雅	68.5	60.0	1－0－2－1／4	25.0%	25.0%	75.0%	70%	112%
58.1	藤岡康太	63.3	58.1	2－2－1－3／8	25.0%	50.0%	62.5%	73%	102%
55.7	西村淳也	62.3	55.7	0－3－0－2／5	0.0%	60.0%	60.0%	0%	90%
54.4	松山弘平	55.2	54.4	1－2－0－4／7	14.3%	42.9%	42.9%	28%	82%
51.2	団野大成	51.2	53.8	1－0－0－2／3	33.3%	33.3%	33.3%	286%	80%
49.4	松若風馬	51.2	49.4	1－0－0－2／3	33.3%	33.3%	33.3%	253%	56%
49.3	岩田康誠	54.0	49.3	1－0－1－3／5	20.0%	20.0%	40.0%	70%	56%
48.2	岩田望来	54.0	48.2	1－1－0－3／5	20.0%	40.0%	40.0%	46%	50%
47.7	鮫島克駿	47.7	51.0	0－0－1－3／4	0.0%	0.0%	25.0%	0%	65%

ハーツクライやジャスタウェイの産駒が健闘している

集計期間中の種牡馬別成績を見ると、ディープインパクト系種牡馬の産駒が3着内率37.0%、複勝回収率75%と悪くない成績を収めていました。また、種牡馬別の3着内数だとハーツクライ（5回）がトップタイで、その後継種牡馬にあたるジャスタウェイ（3回）も3位タイ。このあたりはコース適性の高い血統とみなして良いでしょう。

ジョッキー別の3着内数を見ると、藤岡康太騎手（5回）が単独トップ。複勝回収率も102%に達しています。まだサンプルが少ないとはいえ、一応頭に入れておきたい傾向です。

※「父がドゥラメンテ」の馬（→P089）、「鞍上が川田将雅騎手」の馬（→P089）は、このコースで適用可能な「マストバイデータ」あり

京都芝2400m外

過去3年レース数 9　過去1年レース数 9

血統偏差値ランキング

当該コース

血統偏差値	種牡馬	好走率偏差値	回収率偏差値	着別度数	勝率	連対率	3着内率	単勝回収率	複勝回収率
63.6	ドゥラメンテ	63.6	68.1	2－0－0－1／3	66.7%	66.7%	66.7%	506%	156%
63.6	ドリームジャーニー	63.6	74.6	0－1－1－1／3	0.0%	33.3%	66.7%	0%	193%
61.7	シルバーステート	63.6	61.7	1－1－0－1／3	33.3%	66.7%	66.7%	310%	120%
59.7	キズナ	60.0	59.7	0－0－4－3／7	0.0%	0.0%	57.1%	0%	108%
53.5	ロードカナロア	63.6	53.5	0－1－1－1／3	0.0%	33.3%	66.7%	0%	73%
52.2	ディープインパクト	54.6	52.2	2－1－0－4／7	28.6%	42.9%	42.9%	168%	65%
52.0	ディープブリランテ	57.3	52.0	0－0－1－1／2	0.0%	0.0%	50.0%	0%	65%
50.5	キングカメハメハ	53.6	50.5	0－2－0－3／5	0.0%	40.0%	40.0%	0%	56%
50.1	ゴールドシップ	52.6	50.1	1－2－0－5／8	12.5%	37.5%	37.5%	72%	53%
45.9	ルーラーシップ	47.9	45.9	0－0－1－3／4	0.0%	0.0%	25.0%	0%	30%

ジョッキー偏差値ランキング

当該コース

ジョッキー偏差値	騎手	好走率偏差値	回収率偏差値	着別度数	勝率	連対率	3着内率	単勝回収率	複勝回収率
70.6	和田竜二	70.6	75.3	0－1－3－1／5	0.0%	20.0%	80.0%	0%	170%
69.0	浜中俊	70.6	69.0	1－3－0－1／5	20.0%	80.0%	80.0%	116%	138%
60.3	藤岡康太	63.3	60.3	1－1－1－2／5	20.0%	40.0%	60.0%	52%	94%
59.6	池添謙一	59.6	61.5	1－0－0－1／2	50.0%	50.0%	50.0%	380%	100%
56.6	岩田望来	59.6	56.6	0－1－0－1／2	0.0%	50.0%	50.0%	0%	75%
54.6	鮫島克駿	59.6	54.6	1－0－1－2／4	25.0%	25.0%	50.0%	105%	65%
53.5	藤岡佑介	53.5	63.4	1－0－0－2／3	33.3%	33.3%	33.3%	420%	110%
52.6	富田暁	59.6	52.6	0－1－0－1／2	0.0%	50.0%	50.0%	0%	55%
50.4	坂井瑠星	55.9	50.4	0－1－1－3／5	0.0%	20.0%	40.0%	0%	44%
50.4	松山弘平	50.4	55.6	0－0－1－3／4	0.0%	0.0%	25.0%	0%	70%

ディープインパクト系種牡馬は全体的に及第点の成績

集計期間中の3着内数がもっとも多かった種牡馬はキズナ（4回）。連対ゼロの3着4回という極端な着度数でしたが、3着内率は57.1%に、複勝回収率は108%に達していましたし、相応に高く評価するべきでしょう。ちなみに、そのキズナを含むディープインパクト系種牡馬の産駒は、3着内数が11回、3着内率が39.3%、複勝回収率が70%でした。他の主要な父系と比べれば悪くない数字だったので、比較的相性が良いと見ていいかもしれません。

ジョッキー部門では浜中俊騎手や藤岡康太騎手の活躍が目立っています。

※「父がドゥラメンテ」の馬（→P089）は、このコースで適用可能な「マストバイデータ」あり

過去3年 レース数	2	過去1年 レース数	2

京都芝3000m外

血統偏差値ランキング

当該コース

血統偏差値	種牡馬	好走率偏差値	回収率偏差値	着別度数	勝率	連対率	3着内率	単勝回収率	複勝回収率
69.7	ドレフォン	69.7	75.8	1－0－0－0／1	100.0%	100.0%	100.0%	660%	220%
68.6	トーセンラー	69.7	68.6	0－0－1－0／1	0.0%	0.0%	100.0%	0%	170%
67.1	サトノクラウン	69.7	67.1	0－1－0－0／1	0.0%	100.0%	100.0%	0%	160%
61.3	キタサンブラック	69.7	61.3	0－0－1－0／1	0.0%	0.0%	100.0%	0%	120%
57.0	ドゥラメンテ	57.0	59.2	1－0－0－1／2	50.0%	50.0%	50.0%	365%	105%
50.6	ゴールドシップ	50.6	57.4	0－1－0－3／4	0.0%	25.0%	25.0%	0%	92%
44.0	エピファネイア	44.2	44.0	0－0－0－4／4	0.0%	0.0%	0.0%	0%	0%
44.0	オルフェーヴル	44.2	44.0	0－0－0－1／1	0.0%	0.0%	0.0%	0%	0%
44.0	キズナ	44.2	44.0	0－0－0－2／2	0.0%	0.0%	0.0%	0%	0%
44.0	ジャスタウェイ	44.2	44.0	0－0－0－2／2	0.0%	0.0%	0.0%	0%	0%

ジョッキー偏差値ランキング

当該コース

ジョッキー偏差値	騎手	好走率偏差値	回収率偏差値	着別度数	勝率	連対率	3着内率	単勝回収率	複勝回収率
71.3	酒井学	71.3	87.0	0－1－0－0／1	0.0%	100.0%	100.0%	0%	370%
70.2	荻野極	71.3	70.2	1－0－0－0／1	100.0%	100.0%	100.0%	660%	220%
69.1	C.ルメール	71.3	69.1	1－0－0－0／1	100.0%	100.0%	100.0%	730%	210%
59.0	横山武史	71.3	59.0	0－0－1－0／1	0.0%	0.0%	100.0%	0%	120%
55.0	岩田望来	58.1	55.0	0－0－1－1／2	0.0%	0.0%	50.0%	0%	85%
45.0	坂井瑠星	45.0	45.5	0－0－0－2／2	0.0%	0.0%	0.0%	0%	0%
45.0	鮫島克駿	45.0	45.5	0－0－0－1／1	0.0%	0.0%	0.0%	0%	0%
45.0	団野大成	45.0	45.5	0－0－0－1／1	0.0%	0.0%	0.0%	0%	0%
45.0	西村淳也	45.0	45.5	0－0－0－1／1	0.0%	0.0%	0.0%	0%	0%
45.0	藤岡康太	45.0	45.5	0－0－0－1／1	0.0%	0.0%	0.0%	0%	0%

ノーザンダンサー系種牡馬の産駒を狙うべきかも

集計期間中に施行された京都芝3000m外のレースは、24年10月22日の菊花賞（3歳ＧＩ）と、24年10月29日の古都S（3歳以上3勝クラス）のみです。3着以内となった6頭のうち3頭はサンデーサイレンス系種牡馬の産駒でしたが、出走数も22頭と多く、3着内率は13.6%、複勝回収率は30%どまり。一方、ノーザンダンサー系種牡馬の産駒は4頭の出走馬から菊花賞2着のタスティエーラ、古都S1着のワープスピードが出ました。まだ何とも言えない段階ではありますが、この結果は一応頭に入れておきましょう。

※「父がドゥラメンテ」の馬（→P089）は、このコースで適用可能な「マストバイデータ」あり

京都芝3200m外

過去3年レース数	1	過去1年レース数	1

血統偏差値ランキング

当該コース

血統偏差値	種牡馬	好走率偏差値	回収率偏差値	着別度数	勝率	連対率	3着内率	単勝回収率	複勝回収率
78.6	キズナ	78.6	78.9	0－1－0－0／1	0.0%	100.0%	100.0%	0%	370%
53.5	オルフェーヴル	53.5	54.5	0－0－1－3／4	0.0%	0.0%	25.0%	0%	100%
48.4	ディープインパクト	51.8	48.4	1－0－0－4／5	20.0%	20.0%	20.0%	86%	32%
45.1	ガルボ	45.1	45.5	0－0－0－1／1	0.0%	0.0%	0.0%	0%	0%
45.1	ジャングルポケット	45.1	45.5	0－0－0－1／1	0.0%	0.0%	0.0%	0%	0%
45.1	スクリーンヒーロー	45.1	45.5	0－0－0－1／1	0.0%	0.0%	0.0%	0%	0%
45.1	ステイゴールド	45.1	45.5	0－0－0－1／1	0.0%	0.0%	0.0%	0%	0%
45.1	ドゥラメンテ	45.1	45.5	0－0－0－1／1	0.0%	0.0%	0.0%	0%	0%
45.1	ノヴェリスト	45.1	45.5	0－0－0－1／1	0.0%	0.0%	0.0%	0%	0%
45.1	ハーツクライ	45.1	45.5	0－0－0－1／1	0.0%	0.0%	0.0%	0%	0%

ジョッキー偏差値ランキング

当該コース

ジョッキー偏差値	騎手	好走率偏差値	回収率偏差値	着別度数	勝率	連対率	3着内率	単勝回収率	複勝回収率
71.6	和田竜二	71.6	74.9	0－1－0－0／1	0.0%	100.0%	100.0%	0%	370%
58.3	C.ルメール	71.6	58.3	1－0－0－0／1	100.0%	100.0%	100.0%	430%	160%
45.4	岩田望来	45.4	45.7	0－0－0－1／1	0.0%	0.0%	0.0%	0%	0%
45.4	川田将雅	45.4	45.7	0－0－0－1／1	0.0%	0.0%	0.0%	0%	0%
45.4	国分恭介	45.4	45.7	0－0－0－1／1	0.0%	0.0%	0.0%	0%	0%
45.4	坂井瑠星	45.4	45.7	0－0－0－1／1	0.0%	0.0%	0.0%	0%	0%
45.4	武豊	45.4	45.7	0－0－0－1／1	0.0%	0.0%	0.0%	0%	0%
45.4	M.デムーロ	45.4	45.7	0－0－0－1／1	0.0%	0.0%	0.0%	0%	0%
45.4	永野猛蔵	45.4	45.7	0－0－0－1／1	0.0%	0.0%	0.0%	0%	0%
45.4	浜中俊	45.4	45.7	0－0－0－1／1	0.0%	0.0%	0.0%	0%	0%

現時点ではディープインパクト系種牡馬が優勢

天皇賞・春のみが施行されるコースとしておなじみ。当然ながら、集計期間中に開催されたのは23年4月30日の天皇賞・春（4歳以上ＧⅠ）だけです。このレースを単勝オッズ4.3倍（2番人気）で制したジャスティンパレスはディープインパクト直仔。単勝オッズ22.5倍（5番人気）で2着となったディープボンドは、ディープインパクト系種牡馬のキズナ産駒でした。

ちなみに、京都芝3000m外の項で強調したノーザンダンサー系種牡馬の産駒は出走なし。こちらでも注目しておいた方が良いかもしれませんね。

京都芝1600m内・芝1600m外・芝1800m外・芝2000m内

鞍上が西村淳也騎手 ×

（無条件）

3着内率	複勝回収率
59.6%	155%

着別度数	勝率	連対率	単勝回収率
6－15－13－23／57	10.5%	36.8%	42%

	着別度数	勝率	連対率	3着内率	単勝回収率	複勝回収率
直近1年	6－15－13－23／57	10.5%	36.8%	59.6%	42%	155%

伊吹メモ　西村淳也騎手は、京都芝の全コースを対象とした集計期間中のトータルでも3着内率48.0%、複勝回収率121%。京都芝1600m内・京都芝1600m外・京都芝1800m外・京都芝2000m内の4コースは特に優秀だったので、今後も目が離せません。

京都芝1800m外

父がディープインパクト系種牡馬 ×

前走のコースが今回より短い距離か今回と同じ距離

3着内率	複勝回収率
44.0%	153%

着別度数	勝率	連対率	単勝回収率
5－10－7－28／50	10.0%	30.0%	222%

	着別度数	勝率	連対率	3着内率	単勝回収率	複勝回収率
直近1年	5－10－7－28／50	10.0%	30.0%	44.0%	222%	153%

伊吹メモ　京都芝1800m外のレースを使ったディープインパクト系種牡馬の産駒は、集計期間中のトータルでも3着内率34.8%、複勝回収率102%。前走の距離が今回より長かった馬は苦戦していたものの、1800m以下だった馬は優秀な成績を収めています。

鞍上が川田将雅騎手 ×

（無条件）

3着内率	複勝回収率
89.3%	132%

着別度数	勝率	連対率	単勝回収率
14－5－6－3／28	50.0%	67.9%	135%

	着別度数	勝率	連対率	3着内率	単勝回収率	複勝回収率
直近1年	14－5－6－3／28	50.0%	67.9%	89.3%	135%	132%

伊吹メモ　注目を集めがちなトップジョッキーですが、京都芝1800m外・京都芝2000m内・京都芝2200m外の3コースは世間の見立てを上回る確率で馬券に絡んでおり、結果的に回収率も高水準をキープ中。無理に逆らうメリットはないと言って良いでしょう。

京都芝1800m外・芝2000m内・芝2200m外
芝2400m外・芝3000m外

血統
マストバイデータ

父がドゥラメンテ ×

馬齢が4歳以下

3着内率	複勝回収率
48.9%	152%

着別度数	勝率	連対率	単勝回収率
8－5－9－23／45	17.8%	28.9%	88%

	着別度数	勝率	連対率	3着内率	単勝回収率	複勝回収率
直近1年	8－5－9－23／45	17.8%	28.9%	48.9%	88%	152%

伊吹メモ　2023年10月22日の菊花賞（3歳GI・京都芝3000m外）を単勝オッズ7.3倍（4番人気）のドゥレッツァが制すなど、4歳以下のドゥラメンテ産駒は京都芝1800～3000mの5コースで満遍なく好成績をマーク。引き続き注目しておいた方が良さそうです。

過去3年レース数 33

過去1年レース数 33

京都ダ1200m

血統偏差値

要注目種牡馬

父がエスポワールシチー 血統偏差値61.8	3着内率 57.1%	複勝回収率 228%
父がキズナ 血統偏差値60.9	3着内率 57.1%	複勝回収率 220%
父がエイシンフラッシュ 血統偏差値54.7	3着内率 44.4%	複勝回収率 161%
父がディスクリートキャット 血統偏差値52.3	3着内率 30.0%	複勝回収率 447%

ジョッキー偏差値

要注目騎手

鞍上が団野大成騎手 ジョッキー偏差値70.3	3着内率 55.6%	複勝回収率 252%
鞍上が幸英明騎手 ジョッキー偏差値54.5	3着内率 30.4%	複勝回収率 121%
鞍上が水口優也騎手 ジョッキー偏差値53.6	3着内率 30.0%	複勝回収率 108%
鞍上が池添謙一騎手 ジョッキー偏差値53.4	3着内率 55.6%	複勝回収率 106%

ランキング上位の種牡馬は今後も期待できそう

本書の集計期間中、すなわち23年の京都ダ１２００ｍでもっとも馬券に絡んだ回数の多かった種牡馬はロードカナロア（7回）。しかし、3着内率は24・1％に、複勝回収率は63％にとどまっていました。2位タイのヘニーヒューズ（6回）も3着内率が18・8％、複勝回収率75％なので、妙味ある存在とは言えません。これなら、血統偏差値ランキングで上位に食い込んだエイシンフラッシュ、エスポワールシチー、キズナあたりを重視したいところ。いずれも複数の産駒が3着以内に好走していましたから、他にもコース適性の高い産駒はいると思います。

ジョッキー部門で注目したいのは幸英明騎手。3着内数が多かったうえ、好走率や回収率もかなり優秀です。

血統偏差値ランキング

当該コース

血統偏差値	騎手	好走率偏差値	回収率偏差値	着別度数	勝率	連対率	3着内率	単勝回収率	複勝回収率
61.8	エスポワールシチー	72.4	61.8	1-2-1-3/7	14.3%	42.9%	57.1%	75%	228%
60.9	キズナ	72.4	60.9	1-1-2-3/7	14.3%	28.6%	57.1%	534%	220%
54.7	エイシンフラッシュ	63.0	54.7	1-1-2-5/9	11.1%	22.2%	44.4%	74%	161%
52.3	ディスクリートキャット	52.3	84.9	0-2-1-7/10	0.0%	20.0%	30.0%	0%	447%
51.3	ダノンレジェンド	51.3	55.0	1-1-0-5/7	14.3%	28.6%	28.6%	121%	164%
48.5	マクフィ	48.6	48.5	1-1-1-9/12	8.3%	16.7%	25.0%	30%	102%
47.3	マインドユアビスケッツ	54.8	47.3	2-0-1-6/9	22.2%	22.2%	33.3%	213%	91%
47.2	シニスターミニスター	52.3	47.2	2-3-1-14/20	10.0%	25.0%	30.0%	93%	90%
46.4	ドレフォン	46.6	46.4	3-0-1-14/18	16.7%	16.7%	22.2%	100%	82%
45.1	ミッキーアイル	46.6	45.1	1-0-1-7/9	11.1%	11.1%	22.2%	38%	70%
44.9	アジアエクスプレス	44.9	57.2	1-1-1-12/15	6.7%	13.3%	20.0%	12%	184%
44.3	ロードカナロア	48.0	44.3	2-5-0-22/29	6.9%	24.1%	24.1%	85%	63%
44.0	ヘニーヒューズ	44.0	45.7	2-2-2-26/32	6.3%	12.5%	18.8%	66%	75%
43.7	コパノリッキー	46.6	43.7	1-0-1-7/9	11.1%	11.1%	22.2%	57%	56%
43.1	モーリス	57.9	43.1	2-0-1-5/8	25.0%	25.0%	37.5%	61%	51%

ジョッキー偏差値ランキング

当該コース

ジョッキー偏差値	騎手	好走率偏差値	回収率偏差値	着別度数	勝率	連対率	3着内率	単勝回収率	複勝回収率
70.3	団野大成	70.3	75.9	0-4-1-4/9	0.0%	44.4%	55.6%	0%	252%
54.5	幸英明	54.5	55.7	2-3-2-16/23	8.7%	21.7%	30.4%	84%	121%
53.6	水口優也	54.3	53.6	0-2-1-7/10	0.0%	20.0%	30.0%	0%	108%
53.4	池添謙一	70.3	53.4	2-3-0-4/9	22.2%	55.6%	55.6%	62%	106%
52.7	岩田康誠	56.4	52.7	0-0-3-6/9	0.0%	0.0%	33.3%	0%	102%
51.1	岩田望来	51.1	53.6	0-1-2-9/12	0.0%	8.3%	25.0%	0%	107%
50.0	川田将雅	71.3	50.0	1-2-1-3/7	14.3%	42.9%	57.1%	30%	84%
49.7	松若風馬	49.9	49.7	1-0-2-10/13	7.7%	7.7%	23.1%	51%	82%
49.2	松山弘平	55.1	49.2	3-1-1-11/16	18.8%	25.0%	31.3%	201%	79%
48.7	鮫島克駿	48.7	58.3	1-2-1-15/19	5.3%	15.8%	21.1%	27%	138%
48.6	坂井瑠星	64.4	48.6	4-1-1-7/13	30.8%	38.5%	46.2%	115%	75%
47.4	和田竜二	47.4	50.9	2-0-2-17/21	9.5%	9.5%	19.0%	91%	90%
46.8	武豊	62.3	46.8	3-2-1-8/14	21.4%	35.7%	42.9%	68%	63%
44.4	西村淳也	44.4	67.4	1-2-0-18/21	4.8%	14.3%	14.3%	178%	197%
43.3	田口貫太	43.3	48.4	1-1-1-21/24	4.2%	8.3%	12.5%	7%	74%

過去3年 レース数	42
過去1年 レース数	42

京都ダ1400m

血統偏差値

要注目種牡馬

父がシニスターミニスター マストバイデータあり	➡P098
父がアジアエクスプレス 血統偏差値69.2	3着内率 50.0% 複勝回収率 157%
父がキズナ 血統偏差値66.1	3着内率 55.6% 複勝回収率 128%
父がヘニーヒューズ 血統偏差値60.9	3着内率 38.9% 複勝回収率 132%

ジョッキー偏差値

要注目騎手

鞍上が坂井瑠星騎手 マストバイデータあり	➡P098
鞍上が和田竜二騎手 ジョッキー偏差値65.7	3着内率 43.5% 複勝回収率 162%
鞍上が浜中俊騎手 ジョッキー偏差値58.9	3着内率 33.3% 複勝回収率 193%
鞍上が松山弘平騎手 ジョッキー偏差値56.5	3着内率 52.4% 複勝回収率 95%

複勝回収率の高いアジアエクスプレスらは要注目

種牡馬別の3着内数を見ると、アジアエクスプレスとヘニーヒューズの親仔(各7回)がトップタイ。アジアエクスプレスは複勝回収率157%、ヘニーヒューズも複勝回収率132%と、いずれもコンスタントに穴をあけています。それぞれ、今後のレースでもしっかりマークしておきましょう。

血統偏差値ランキングでアジアエクスプレスに次ぐ2位となったのがキズナ。まだ出走数が少ない段階ではあるものの、こちらも楽しみな存在です。

ジョッキー偏差値ランキングを見ると、3着内数の上位3名、すなわち坂井瑠星騎手(12回)、松山弘平騎手(11回)、和田竜二騎手(10回)あたりは、好走率や回収率も非常に優秀でした。今後も目が離せませんね。

血統偏差値ランキング

当該コース

血統偏差値	騎手	好走率偏差値	回収率偏差値	着別度数	勝率	連対率	3着内率	単勝回収率	複勝回収率
69.2	アジアエクスプレス	69.2	73.0	2－3－2－7／14	14.3%	35.7%	50.0%	52%	157%
66.1	キズナ	73.4	66.1	1－3－1－4／9	11.1%	44.4%	55.6%	34%	128%
60.9	ヘニーヒューズ	60.9	67.0	3－4－0－11／18	16.7%	38.9%	38.9%	549%	132%
58.2	シニスターミニスター	58.2	61.4	2－1－3－11／17	11.8%	17.6%	35.3%	106%	110%
53.2	ダイワメジャー	53.2	56.5	3－1－0－10／14	21.4%	28.6%	28.6%	210%	90%
52.9	リアルスティール	56.8	52.9	0－1－2－6／9	0.0%	11.1%	33.3%	0%	75%
48.4	ドレフォン	48.4	48.9	2－2－2－21／27	7.4%	14.8%	22.2%	24%	59%
48.3	パイロ	53.8	48.3	2－1－2－12／17	11.8%	17.6%	29.4%	54%	57%
47.9	ロードカナロア	49.4	47.9	2－0－2－13／17	11.8%	11.8%	23.5%	102%	55%
46.3	オルフェーヴル	48.4	46.3	1－0－1－7／9	11.1%	11.1%	22.2%	160%	48%
45.3	マクフィ	46.8	45.3	1－2－0－12／15	6.7%	20.0%	20.0%	16%	44%
45.0	エピファネイア	51.8	45.0	1－2－1－11／15	6.7%	20.0%	26.7%	24%	43%
44.3	ルーラーシップ	44.3	45.4	1－0－1－10／12	8.3%	8.3%	16.7%	33%	45%
43.0	キンシャサノキセキ	43.0	54.6	1－0－2－17／20	5.0%	5.0%	15.0%	57%	82%
40.1	マジェスティックウォリアー	40.1	42.2	3－0－0－24／27	11.1%	11.1%	11.1%	95%	32%

ジョッキー偏差値ランキング

当該コース

ジョッキー偏差値	騎手	好走率偏差値	回収率偏差値	着別度数	勝率	連対率	3着内率	単勝回収率	複勝回収率
65.7	和田竜二	65.7	69.4	3－4－3－13／23	13.0%	30.4%	43.5%	225%	162%
60.5	坂井瑠星	68.8	60.5	6－3－3－13／25	24.0%	36.0%	48.0%	170%	116%
58.9	浜中俊	58.9	75.3	1－0－2－6／9	11.1%	11.1%	33.3%	243%	193%
56.5	松山弘平	71.7	56.5	4－5－2－10／21	19.0%	42.9%	52.4%	74%	95%
52.1	国分優作	52.1	69.0	0－0－3－10／13	0.0%	0.0%	23.1%	0%	160%
51.9	鮫島克駿	54.6	51.9	2－2－3－19／26	7.7%	15.4%	26.9%	56%	71%
51.8	武豊	60.2	51.8	3－3－0－11／17	17.6%	35.3%	35.3%	74%	70%
51.2	岩田望来	55.4	51.2	4－2－1－18／25	16.0%	24.0%	28.0%	186%	67%
51.1	川田将雅	67.5	51.1	3－2－1－7／13	23.1%	38.5%	46.2%	82%	66%
49.4	団野大成	49.4	60.1	2－1－1－17／21	9.5%	14.3%	19.0%	450%	114%
49.2	西村淳也	49.2	52.6	0－1－2－13／16	0.0%	6.3%	18.8%	0%	75%
48.0	藤岡康太	54.2	48.0	3－2－0－14／19	15.8%	26.3%	26.3%	91%	51%
45.7	松若風馬	45.7	46.6	0－1－2－19／22	0.0%	4.5%	13.6%	0%	43%
43.8	角田大河	47.8	43.8	2－1－1－20／24	8.3%	12.5%	16.7%	27%	29%
43.1	田口貫太	43.1	45.1	1－1－1－28／31	3.2%	6.5%	9.7%	15%	35%

過去3年レース数 72

過去1年レース数 72

京都ダ1800m

血統偏差値

要注目種牡馬

父がシニスターミニスター マストバイデータあり	➡P098
父がヘニーヒューズ 血統偏差値57.7	3着内率 65.0% 複勝回収率 131%
父がロードカナロア 血統偏差値53.7	3着内率 31.3% 複勝回収率 111%
父がキズナ 血統偏差値52.8	3着内率 30.0% 複勝回収率 110%

ジョッキー偏差値

要注目騎手

鞍上が坂井瑠星騎手 マストバイデータあり	➡P098
鞍上が団野大成騎手 ジョッキー偏差値57.7	3着内率 36.8% 複勝回収率 122%
鞍上が松若風馬騎手 ジョッキー偏差値54.9	3着内率 31.4% 複勝回収率 257%
鞍上が池添謙一騎手 ジョッキー偏差値54.8	3着内率 31.3% 複勝回収率 143%

シニスターミニスター産駒を片っ端から狙いたい

集計期間中の3着内数がもっとも多かった種牡馬はシニスターミニスター(17回)。3着内率は42・5%、複勝回収率は180%に達していて、血統偏差値ランキングでも首位に君臨していました。単純にコース適性が高いだけでなく、思いのほか人気の盲点になりがちなので、今後も楽しみです。

ちなみに、3着内数2位のドレフォン(15回)と3着内数3位のヘニーヒューズ(13回)は、いずれもストームキャット系種牡馬の産駒。ヘニーヒューズはもちろん、ドレフォンの好走率や回収率も及第点の数字なので、引き続きマークしておきましょう。

ジョッキー偏差値ランキングでトップに立っていたのは団野大成騎手。こちらも絶好の狙い目だと思います。

血統偏差値ランキング

当該コース

血統偏差値	騎手	好走率偏差値	回収率偏差値	着別度数	勝率	連対率	3着内率	単勝回収率	複勝回収率
61.7	シニスターミニスター	61.7	66.4	7－8－2－23／40	17.5%	37.5%	42.5%	102%	180%
57.7	ヘニーヒューズ	77.6	57.7	4－4－5－7／20	20.0%	40.0%	65.0%	104%	131%
53.7	ロードカナロア	53.7	54.3	3－1－1－11／16	18.8%	25.0%	31.3%	33%	111%
52.8	キズナ	52.8	54.1	2－1－3－14／20	10.0%	15.0%	30.0%	19%	110%
52.8	ハーツクライ	52.8	54.6	2－3－1－14／20	10.0%	25.0%	30.0%	289%	113%
51.0	ドレフォン	58.1	51.0	3－8－4－25／40	7.5%	27.5%	37.5%	24%	92%
47.6	ルーラーシップ	47.6	49.2	1－2－4－24／31	3.2%	9.7%	22.6%	6%	82%
43.4	マジェスティックウォリアー	43.4	44.6	3－2－0－25／30	10.0%	16.7%	16.7%	174%	56%
42.9	パイロ	51.3	42.9	2－3－0－13／18	11.1%	27.8%	27.8%	53%	46%
42.9	ホッコータルマエ	42.9	44.2	4－2－1－37／44	9.1%	13.6%	15.9%	230%	54%
41.3	マインドユアビスケッツ	42.8	41.3	1－1－1－16／19	5.3%	10.5%	15.8%	32%	37%
39.0	ドゥラメンテ	45.2	39.0	4－0－1－21／26	15.4%	15.4%	19.2%	33%	25%
38.7	ジャスタウェイ	44.5	38.7	2－1－1－18／22	9.1%	13.6%	18.2%	17%	23%
38.6	キタサンブラック	39.5	38.6	1－0－1－16／18	5.6%	5.6%	11.1%	15%	22%
36.3	マクフィ	36.3	73.4	0－1－0－14／15	0.0%	6.7%	6.7%	0%	220%

ジョッキー偏差値ランキング

当該コース

ジョッキー偏差値	騎手	好走率偏差値	回収率偏差値	着別度数	勝率	連対率	3着内率	単勝回収率	複勝回収率
57.7	団野大成	59.4	57.7	3－4－7－24／38	7.9%	18.4%	36.8%	41%	122%
54.9	松若風馬	54.9	83.7	2－4－5－24／35	5.7%	17.1%	31.4%	23%	257%
54.8	池添謙一	54.8	61.7	2－1－2－11／16	12.5%	18.8%	31.3%	195%	143%
51.4	坂井瑠星	63.6	51.4	8－3－5－22／38	21.1%	28.9%	42.1%	92%	90%
50.9	横山典弘	56.5	50.9	3－0－2－10／15	20.0%	20.0%	33.3%	257%	87%
50.7	松山弘平	71.4	50.7	6－4－6－15／31	19.4%	32.3%	51.6%	67%	86%
49.7	幸英明	56.5	49.7	3－8－5－32／48	6.3%	22.9%	33.3%	27%	81%
49.0	田口貫太	51.3	49.0	3－6－5－38／52	5.8%	17.3%	26.9%	14%	77%
46.6	岩田望来	55.8	46.6	5－4－4－27／40	12.5%	22.5%	32.5%	115%	64%
45.9	西村淳也	48.6	45.9	4－4－1－29／38	10.5%	21.1%	23.7%	30%	61%
45.6	藤岡康太	45.6	47.3	1－2－4－28／35	2.9%	8.6%	20.0%	45%	68%
45.5	武豊	65.6	45.5	3－5－0－10／18	16.7%	44.4%	44.4%	36%	59%
44.6	藤岡佑介	44.6	55.5	1－0－2－13／16	6.3%	6.3%	18.8%	30%	111%
42.5	鮫島克駿	47.2	42.5	0－7－2－32／41	0.0%	17.1%	22.0%	0%	43%
40.0	和田竜二	41.2	40.0	6－1－0－41／48	12.5%	14.6%	14.6%	102%	30%

過去3年レース数 17

過去1年レース数 17

京都ダ1900m

血統偏差値

要注目種牡馬

	3着内率	複勝回収率
父がサトノクラウン 血統偏差値61.8	50.0%	602%
父がパイロ 血統偏差値51.1	75.0%	117%
父がコパノリッキー 血統偏差値50.1	40.0%	104%
父がデクラレーションオブウォー 血統偏差値50.0	50.0%	102%

ジョッキー偏差値

要注目騎手

	3着内率	複勝回収率
鞍上が池添謙一騎手 ジョッキー偏差値63.6	50.0%	155%
鞍上が藤岡康太騎手 ジョッキー偏差値60.6	44.4%	142%
鞍上が川田将雅騎手 ジョッキー偏差値58.4	75.0%	115%
鞍上が武豊騎手 ジョッキー偏差値56.1	50.0%	102%

ホッコータルマエ産駒は当コース適性が高そう

集計期間中に延べ4頭以上の産駒が馬券に絡んだ種牡馬はホッコータルマエだけ。サトノクラウンが飛び抜けて高い複勝回収率を記録したため、血統偏差値の数値は低く出てしまったものの、3着内率は41・7%、複勝回収率は88%に達していましたから、それなりに高く評価して良いでしょう。

ジョッキー偏差値ランキングから強調できるのは藤岡康太騎手。好走率や回収率は申し分のない高水準ですし、集計期間中の3着内数(4回)もジョッキーの中では単独2位です。23年5月7日の京都12Rでは、単勝オッズ89・8倍(8番人気)のフームスムートを2着に持ってきて、好配当決着を演出。騎乗馬が超人気薄であっても押さえておくべきだと思います。

血統偏差値ランキング

当該コース

血統偏差値	騎手	好走率偏差値	回収率偏差値	着別度数	勝率	連対率	3着内率	単勝回収率	複勝回収率
61.8	サトノクラウン	61.8	86.6	1－0－1－2／4	25.0%	25.0%	50.0%	110%	602%
51.1	パイロ	76.9	51.1	0－2－1－1／4	0.0%	50.0%	75.0%	0%	117%
50.1	コパノリッキー	55.8	50.1	0－1－1－3／5	0.0%	20.0%	40.0%	0%	104%
50.0	デクラレーションオブウォー	61.8	50.0	0－1－1－2／4	0.0%	25.0%	50.0%	0%	102%
49.1	ロージズインメイ	61.8	49.1	1－1－0－2／4	25.0%	50.0%	50.0%	55%	90%
49.0	ホッコータルマエ	56.8	49.0	1－3－1－7／12	8.3%	33.3%	41.7%	45%	88%
47.5	モーリス	55.8	47.5	2－0－0－3／5	40.0%	40.0%	40.0%	160%	68%
46.7	オルフェーヴル	46.7	47.1	0－0－1－3／4	0.0%	0.0%	25.0%	0%	62%
46.7	ストロングリターン	46.7	58.2	0－0－1－3／4	0.0%	0.0%	25.0%	0%	215%
46.7	マクフィ	46.7	66.3	0－0－1－3／4	0.0%	0.0%	25.0%	0%	325%
46.2	ダンカーク	46.7	46.2	0－0－1－3／4	0.0%	0.0%	25.0%	0%	50%
45.2	キズナ	46.7	45.2	0－1－2－9／12	0.0%	8.3%	25.0%	0%	37%
45.2	ドゥラメンテ	48.9	45.2	1－1－0－5／7	14.3%	28.6%	28.6%	28%	37%
45.1	ハーツクライ	45.1	45.3	1－0－1－7／9	11.1%	11.1%	22.2%	74%	38%
42.6	ジャスタウェイ	42.6	44.1	2－0－0－9／11	18.2%	18.2%	18.2%	30%	21%

ジョッキー偏差値ランキング

当該コース

ジョッキー偏差値	騎手	好走率偏差値	回収率偏差値	着別度数	勝率	連対率	3着内率	単勝回収率	複勝回収率
63.6	池添謙一	63.6	65.5	2－0－0－2／4	50.0%	50.0%	50.0%	842%	155%
60.6	藤岡康太	60.6	63.2	1－1－2－5／9	11.1%	22.2%	44.4%	48%	142%
58.4	川田将雅	77.1	58.4	1－0－2－1／4	25.0%	25.0%	75.0%	70%	115%
56.1	武豊	63.6	56.1	1－0－1－2／4	25.0%	25.0%	50.0%	137%	102%
51.4	松山弘平	63.6	51.4	2－2－1－5／10	20.0%	40.0%	50.0%	48%	76%
51.3	鮫島克駿	51.3	51.8	0－2－1－8／11	0.0%	18.2%	27.3%	0%	78%
48.5	岩田望来	58.2	48.5	0－2－0－3／5	0.0%	40.0%	40.0%	0%	60%
48.1	幸英明	48.1	54.8	1－1－1－11／14	7.1%	14.3%	21.4%	12%	95%
47.8	坂井瑠星	56.8	47.8	2－1－0－5／8	25.0%	37.5%	37.5%	86%	56%
47.4	小沢大仁	50.0	47.4	0－1－1－6／8	0.0%	12.5%	25.0%	0%	53%
45.8	岩田康誠	50.0	45.8	1－0－0－3／4	25.0%	25.0%	25.0%	270%	45%
44.2	団野大成	44.2	52.1	0－1－0－6／7	0.0%	14.3%	14.3%	0%	80%
44.2	和田竜二	44.2	47.7	0－1－0－6／7	0.0%	14.3%	14.3%	0%	55%
43.9	松若風馬	48.5	43.9	2－0－0－7／9	22.2%	22.2%	22.2%	97%	34%
43.9	水口優也	44.2	43.9	1－0－0－6／7	14.3%	14.3%	14.3%	177%	34%

京都ダ1400m・ダ1800m

父がシニスターミニスター ×

（無条件）

3着内率	複勝回収率
40.4%	159%

着別度数	勝率	連対率	単勝回収率
9－9－5－34／57	15.8%	31.6%	103%

	着別度数	勝率	連対率	3着内率	単勝回収率	複勝回収率
直近1年	9－9－5－34/57	15.8%	31.6%	40.4%	103%	159%

伊吹メモ　京都ダのレースを使ったシニスターミニスター産駒は、集計期間中のトータルでも3着内率36.3%、複勝回収率135%。京都ダ1200mや京都ダ1900mもこれから成績が上向いてきそうですし、当面はひと通りマークしておくべきだと思います。

京都ダ1400m・ダ1800m

鞍上が坂井瑠星騎手 ×

前走の着順が4着以内

3着内率	複勝回収率
64.5%	146%

着別度数	勝率	連対率	単勝回収率
10－5－5－11／31	32.3%	48.4%	195%

	着別度数	勝率	連対率	3着内率	単勝回収率	複勝回収率
直近1年	10－5－5－11/31	32.3%	48.4%	64.5%	195%	146%

伊吹メモ　京都ダ1200mや京都ダ1900mの成績も決して悪くはないのですが、より強調できるのがこの2コース。前走好走馬とタッグを組んだレースは非常に堅実だったうえ、思いのほか人気の盲点になりやすく、単複の回収率もかなり高めでした。

阪神競馬場
HANSHIN RACE COURSE

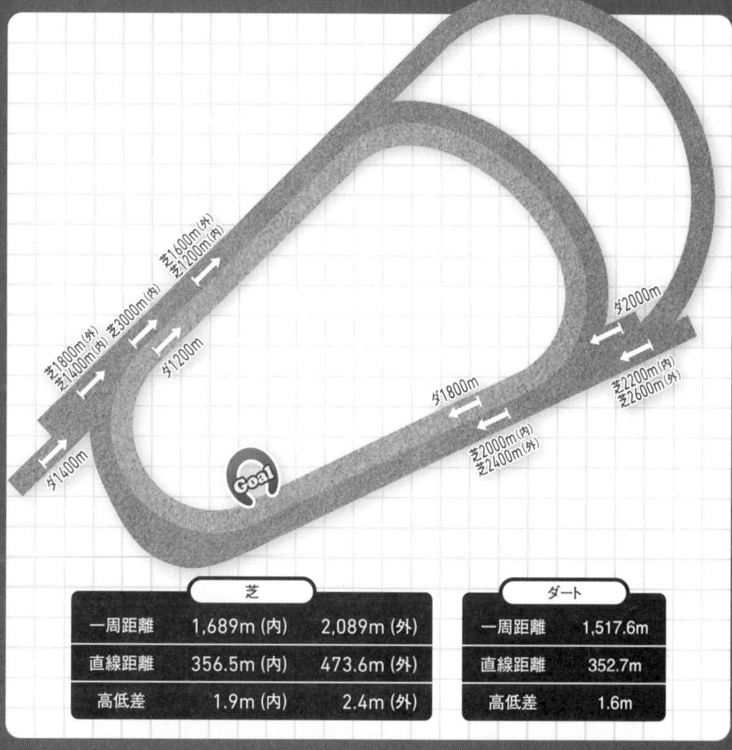

芝		
一周距離	1,689m (内)	2,089m (外)
直線距離	356.5m (内)	473.6m (外)
高低差	1.9m (内)	2.4m (外)

ダート	
一周距離	1,517.6m
直線距離	352.7m
高低差	1.6m

過去3年レース数 72
過去1年レース数 25

阪神芝1200m内

血統偏差値

要注目種牡馬

父がストームキャット系種牡馬 マストバイデータあり	➡P116
父がヴィクトワールピサ 血統偏差値55.3	3着内率 29.4% 複勝回収率 104%
父がロードカナロア 血統偏差値52.6	3着内率 32.6% 複勝回収率 89%
父がブラックタイド 血統偏差値50.7	3着内率 26.7% 複勝回収率 100%

ジョッキー偏差値

要注目騎手

鞍上が岩田望来騎手 マストバイデータあり	➡P116
鞍上が泉谷楓真騎手 ジョッキー偏差値61.7	3着内率 42.1% 複勝回収率 148%
鞍上が武豊騎手 ジョッキー偏差値54.1	3着内率 50.0% 複勝回収率 109%
鞍上が岩田康誠騎手 ジョッキー偏差値53.8	3着内率 47.1% 複勝回収率 107%

岩田望来騎手の騎乗馬は素直に信頼して良さそう

ロードカナロアは集計期間中の勝利数が11回、連対数が26回、3着以内数が31回、出走数が95回で、いずれの数字も種牡馬の中では断然のトップ。それでいて3着内率32・6%、複勝回収率89%と、アベレージの面でも優秀な成績を収めています。残念ながら23年はいまひとつだったものの、いつ巻き返してきてもおかしくありません。

ジョッキー部門で強調しておきたいのは岩田望来騎手。こちらもジョッキーの中では3着内数(19回)が断然のトップでしたし、3着内率は51・4%に、複勝回収率は101%に達していました。他に飛び抜けて高い複勝回収率をマークしたジョッキーがいるとはいえ、こちらも十分過ぎるほどの数字。引き続きマークしておきましょう。

血統偏差値ランキング

当該コース

血統偏差値	騎手	好走率偏差値	回収率偏差値	着別度数	勝率	連対率	3着内率	単勝回収率	複勝回収率
55.3	ヴィクトワールピサ	55.3	56.6	0－3－2－12／17	0.0%	17.6%	29.4%	0%	104%
52.6	ロードカナロア	60.7	52.6	11－15－5－64／95	11.6%	27.4%	32.6%	89%	89%
50.7	ブラックタイド	50.7	55.4	1－1－2－11／15	6.7%	13.3%	26.7%	294%	100%
50.1	ビッグアーサー	64.9	50.1	5－3－5－24／37	13.5%	21.6%	35.1%	74%	80%
45.4	リオンディーズ	66.9	45.4	2－0－6－14／22	9.1%	9.1%	36.4%	58%	64%
45.2	ディープインパクト	57.0	45.2	1－1－5－16／23	4.3%	8.7%	30.4%	7%	63%
42.2	ミッキーアイル	48.0	42.2	3－1－3－21／28	10.7%	14.3%	25.0%	96%	52%
42.0	キズナ	42.0	51.1	3－4－2－33／42	7.1%	16.7%	21.4%	38%	84%
40.6	イスラボニータ	48.0	40.6	1－1－2－12／16	6.3%	12.5%	25.0%	16%	46%
39.3	ジャスタウェイ	43.3	39.3	3－1－0－14／18	16.7%	22.2%	22.2%	87%	42%
37.5	ダイワメジャー	37.5	60.1	5－2－2－39／48	10.4%	14.6%	18.8%	465%	116%
36.6	モーリス	41.6	36.6	3－1－3－26／33	9.1%	12.1%	21.2%	21%	32%
34.0	キンシャサノキセキ	34.0	75.1	2－1－1－20／24	8.3%	12.5%	16.7%	565%	170%

ジョッキー偏差値ランキング

当該コース

ジョッキー偏差値	騎手	好走率偏差値	回収率偏差値	着別度数	勝率	連対率	3着内率	単勝回収率	複勝回収率
61.7	泉谷楓真	61.7	61.9	1－4－3－11／19	5.3%	26.3%	42.1%	46%	148%
54.1	武豊	67.7	54.1	5－3－3－11／22	22.7%	36.4%	50.0%	124%	109%
53.8	岩田康誠	65.5	53.8	4－4－0－9／17	23.5%	47.1%	47.1%	200%	107%
53.4	富田暁	53.4	64.3	2－2－1－11／16	12.5%	25.0%	31.3%	729%	161%
52.6	岩田望来	68.7	52.6	8－4－7－18／37	21.6%	32.4%	51.4%	84%	101%
49.9	池添謙一	49.9	76.1	1－1－2－11／15	6.7%	13.3%	26.7%	835%	222%
48.8	坂井瑠星	58.2	48.8	5－1－3－15／24	20.8%	25.0%	37.5%	200%	82%
48.7	幸英明	48.7	50.6	3－3－3－27／36	8.3%	16.7%	25.0%	27%	91%
47.8	角田大河	47.8	52.2	3－1－1－16／21	14.3%	19.0%	23.8%	48%	99%
46.5	和田竜二	51.4	46.5	3－4－5－30／42	7.1%	16.7%	28.6%	106%	70%
46.1	団野大成	53.1	46.1	2－6－0－18／26	7.7%	30.8%	30.8%	33%	68%
46.1	藤岡康太	51.4	46.1	5－6－1－30／42	11.9%	26.2%	28.6%	62%	68%
44.9	鮫島克駿	48.0	44.9	3－1－3－22／29	10.3%	13.8%	24.1%	41%	61%
40.0	西村淳也	46.2	40.0	2－1－2－18／23	8.7%	13.0%	21.7%	36%	36%
39.3	松山弘平	42.7	39.3	2－2－2－29／35	5.7%	11.4%	17.1%	27%	33%

阪神芝1400m内

血統偏差値

要注目種牡馬

父がディープインパクト系種牡馬 マストバイデータあり	➡P117
父がミッキーアイル 血統偏差値61.7	3着内率 33.3% 複勝回収率 108%
父がリオンディーズ 血統偏差値60.0	3着内率 30.0% 複勝回収率 112%
父がエピファネイア 血統偏差値59.4	3着内率 29.6% 複勝回収率 117%

ジョッキー偏差値

要注目騎手

鞍上が岩田望来騎手 マストバイデータあり	➡P116
鞍上が浜中俊騎手 ジョッキー偏差値58.6	3着内率 34.4% 複勝回収率 148%
鞍上が団野大成騎手 ジョッキー偏差値52.4	3着内率 34.5% 複勝回収率 87%
鞍上が川田将雅騎手 ジョッキー偏差値52.3	3着内率 59.0% 複勝回収率 86%

ロードカナロア産駒が苦戦している点に注意

種牡馬別の3着内数で断然のトップに立っているのはロードカナロア（28回）でしたが、3着内数は21・7%、複勝回収率49%。血統偏差値ランキングで下位に沈んでいることからもわかる通り、残念ながらこのコースで積極的に狙うべき種牡馬とは言えません。

集計期間中の3着内数が比較的多く、血統偏差値ランキングでも上位に食い込んでいたのは、エピファネイア（16回）やキズナ（18回）。それぞれ3着内率も水準以上でしたし、人気の盲点になっている産駒は絶好の狙い目です。

ジョッキー別の3着内数を見ると、阪神芝1200m内と同じく岩田望来騎手（31回）がトップ。好走率や回収率が優秀で、ジョッキー偏差値ランキングでも首位に君臨していました。

血統偏差値ランキング

当該コース

血統偏差値	騎手	好走率偏差値	回収率偏差値	着別度数	勝率	連対率	3着内率	単勝回収率	複勝回収率
61.7	ミッキーアイル	65.6	61.7	4－3－3－20／30	13.3%	23.3%	33.3%	109%	108%
60.0	リオンディーズ	60.0	63.3	4－3－5－28／40	10.0%	17.5%	30.0%	52%	112%
59.4	エピファネイア	59.4	65.1	4－8－4－38／54	7.4%	22.2%	29.6%	139%	117%
57.7	キズナ	57.7	60.8	5－6－7－45／63	7.9%	17.5%	28.6%	51%	105%
57.7	ジャスタウェイ	57.7	63.6	2－2－4－20／28	7.1%	14.3%	28.6%	34%	113%
55.5	ディープインパクト	60.0	55.5	8－3－7－42／60	13.3%	18.3%	30.0%	79%	89%
53.6	ダイワメジャー	55.5	53.6	7－7－4－48／66	10.6%	21.2%	27.3%	64%	83%
50.3	ドゥラメンテ	50.3	55.5	2－1－4－22／29	6.9%	10.3%	24.1%	56%	89%
49.9	オルフェーヴル	49.9	56.3	4－7－0－35／46	8.7%	23.9%	23.9%	39%	91%
48.4	シルバーステート	56.7	48.4	2－1－4－18／25	8.0%	12.0%	28.0%	25%	68%
47.6	モーリス	47.6	47.8	9－4－3－55／71	12.7%	18.3%	22.5%	110%	66%
46.3	イスラボニータ	54.9	46.3	2－0－5－19／26	7.7%	7.7%	26.9%	97%	61%
42.1	ロードカナロア	46.2	42.1	15－8－5－101／129	11.6%	17.8%	21.7%	57%	49%
40.7	ルーラーシップ	44.6	40.7	5－4－2－42／53	9.4%	17.0%	20.8%	47%	45%
36.8	ヴィクトワールピサ	44.4	36.8	2－2－3－27／34	5.9%	11.8%	20.6%	34%	33%

ジョッキー偏差値ランキング

当該コース

ジョッキー偏差値	騎手	好走率偏差値	回収率偏差値	着別度数	勝率	連対率	3着内率	単勝回収率	複勝回収率
61.7	岩田望来	63.2	61.7	10－9－12－48／79	12.7%	24.1%	39.2%	171%	120%
58.6	浜中俊	58.6	69.7	2－5－4－21／32	6.3%	21.9%	34.4%	48%	148%
52.4	団野大成	58.8	52.4	6－8－5－36／55	10.9%	25.5%	34.5%	41%	87%
52.3	川田将雅	81.7	52.3	10－6－7－16／39	25.6%	41.0%	59.0%	74%	86%
50.2	鮫島克駿	50.2	55.4	4－7－4－44／59	6.8%	18.6%	25.4%	67%	97%
50.1	幸英明	50.1	59.8	4－5－9－53／71	5.6%	12.7%	25.4%	21%	113%
50.1	和田竜二	50.1	52.7	3－9－10－65／87	3.4%	13.8%	25.3%	26%	88%
49.8	武豊	56.1	49.8	5－3－5－28／41	12.2%	19.5%	31.7%	55%	77%
49.4	松若風馬	49.4	70.4	4－6－4－43／57	7.0%	17.5%	24.6%	156%	151%
48.1	藤岡佑介	49.8	48.1	2－3－5－30／40	5.0%	12.5%	25.0%	51%	71%
47.0	C.ルメール	66.1	47.0	3－6－2－15／26	11.5%	34.6%	42.3%	46%	67%
45.8	菱田裕二	57.6	45.8	5－2－2－18／27	18.5%	25.9%	33.3%	97%	63%
44.7	松山弘平	52.7	44.7	6－7－3－41／57	10.5%	22.8%	28.1%	58%	59%
44.4	岩田康誠	54.5	44.4	4－1－4－21／30	13.3%	16.7%	30.0%	63%	58%
41.2	坂井瑠星	45.8	41.2	7－2－2－42／53	13.2%	17.0%	20.8%	129%	47%

過去3年レース数 186
過去1年レース数 59

阪神芝1600m外

血統偏差値

要注目種牡馬

	3着内率	複勝回収率
父がイスラボニータ 血統偏差値52.2	34.0%	85%
父がミッキーアイル 血統偏差値50.9	26.8%	141%
父がリオンディーズ 血統偏差値50.2	29.9%	79%
父がロードカナロア 血統偏差値50.1	28.1%	79%

ジョッキー偏差値

要注目騎手

	3着内率	複勝回収率
鞍上が岩田望来騎手 マストバイデータあり	➡P116	
鞍上が坂井瑠星騎手 マストバイデータあり	➡P117	
鞍上が鮫島克駿騎手 ジョッキー偏差値54.0	30.9%	104%
鞍上が川田将雅騎手 ジョッキー偏差値52.2	57.4%	86%

岩田望来騎手や坂井瑠星騎手の期待値が高いコース

多くの産駒が馬券に絡んでいた種牡馬の大半は、好走率か回収率かのどちらか、もしくはその両方が物足りない水準。血統にこだわり過ぎない方が良いコースなのかもしれません。

もっとも、血統偏差値ランキングでトップに立ったイスラボニータは面白い存在。3着内率はまずまず優秀ですし、複勝回収率の85%という数字もこのコースにおいては悪くない水準です。

ジョッキー偏差値ランキングの首位は坂井瑠星騎手。集計期間中の3着内数（30回）に関しては岩田望来騎手（38回）や川田将雅騎手（39回）の後塵を拝していましたが、好走率も回収率も及第点のラインを大きく上回っています。ちなみに、その岩田望来騎手も複勝回収率はかなり高めでした。

血統偏差値ランキング

当該コース

血統偏差値	騎手	好走率偏差値	回収率偏差値	着別度数	勝率	連対率	3着内率	単勝回収率	複勝回収率
52.2	イスラボニータ	65.8	52.2	5－5－8－35／53	9.4%	18.9%	34.0%	49%	85%
50.9	ミッキーアイル	50.9	72.3	5－2－4－30／41	12.2%	17.1%	26.8%	37%	141%
50.2	リオンディーズ	57.3	50.2	8－11－7－61／87	9.2%	21.8%	29.9%	192%	79%
50.1	ロードカナロア	53.7	50.1	15－19－13－120／167	9.0%	20.4%	28.1%	42%	79%
49.0	エピファネイア	49.0	51.2	11－12－12－100／135	8.1%	17.0%	25.9%	57%	82%
47.9	モーリス	56.6	47.9	12－8－14－81／115	10.4%	17.4%	29.6%	104%	73%
47.1	ハービンジャー	47.1	64.4	6－4－7－51／68	8.8%	14.7%	25.0%	85%	119%
45.2	ハーツクライ	47.6	45.2	8－7－11－77／103	7.8%	14.6%	25.2%	112%	65%
45.1	ルーラーシップ	45.1	53.9	10－5－4－60／79	12.7%	19.0%	24.1%	110%	90%
44.3	キズナ	44.3	66.5	6－10－6－71／93	6.5%	17.2%	23.7%	33%	125%
42.4	ダイワメジャー	49.4	42.4	5－10－3－51／69	7.2%	21.7%	26.1%	140%	57%
41.9	キングカメハメハ	71.9	41.9	10－2－2－24／38	26.3%	31.6%	36.8%	126%	56%
39.6	ディープインパクト	54.8	39.6	9－18－12－97／136	6.6%	19.9%	28.7%	20%	50%
37.3	オルフェーヴル	39.7	37.3	4－0－5－33／42	9.5%	9.5%	21.4%	50%	43%
32.0	ドゥラメンテ	32.0	36.7	10－3－3－74／90	11.1%	14.4%	17.8%	56%	42%

ジョッキー偏差値ランキング

当該コース

ジョッキー偏差値	騎手	好走率偏差値	回収率偏差値	着別度数	勝率	連対率	3着内率	単勝回収率	複勝回収率
57.1	坂井瑠星	61.8	57.1	11－14－5－46／76	14.5%	32.9%	39.5%	129%	101%
55.7	岩田望来	55.7	67.3	12－13－13－78／116	10.3%	21.6%	32.8%	38%	133%
54.0	鮫島克駿	54.0	58.2	8－8－9－56／81	9.9%	19.8%	30.9%	132%	104%
52.2	川田将雅	77.9	52.2	20－8－11－29／68	29.4%	41.2%	57.4%	94%	86%
51.5	横山典弘	55.7	51.5	6－9－2－35／52	11.5%	28.8%	32.7%	58%	83%
49.8	C.ルメール	69.0	49.8	7－6－6－21／40	17.5%	32.5%	47.5%	68%	78%
49.1	吉田隼人	49.1	58.4	5－6－4－44／59	8.5%	18.6%	25.4%	225%	105%
48.7	団野大成	48.7	52.3	3－7－8－54／72	4.2%	13.9%	25.0%	14%	86%
48.1	武豊	55.4	48.1	7－12－4－48／71	9.9%	26.8%	32.4%	56%	73%
46.6	幸英明	46.6	55.3	7－9－8－82／106	6.6%	15.1%	22.6%	114%	95%
45.6	和田竜二	47.0	45.6	6－13－9－93／121	5.0%	15.7%	23.1%	50%	65%
44.0	藤岡佑介	51.1	44.0	9－6－1－42／58	15.5%	25.9%	27.6%	107%	60%
43.6	池添謙一	49.3	43.6	3－5－11－55／74	4.1%	10.8%	25.7%	8%	58%
42.9	松若風馬	42.9	80.4	5－2－6－57／70	7.1%	10.0%	18.6%	158%	175%
39.6	松山弘平	50.2	39.6	7－10－7－66／90	7.8%	18.9%	26.7%	25%	46%

過去3年レース数 140
過去1年レース数 40

阪神芝1800m外

血統偏差値

要注目種牡馬

父がグラスワンダー系種牡馬 マストバイデータあり	➡P118
父がゴールドシップ 血統偏差値59.6	3着内率 35.7% 複勝回収率 131%
父がモーリス 血統偏差値56.7	3着内率 36.5% 複勝回収率 113%
父がドゥラメンテ 血統偏差値51.9	3着内率 37.2% 複勝回収率 93%

ジョッキー偏差値

要注目騎手

鞍上が岩田望来騎手 マストバイデータあり	➡P116
鞍上がC.ルメール騎手 ジョッキー偏差値64.2	3着内率 62.5% 複勝回収率 101%
鞍上が池添謙一騎手 ジョッキー偏差値59.3	3着内率 42.9% 複勝回収率 100%
鞍上が藤岡佑介騎手 ジョッキー偏差値58.7	3着内率 41.9% 複勝回収率 99%

ゴールドシップやモーリスの産駒は今後も楽しみ

血統偏差値ランキングでトップに立っていたのはゴールドシップ。出走数が少ないこともあって集計期間中の3着内数は10回どまりだったものの、好走率や回収率は申し分のない高水準です。狙えるチャンスを見逃さないよう、しっかり覚えておきましょう。

もう少し出走数が多い種牡馬の中では、血統偏差値ランキング2位のモーリスが面白い存在。23年6月10日の阪神6R（3歳未勝利）で単勝オッズ118.7倍（15番人気）のメイショウタクボクが3着に食い込むなど、たびたび波乱を演出しています。

ジョッキー別成績を確認してみると、岩田望来騎手やC.ルメール騎手といったおなじみのトップジョッキーは、好走率だけでなく回収率も優秀でした。

血統偏差値ランキング

当該コース

血統偏差値	騎手	好走率偏差値	回収率偏差値	着別度数	勝率	連対率	3着内率	単勝回収率	複勝回収率
59.6	ゴールドシップ	59.6	61.3	1－7－2－18／28	3.6%	28.6%	35.7%	27%	131%
56.7	モーリス	60.7	56.7	8－5－10－40／63	12.7%	20.6%	36.5%	67%	113%
51.9	ドゥラメンテ	61.6	51.9	6－11－12－49／78	7.7%	21.8%	37.2%	54%	93%
50.1	ルーラーシップ	50.1	50.6	7－9－5－52／73	9.6%	21.9%	28.8%	123%	88%
48.1	ディープインパクト	70.4	48.1	27－20－15－80／142	19.0%	33.1%	43.7%	125%	78%
47.4	エピファネイア	52.3	47.4	7－10－7－55／79	8.9%	21.5%	30.4%	152%	75%
47.0	キズナ	48.4	47.0	10－7－8－66／91	11.0%	18.7%	27.5%	86%	73%
45.0	ジャスタウェイ	45.0	65.5	6－3－2－33／44	13.6%	20.5%	25.0%	69%	149%
43.5	リオンディーズ	46.0	43.5	1－5－3－26／35	2.9%	17.1%	25.7%	5%	60%
42.7	ヴィクトワールピサ	42.7	73.5	3－3－1－23／30	10.0%	20.0%	23.3%	360%	181%
42.7	シルバーステート	53.8	42.7	4－2－5－24／35	11.4%	17.1%	31.4%	35%	56%
42.6	ハーツクライ	48.1	42.6	11－10－6－72／99	11.1%	21.2%	27.3%	84%	56%
41.7	ダイワメジャー	41.7	43.3	3－2－2－24／31	9.7%	16.1%	22.6%	67%	59%
41.6	ロードカナロア	41.6	41.8	8－7－3－62／80	10.0%	18.8%	22.5%	45%	53%
28.0	ハービンジャー	28.0	34.3	3－1－3－49／56	5.4%	7.1%	12.5%	12%	22%

ジョッキー偏差値ランキング

当該コース

ジョッキー偏差値	騎手	好走率偏差値	回収率偏差値	着別度数	勝率	連対率	3着内率	単勝回収率	複勝回収率
64.2	C.ルメール	72.5	64.2	7－7－6－12／32	21.9%	43.8%	62.5%	106%	101%
59.7	岩田望来	59.7	64.0	13－13－13－51／90	14.4%	28.9%	43.3%	99%	100%
59.3	池添謙一	59.3	63.7	6－9－3－24／42	14.3%	35.7%	42.9%	68%	100%
58.7	藤岡佑介	58.7	63.2	4－3－6－18／31	12.9%	22.6%	41.9%	112%	99%
55.4	川田将雅	71.6	55.4	14－11－8－21／54	25.9%	46.3%	61.1%	59%	80%
50.7	北村友一	50.7	57.4	4－3－2－21／30	13.3%	23.3%	30.0%	137%	85%
50.3	鮫島克駿	50.3	57.0	3－5－7－36／51	5.9%	15.7%	29.4%	227%	84%
48.8	横山典弘	50.3	48.8	6－1－3－24／34	17.6%	20.6%	29.4%	135%	65%
47.6	和田竜二	47.6	53.7	3－9－10－65／87	3.4%	13.8%	25.3%	14%	76%
47.1	藤岡康太	47.1	56.1	5－2－7－43／57	8.8%	12.3%	24.6%	50%	82%
46.7	松山弘平	53.9	46.7	12－9－4－47／72	16.7%	29.2%	34.7%	100%	60%
43.7	坂井瑠星	55.3	43.7	6－9－6－36／57	10.5%	26.3%	36.8%	36%	53%
43.4	幸英明	43.4	44.2	5－2－6－55／68	7.4%	10.3%	19.1%	76%	54%
40.7	武豊	51.7	40.7	7－7－3－37／54	13.0%	25.9%	31.5%	47%	45%
31.4	団野大成	40.9	31.4	4－3－2－50／59	6.8%	11.9%	15.3%	47%	24%

過去3年レース数 144
過去1年レース数 47

阪神芝2000m内

血統偏差値

要注目種牡馬

父がキズナ マストバイデータあり	➡P118	
父がシルバーステート 血統偏差値59.0	3着内率 34.9%	複勝回収率 103%
父がキングカメハメハ 血統偏差値56.5	3着内率 44.2%	複勝回収率 96%
父がドゥラメンテ 血統偏差値56.4	3着内率 36.0%	複勝回収率 96%

ジョッキー偏差値

要注目騎手

鞍上が川田将雅騎手 マストバイデータあり	➡P119	
鞍上が岩田康誠騎手 ジョッキー偏差値59.2	3着内率 42.4%	複勝回収率 166%
鞍上が松山弘平騎手 ジョッキー偏差値57.6	3着内率 40.6%	複勝回収率 102%
鞍上が池添謙一騎手 ジョッキー偏差値52.7	3着内率 35.0%	複勝回収率 84%

ディープインパクトの後継種牡馬2頭が好成績

集計期間中の3着内数がもっとも多かった種牡馬はディープインパクト（40回）。ただし、3着内率は30・8%に、複勝回収率は64%にとどまっています。一方、その後継種牡馬であるキズナは、3着内数（33回）こそ父に及ばなかったものの、3着内率や複勝回収率がかなり優秀。今後もマークしておきましょう。ちなみに、血統偏差値ランキング首位のシルバーステートもディープインパクト系の種牡馬です。

ジョッキー偏差値ランキングのトップは川田将雅騎手。3着内数（39回）が多いうえ、好走率だけでなく回収率も申し分のない高水準に達していました。コース適性の高さに世間の評価が追い付いていないようですし、これからも無理に嫌う必要はありません。

血統偏差値ランキング

当該コース

血統偏差値	騎手	好走率偏差値	回収率偏差値	着別度数	勝率	連対率	3着内率	単勝回収率	複勝回収率
59.0	シルバーステート	59.0	59.0	6－4－5－28／43	14.0%	23.3%	34.9%	44%	103%
58.8	キズナ	58.8	67.1	11－12－10－62／95	11.6%	24.2%	34.7%	282%	124%
56.5	キングカメハメハ	72.8	56.5	8－9－2－24／43	18.6%	39.5%	44.2%	142%	96%
56.4	ドゥラメンテ	60.6	56.4	13－12－7－57／89	14.6%	28.1%	36.0%	63%	96%
55.1	キタサンブラック	62.3	55.1	4－5－4－22／35	11.4%	25.7%	37.1%	26%	93%
48.0	ルーラーシップ	56.1	48.0	12－5－10－55／82	14.6%	20.7%	32.9%	133%	74%
47.6	ハービンジャー	47.6	52.5	3－6－15－64／88	3.4%	10.2%	27.3%	22%	86%
47.2	ハーツクライ	48.0	47.2	10－10－10－79／109	9.2%	18.3%	27.5%	113%	72%
45.3	ブラックタイド	45.3	59.6	5－3－1－26／35	14.3%	22.9%	25.7%	254%	104%
44.2	オルフェーヴル	44.2	45.8	4－1－7－36／48	8.3%	10.4%	25.0%	39%	69%
44.2	ディープインパクト	52.8	44.2	14－12－14－90／130	10.8%	20.0%	30.8%	84%	64%
43.4	エピファネイア	43.4	53.3	8－8－7－71／94	8.5%	17.0%	24.5%	46%	88%
43.2	ゴールドシップ	43.2	61.7	4－5－0－28／37	10.8%	24.3%	24.3%	69%	110%
40.5	ロードカナロア	40.5	42.6	3－3－3－31／40	7.5%	15.0%	22.5%	27%	60%
30.6	モーリス	41.1	30.6	6－0－5－37／48	12.5%	12.5%	22.9%	52%	29%

ジョッキー偏差値ランキング

当該コース

ジョッキー偏差値	騎手	好走率偏差値	回収率偏差値	着別度数	勝率	連対率	3着内率	単勝回収率	複勝回収率
60.8	川田将雅	82.7	60.8	19－8－12－17／56	33.9%	48.2%	69.6%	88%	105%
59.2	岩田康誠	59.2	83.1	3－6－5－19／33	9.1%	27.3%	42.4%	56%	166%
57.6	松山弘平	57.6	60.0	11－7－8－38／64	17.2%	28.1%	40.6%	59%	102%
52.7	池添謙一	52.7	53.4	2－8－4－26／40	5.0%	25.0%	35.0%	20%	84%
51.3	藤岡康太	51.3	61.2	7－10－4－42／63	11.1%	27.0%	33.3%	164%	106%
49.6	武豊	49.6	52.2	3－1－7－24／35	8.6%	11.4%	31.4%	41%	81%
47.8	浜中俊	54.6	47.8	3－6－4－22／35	8.6%	25.7%	37.1%	56%	69%
47.5	藤岡佑介	50.6	47.5	3－7－3－27／40	7.5%	25.0%	32.5%	19%	68%
47.4	坂井瑠星	55.7	47.4	6－6－8－32／52	11.5%	23.1%	38.5%	51%	68%
44.3	和田竜二	44.3	49.8	10－7－3－59／79	12.7%	21.5%	25.3%	72%	74%
44.1	松若風馬	44.1	45.2	2－4－8－42／56	3.6%	10.7%	25.0%	18%	61%
43.6	C.ルメール	58.5	43.6	7－6－2－21／36	19.4%	36.1%	41.7%	50%	57%
43.3	鮫島克駿	43.7	43.3	3－5－7－46／61	4.9%	13.1%	24.6%	34%	56%
40.3	岩田望来	47.8	40.3	4－8－10－53／75	5.3%	16.0%	29.3%	24%	48%
35.8	幸英明	35.8	40.4	4－5－3－66／78	5.1%	11.5%	15.4%	29%	48%

過去3年レース数 33
過去1年レース数 9

阪神芝2200m内

血統偏差値

要注目種牡馬

	3着内率	複勝回収率
父がジャスタウェイ 血統偏差値62.8	42.9%	274%
父がドゥラメンテ 血統偏差値55.4	57.1%	122%
父がノヴェリスト 血統偏差値54.6	40.0%	118%
父がキズナ 血統偏差値53.4	31.0%	130%

ジョッキー偏差値

要注目騎手

	3着内率	複勝回収率
鞍上が団野大成騎手 ジョッキー偏差値64.5	50.0%	127%
鞍上がM.デムーロ騎手 ジョッキー偏差値64.2	44.4%	181%
鞍上が松山弘平騎手 ジョッキー偏差値57.9	40.0%	99%
鞍上が池添謙一騎手 ジョッキー偏差値57.2	35.3%	113%

団野大成騎手は忘れずにチェックしておきたい

阪神芝2200m内の種牡馬別成績を調べてみると、1ハロン短い阪神芝2000m内とよく似ていることがわかります。集計期間中の3着内数トップはディープインパクト(12回)でしたが、複勝回収率は39%しかなく、3着内率も25・0%どまり。一方、その後継種牡馬にあたるキズナは、3着内数(9回)こそ単独2位にとどまったものの、3着内率は31・0%に、複勝回収率は130%に達していました。

他にこのコースで優秀な成績を収めていた種牡馬はドゥラメンテ。好走率も回収率も申し分のない高水準です。

ジョッキー偏差値ランキングのトップは団野大成騎手。集計期間中に勝ち切ることはできなかったものの、隠れた当コース巧者と見て良いでしょう。

血統偏差値ランキング

当該コース

血統偏差値	騎手	好走率偏差値	回収率偏差値	着別度数	勝率	連対率	3着内率	単勝回収率	複勝回収率
62.8	ジャスタウェイ	62.8	78.3	1－0－2－4／7	14.3%	14.3%	42.9%	85%	274%
55.4	ドゥラメンテ	74.2	55.4	4－2－2－6／14	28.6%	42.9%	57.1%	162%	122%
54.6	ノヴェリスト	60.5	54.6	1－3－0－6／10	10.0%	40.0%	40.0%	170%	118%
53.4	キズナ	53.4	56.5	3－4－2－20／29	10.3%	24.1%	31.0%	302%	130%
51.4	ステイゴールド	51.4	61.0	1－1－0－5／7	14.3%	28.6%	28.6%	735%	160%
50.6	エピファネイア	50.6	53.8	1－3－4－21／29	3.4%	13.8%	27.6%	5%	112%
50.1	ゴールドシップ	57.1	50.1	3－1－1－9／14	21.4%	28.6%	35.7%	177%	87%
49.6	オルフェーヴル	49.6	57.8	2－3－0－14／19	10.5%	26.3%	26.3%	50%	138%
48.5	ハービンジャー	51.4	48.5	4－0－2－15／21	19.0%	19.0%	28.6%	278%	77%
45.1	モーリス	48.6	45.1	1－0－1－6／8	12.5%	12.5%	25.0%	101%	55%
44.3	キングカメハメハ	45.2	44.3	1－3－1－19／24	4.2%	16.7%	20.8%	30%	50%
43.4	ルーラーシップ	43.4	44.0	1－0－4－22／27	3.7%	3.7%	18.5%	12%	47%
42.7	ディープインパクト	48.6	42.7	3－3－6－36／48	6.3%	12.5%	25.0%	10%	39%
42.5	ハーツクライ	46.1	42.5	3－2－2－25／32	9.4%	15.6%	21.9%	27%	37%
39.6	シルバーステート	40.0	39.6	0－1－0－6／7	0.0%	14.3%	14.3%	0%	18%

ジョッキー偏差値ランキング

当該コース

ジョッキー偏差値	騎手	好走率偏差値	回収率偏差値	着別度数	勝率	連対率	3着内率	単勝回収率	複勝回収率
64.5	団野大成	68.5	64.5	0－4－3－7／14	0.0%	28.6%	50.0%	0%	127%
64.2	M.デムーロ	64.2	76.6	1－1－2－5／9	11.1%	22.2%	44.4%	40%	181%
57.9	松山弘平	60.8	57.9	0－5－1－9／15	0.0%	33.3%	40.0%	0%	99%
57.2	池添謙一	57.2	61.2	1－2－3－11／17	5.9%	17.6%	35.3%	16%	113%
52.8	武豊	60.8	52.8	4－0－2－9／15	26.7%	26.7%	40.0%	97%	76%
52.5	幸英明	52.5	60.9	4－3－0－17／24	16.7%	29.2%	29.2%	310%	112%
50.4	坂井瑠星	58.9	50.4	3－2－1－10／16	18.8%	31.3%	37.5%	66%	66%
47.1	国分恭介	47.1	59.9	1－0－1－7／9	11.1%	11.1%	22.2%	572%	107%
46.9	鮫島克駿	49.3	46.9	0－0－3－9／12	0.0%	0.0%	25.0%	0%	50%
46.3	川田将雅	55.7	46.3	2－0－2－8／12	16.7%	16.7%	33.3%	31%	48%
45.8	藤岡康太	46.5	45.8	1－1－1－11／14	7.1%	14.3%	21.4%	74%	46%
44.0	松若風馬	44.0	44.8	1－0－1－9／11	9.1%	9.1%	18.2%	50%	41%
43.8	岩田望来	47.5	43.8	3－1－1－17／22	13.6%	18.2%	22.7%	28%	37%
41.5	C.ルメール	49.3	41.5	2－0－0－6／8	25.0%	25.0%	25.0%	38%	27%
38.2	和田竜二	40.0	38.2	0－2－1－20／23	0.0%	8.7%	13.0%	0%	13%

過去3年レース数 53
過去1年レース数 18

阪神芝2400m外

血統偏差値

要注目種牡馬

父がキズナ マストバイデータあり	➡P119
父がブラックタイド 血統偏差値58.5	3着内率 38.5% 複勝回収率 147%
父がドゥラメンテ 血統偏差値58.0	3着内率 38.1% 複勝回収率 106%
父がキングカメハメハ 血統偏差値54.6	3着内率 36.4% 複勝回収率 91%

ジョッキー偏差値

要注目騎手

鞍上が池添謙一騎手 ジョッキー偏差値58.3	3着内率 57.1% 複勝回収率 115%
鞍上が和田竜二騎手 ジョッキー偏差値54.9	3着内率 41.4% 複勝回収率 100%
鞍上が川田将雅騎手 ジョッキー偏差値51.8	3着内率 66.7% 複勝回収率 85%
鞍上が坂井瑠星騎手 ジョッキー偏差値51.6	3着内率 38.9% 複勝回収率 84%

キズナ産駒やドゥラメンテ産駒は今後も期待できる

血統偏差値ランキングのトップはキズナ。集計期間中の3着内数(10回)も2位タイでしたし、3着内率や複勝回収率が非常に優秀です。23年9月24日の神戸新聞杯(3歳GⅡ)では、単勝オッズ24・5倍(10番人気)のサヴォーナが2着に健闘しました。

あとはドゥラメンテも同等に評価して良さそう。3着内数(8回)はキズナより少なかったものの、23年に限れば3着内率54・5%、複勝回収率155%とかなり成績が上向いていたので、引き続きマークしておきましょう。

ジョッキー別の3着内数を見ると、川田将雅騎手と和田竜二騎手(各12回)がトップタイ。和田竜二騎手は複勝回収率が100%で、ジョッキー偏差値ランキングの2位に食い込んでいます。

血統偏差値ランキング

当該コース

血統偏差値	騎手	好走率偏差値	回収率偏差値	着別度数	勝率	連対率	3着内率	単勝回収率	複勝回収率
64.1	キズナ	75.5	64.1	6－3－1－9／19	31.6%	47.4%	52.6%	165%	122%
58.5	ブラックタイド	58.5	71.9	1－1－3－8／13	7.7%	15.4%	38.5%	13%	147%
58.0	ドゥラメンテ	58.0	59.2	1－5－2－13／21	4.8%	28.6%	38.1%	17%	106%
54.6	キングカメハメハ	55.9	54.6	2－3－3－14／22	9.1%	22.7%	36.4%	33%	91%
51.0	エピファネイア	51.0	56.3	5－3－2－21／31	16.1%	25.8%	32.3%	371%	97%
50.2	ジャスタウェイ	50.2	50.9	3－2－1－13／19	15.8%	26.3%	31.6%	49%	80%
48.5	ディープインパクト	50.9	48.5	7－5－6－38／56	12.5%	21.4%	32.1%	100%	72%
46.6	ハービンジャー	46.6	57.0	1－5－4－25／35	2.9%	17.1%	28.6%	3%	99%
44.5	ロードカナロア	45.0	44.5	0－3－0－8／11	0.0%	27.3%	27.3%	0%	59%
43.6	ゴールドシップ	55.9	43.6	2－2－4－14／22	9.1%	18.2%	36.4%	19%	56%
41.5	ルーラーシップ	41.5	43.4	3－2－5－31／41	7.3%	12.2%	24.4%	39%	55%
40.9	オルフェーヴル	50.5	40.9	3－3－1－15／22	13.6%	27.3%	31.8%	60%	47%
38.4	ハーツクライ	38.4	41.6	2－5－3－36／46	4.3%	15.2%	21.7%	18%	49%
38.0	モーリス	38.0	38.1	2－1－0－11／14	14.3%	21.4%	21.4%	93%	38%
34.1	サトノダイヤモンド	34.1	35.4	2－0－0－9／11	18.2%	18.2%	18.2%	78%	30%

ジョッキー偏差値ランキング

当該コース

ジョッキー偏差値	騎手	好走率偏差値	回収率偏差値	着別度数	勝率	連対率	3着内率	単勝回収率	複勝回収率
58.3	池添謙一	64.6	58.3	3－4－1－6／14	21.4%	50.0%	57.1%	55%	115%
54.9	和田竜二	55.7	54.9	3－5－4－17／29	10.3%	27.6%	41.4%	369%	100%
51.8	川田将雅	70.0	51.8	6－3－3－6／18	33.3%	50.0%	66.7%	77%	85%
51.6	坂井瑠星	54.3	51.6	4－2－1－11／18	22.2%	33.3%	38.9%	192%	84%
51.4	浜中俊	62.8	51.4	1－3－3－6／13	7.7%	30.8%	53.8%	13%	83%
51.2	藤岡佑介	51.2	52.2	0－1－3－8／12	0.0%	8.3%	33.3%	0%	87%
50.3	藤岡康太	50.3	52.4	2－3－2－15／22	9.1%	22.7%	31.8%	155%	88%
48.5	鮫島克駿	48.5	50.1	4－0－0－10／14	28.6%	28.6%	28.6%	192%	77%
45.8	団野大成	45.8	64.2	0－1－4－16／21	0.0%	4.8%	23.8%	0%	142%
44.8	松山弘平	47.2	44.8	3－2－0－14／19	15.8%	26.3%	26.3%	87%	53%
44.4	酒井学	44.4	79.0	1－2－0－11／14	7.1%	21.4%	21.4%	52%	211%
43.5	岩田望来	47.4	43.5	4－3－1－22／30	13.3%	23.3%	26.7%	69%	47%
43.5	幸英明	44.1	43.5	2－1－2－19／24	8.3%	12.5%	20.8%	17%	47%
40.0	松若風馬	40.4	40.0	1－0－2－18／21	4.8%	4.8%	14.3%	48%	30%
39.3	富田暁	40.4	39.3	1－0－1－12／14	7.1%	7.1%	14.3%	149%	27%

過去3年レース数 9　過去1年レース数 3

阪神芝2600m外

血統偏差値ランキング
当該コース

血統偏差値	種牡馬	好走率偏差値	回収率偏差値	着別度数	勝率	連対率	3着内率	単勝回収率	複勝回収率
59.3	エイシンフラッシュ	59.3	67.3	1－0－0－1／2	50.0%	50.0%	50.0%	395%	160%
59.3	キズナ	59.3	61.0	0－1－1－2／4	0.0%	25.0%	50.0%	0%	127%
59.3	ドリームジャーニー	59.3	67.3	0－1－0－1／2	0.0%	50.0%	50.0%	0%	160%
59.3	モーリス	59.3	60.5	0－0－1－1／2	0.0%	0.0%	50.0%	0%	125%
56.7	ジャスタウェイ	59.3	56.7	0－1－0－1／2	0.0%	50.0%	50.0%	0%	105%
56.7	ロードカナロア	59.3	56.7	0－0－1－1／2	0.0%	0.0%	50.0%	0%	105%
51.6	ディープインパクト	56.9	51.6	2－0－3－6／11	18.2%	18.2%	45.5%	68%	79%
49.9	ワークフォース	59.3	49.9	1－0－0－1／2	50.0%	50.0%	50.0%	165%	70%
47.9	ゴールドシップ	55.6	47.9	2－1－0－4／7	28.6%	42.9%	42.9%	42%	60%
45.4	キングカメハメハ	50.7	45.4	0－2－0－4／6	0.0%	33.3%	33.3%	0%	46%

ジョッキー偏差値ランキング
当該コース

ジョッキー偏差値	騎手	好走率偏差値	回収率偏差値	着別度数	勝率	連対率	3着内率	単勝回収率	複勝回収率
68.2	松山弘平	68.2	72.9	2－0－2－1／5	40.0%	40.0%	80.0%	92%	170%
68.0	坂井瑠星	75.4	68.0	0－1－1－0／2	0.0%	50.0%	100.0%	0%	145%
59.9	吉田隼人	59.9	65.3	1－1－2－3／7	14.3%	28.6%	57.1%	32%	131%
56.2	荻野極	57.3	56.2	1－0－0－1／2	50.0%	50.0%	50.0%	260%	85%
53.6	岩田望来	53.6	59.5	2－0－0－3／5	40.0%	40.0%	40.0%	262%	102%
50.3	川田将雅	57.3	50.3	2－0－0－2／4	50.0%	50.0%	50.0%	82%	55%
50.3	C.ルメール	57.3	50.3	0－1－0－1／2	0.0%	50.0%	50.0%	0%	55%
49.3	池添謙一	51.2	49.3	0－0－1－2／3	0.0%	0.0%	33.3%	0%	50%
48.2	松若風馬	48.2	53.2	0－0－1－3／4	0.0%	0.0%	25.0%	0%	70%
46.4	酒井学	46.4	47.7	0－0－1－4／5	0.0%	0.0%	20.0%	0%	42%

強いて言えばディープインパクト系種牡馬の産駒がおすすめ

集計期間中の種牡馬別成績を見ると、3着以内となった回数はディープインパクト（5回）が単独トップ、ゴールドシップ（3回）が単独2位で、他の種牡馬はすべて2回以下。血統にこだわり過ぎない方が良いコースなのかもしれません。ただし、ディープインパクト系種牡馬の産駒は3着内数8回、3着内率44.4%で、複勝回収率も82%と、全体的に堅く収まりがちだったことを考えれば悪くない水準。迷ったらこの父系を狙ってみましょう。

あとは松山弘平騎手や吉田隼人騎手の健闘ぶりも目立っていました。

※「父がキズナ」の馬（→P119）は、このコースで適用可能な「マストバイデータ」あり

阪神芝3000m内

過去3年レース数 8　過去1年レース数 2

血統偏差値ランキング

当該コース

血統偏差値	種牡馬	好走率偏差値	回収率偏差値	着別度数	勝率	連対率	3着内率	単勝回収率	複勝回収率
62.2	ノヴェリスト	63.2	62.2	0－0－1－1／2	0.0%	0.0%	50.0%	0%	145%
60.3	スクリーンヒーロー	71.5	60.3	0－2－0－1／3	0.0%	66.7%	66.7%	0%	133%
56.9	キズナ	56.9	68.1	2－0－1－5／8	25.0%	25.0%	37.5%	143%	180%
56.0	ディープインパクト	56.0	62.3	3－1－1－9／14	21.4%	28.6%	35.7%	514%	145%
54.8	エピファネイア	54.8	57.2	0－1－1－4／6	0.0%	16.7%	33.3%	0%	115%
53.1	メイショウサムソン	63.2	53.1	0－1－0－1／2	0.0%	50.0%	50.0%	0%	90%
50.6	ブラックタイド	50.6	57.6	0－0－1－3／4	0.0%	0.0%	25.0%	0%	117%
50.1	ドゥラメンテ	50.6	50.1	1－0－0－3／4	25.0%	25.0%	25.0%	200%	72%
49.7	オルフェーヴル	54.8	49.7	1－1－1－6／9	11.1%	22.2%	33.3%	58%	70%
47.2	キングカメハメハ	47.2	54.1	0－1－1－9／11	0.0%	9.1%	18.2%	0%	96%

ジョッキー偏差値ランキング

当該コース

ジョッキー偏差値	騎手	好走率偏差値	回収率偏差値	着別度数	勝率	連対率	3着内率	単勝回収率	複勝回収率
59.8	横山武史	62.9	59.8	1－0－0－1／2	50.0%	50.0%	50.0%	400%	145%
59.4	和田竜二	59.4	61.2	2－1－0－4／7	28.6%	42.9%	42.9%	164%	155%
56.4	石橋脩	62.9	56.4	0－1－0－1／2	0.0%	50.0%	50.0%	0%	120%
55.5	C.ルメール	70.8	55.5	1－1－0－1／3	33.3%	66.7%	66.7%	103%	113%
54.9	鮫島克駿	54.9	75.8	1－0－1－4／6	16.7%	16.7%	33.3%	1080%	265%
54.9	藤岡佑介	54.9	72.9	0－1－0－2／3	0.0%	33.3%	33.3%	0%	243%
53.3	松山弘平	54.9	53.3	0－0－1－2／3	0.0%	0.0%	33.3%	0%	96%
51.4	岩田望来	58.1	51.4	2－0－0－3／5	40.0%	40.0%	40.0%	204%	82%
51.1	田辺裕信	62.9	51.1	1－0－0－1／2	50.0%	50.0%	50.0%	205%	80%
50.4	川田将雅	62.9	50.4	0－1－1－2／4	0.0%	25.0%	50.0%	0%	75%

ここも基本的にはディープインパクト系種牡馬が強い

阪神大賞典の舞台であるコースですが、21、22年は菊花賞が施行されていましたし、近年は3勝クラスのレースも度々組まれるようになりました。

集計期間中の3着内数が比較的多く、血統偏差値ランキングでも上位に食い込んでいたのは、ディープインパクトとキズナの親仔。今後も産駒が出走してきたらマークしておきましょう。なお、21年3月21日の阪神大賞典（4歳以上ＧⅡ）で単勝オッズ42.2倍（9番人気）の低評価を覆し3着となったナムラドノヴァンも、ディープ系のディープブリランテ産駒です。

※「父がキズナ」の馬（→P119）は、このコースで適用可能な「マストバイデータ」あり

阪神芝1200m内

血統 マストバイデータ

父がストームキャット系種牡馬 ×

馬番が1～9番

3着内率	複勝回収率
40.9%	155%

着別度数	勝率	連対率	単勝回収率
6－5－7－26／44	13.6%	25.0%	166%

	着別度数	勝率	連対率	3着内率	単勝回収率	複勝回収率
直近1年	3－3－3－4／13	23.1%	46.2%	69.2%	110%	231%

伊吹メモ　ストームキャット系種牡馬の産駒が非常に優秀な成績を収めているコース。もともと不利な外寄りの枠に入ってしまった馬は安定感を欠いていたものの、悪くない枠を引き当てた馬は、たとえ超人気薄でも必ず押さえておきましょう。

阪神芝1200m内・芝1400m内・芝1600m外・芝1800m外

ジョッキー マストバイデータ

鞍上が岩田望来騎手 ×

枠番が1～3枠、かつ、馬齢が4歳以下

3着内率	複勝回収率
51.1%	170%

着別度数	勝率	連対率	単勝回収率
17－13－15－43／88	19.3%	34.1%	162%

	着別度数	勝率	連対率	3着内率	単勝回収率	複勝回収率
直近1年	7－4－5－11／27	25.9%	40.7%	59.3%	386%	212%

伊吹メモ　阪神芝1200～1800mの岩田望来騎手は、集計期間中のトータルでも3着内率39.4%、複勝回収率117%。内回りの2コースも外回りの2コースも、内寄りの枠に入ったレースはより堅実でした。何らかの理由で人気の盲点になっていたら絶好の狙い目です。

阪神芝1400m内

父がディープインパクト系種牡馬 ×

枠番が1～3枠、かつ前走の着順が9着以内

3着内率	複勝回収率
40.6%	174%

着別度数	勝率	連対率	単勝回収率
7－8－11－38／64	10.9%	23.4%	37%

	着別度数	勝率	連対率	3着内率	単勝回収率	複勝回収率
直近1年	2－4－3－14/23	8.7%	26.1%	39.1%	46%	179%

伊吹メモ　コース形態の影響もあり、阪神芝1400m内はもともと内枠有利。このコースと相性が良いディープインパクト系種牡馬の産駒も、1～3枠を引いた馬に限ると好走率がアップします。なお、近走成績が極端に悪い馬まで押さえる必要はないでしょう。

阪神芝1600m外

ジョッキー
マストバイデータ

鞍上が坂井瑠星騎手 ×

馬番が1～8番

3着内率	複勝回収率
53.3%	145%

着別度数	勝率	連対率	単勝回収率
10－10－4－21／45	22.2%	44.4%	211%

	着別度数	勝率	連対率	3着内率	単勝回収率	複勝回収率
直近1年	5－2－2－9/18	27.8%	38.9%	50.0%	404%	214%

伊吹メモ　阪神芝1600m外の坂井瑠星騎手は、集計期間中のトータルでも3着内率39.5%、複勝回収率101%と非常に堅実でした。ただし、馬番が9～18番だったレースは3着内率19.4%、複勝回収率37%。枠順によって扱いを大きく変えた方が良いかもしれません。

阪神芝1800m外

父がグラスワンダー系種牡馬 × 性が牡・セン

3着内率	複勝回収率
55.3%	150%

着別度数	勝率	連対率	単勝回収率
10－6－10－21／47	21.3%	34.0%	102%

	着別度数	勝率	連対率	3着内率	単勝回収率	複勝回収率
直近1年	3－1－8－6／18	16.7%	22.2%	66.7%	81%	207%

伊吹メモ　スクリーンヒーロー・モーリスの親仔をはじめとするグラスワンダー系種牡馬の産駒が非常に優秀な成績を収めているコース。牝馬の好走例もなくはないのですが、波乱を演出した馬の大半は牡馬だったので、一応注意しておきたいところです。

阪神芝2000m内

父がキズナ × 馬番が1～7番

3着内率	複勝回収率
41.0%	165%

着別度数	勝率	連対率	単勝回収率
10－9－6－36／61	16.4%	31.1%	435%

	着別度数	勝率	連対率	3着内率	単勝回収率	複勝回収率
直近1年	4－5－2－15／26	15.4%	34.6%	42.3%	94%	118%

伊吹メモ　阪神芝のレースを使ったキズナ産駒は、集計期間中のトータルでも3着内率29.8%、複勝回収率109%。距離の長いコースほど妙味が増す印象で、この阪神芝2000m内に関しては、内寄りの枠を引き当てた産駒がたびたび波乱を演出しています。

阪神芝2000m内

ジョッキー マストバイデータ

鞍上が川田将雅騎手 × 出走頭数が12頭以下

3着内率	複勝回収率
93.9%	126%

着別度数	勝率	連対率	単勝回収率
16－6－9－2／33	48.5%	66.7%	100%

	着別度数	勝率	連対率	3着内率	単勝回収率	複勝回収率
直近1年	4－4－3－0／11	36.4%	72.7%	100.0%	79%	145%

伊吹メモ　注目を集めがちなトップジョッキーですが、この阪神芝2000m内は世間の見立てを上回る確率で馬券に絡んでおり、結果的に期待値もかなり高め。12頭立て以下のレースならまず崩れることはないと見て良さそうですし、今後も逆らえません。

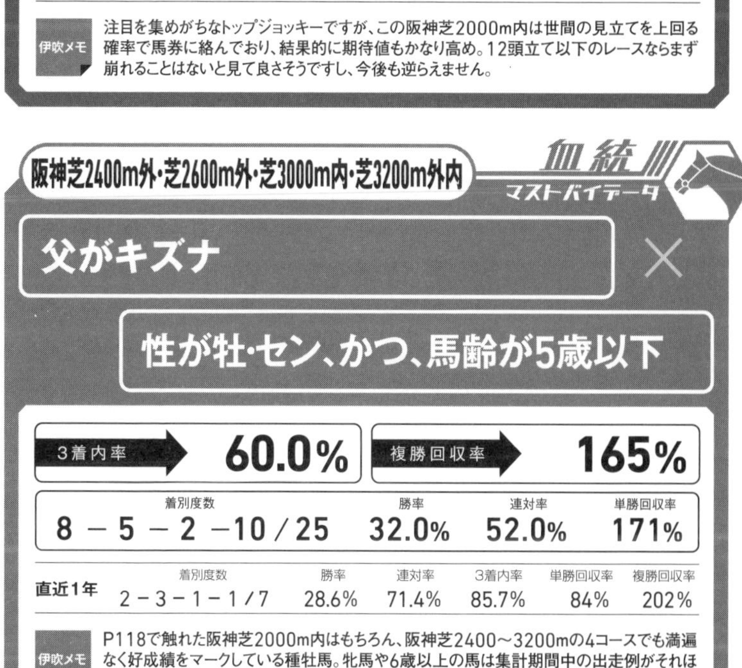

阪神芝2400m外・芝2600m外・芝3000m内・芝3200m外内

血統 マストバイデータ

父がキズナ × 性が牡・セン、かつ、馬齢が5歳以下

3着内率	複勝回収率
60.0%	165%

着別度数	勝率	連対率	単勝回収率
8－5－2－10／25	32.0%	52.0%	171%

	着別度数	勝率	連対率	3着内率	単勝回収率	複勝回収率
直近1年	2－3－1－1／7	28.6%	71.4%	85.7%	84%	202%

伊吹メモ　P118で触れた阪神芝2000m内はもちろん、阪神芝2400～3200mの4コースでも満遍なく好成績をマークしている種牡馬。牝馬や6歳以上の馬は集計期間中の出走例がそれほど多くなかったので、オッズ次第では狙っても良いのではないでしょうか。

東京 中山 京都 阪神 福島 新潟 中京 小倉 札幌 函館

過去3年レース数 234
過去1年レース数 68

阪神ダ1200m

血統偏差値

要注目種牡馬

父がエーピーインディ系種牡馬 マストバイデータあり	➡P128
父がモーリス 血統偏差値58.6	3着内率 30.9% 複勝回収率 85%
父がキンシャサノキセキ 血統偏差値56.4	3着内率 30.5% 複勝回収率 81%
父がドレフォン 血統偏差値53.2	3着内率 31.0% 複勝回収率 74%

ジョッキー偏差値

要注目騎手

鞍上が吉田隼人騎手 ジョッキー偏差値59.6	3着内率 34.0% 複勝回収率 99%
鞍上が和田竜二騎手 ジョッキー偏差値57.3	3着内率 28.5% 複勝回収率 99%
鞍上が岩田望来騎手 ジョッキー偏差値54.1	3着内率 39.7% 複勝回収率 85%
鞍上が古川吉洋騎手 ジョッキー偏差値52.6	3着内率 28.1% 複勝回収率 81%

岩田望来騎手は回収率も高く評価できる数字

血統偏差値ランキングを見ると、首位はモーリス。集計期間中の複勝回収率は85%で、やや地味に映るかもしれませんが、このコースは主要な種牡馬の複勝回収率が全体的に低いので、見た目以上に価値のある数字です。

モーリスと同等の成績を収めているうえ、3着内数も比較的多かったのがキンシャサノキセキ。残念ながら23年はあまり結果を残せなかったものの、まだ産駒の出走機会はありそうですし、復活を警戒しておきましょう。

集計期間中の3着内数がもっとも多かったジョッキーである岩田望来騎手は、ジョッキー偏差値ランキングでも3位にランクイン。好走率はもちろん、回収率も及第点と言える水準に達していましたから、今後も目が離せません。

血統偏差値ランキング

当該コース

血統偏差値	騎手	好走率偏差値	回収率偏差値	着別度数	勝率	連対率	3着内率	単勝回収率	複勝回収率
58.6	モーリス	61.7	58.6	7－7－3－38／55	12.7%	25.5%	30.9%	73%	85%
56.4	キンシャサノキセキ	61.0	56.4	10－10－12－73／105	9.5%	19.0%	30.5%	31%	81%
53.2	ドレフォン	61.9	53.2	9－3－6－40／58	15.5%	20.7%	31.0%	95%	74%
51.9	パイロ	60.6	51.9	7－5－7－44／63	11.1%	19.0%	30.2%	46%	71%
51.6	ディスクリートキャット	58.5	51.6	7－5－5－42／59	11.9%	20.3%	28.8%	66%	71%
50.5	ヘニーヒューズ	61.7	50.5	15－19－13－105／152	9.9%	22.4%	30.9%	86%	68%
50.4	マジェスティックウォリアー	50.4	71.0	3－4－6－42／55	5.5%	12.7%	23.6%	56%	111%
48.6	キズナ	48.6	66.5	1－5－5－38／49	2.0%	12.2%	22.4%	52%	101%
46.6	リオンディーズ	46.6	46.7	2－6－3－41／52	3.8%	15.4%	21.2%	40%	60%
45.4	シニスターミニスター	50.8	45.4	9－8－5－70／92	9.8%	18.5%	23.9%	45%	58%
44.0	ダイワメジャー	44.0	52.1	6－5－5－66／82	7.3%	13.4%	19.5%	79%	72%
43.8	ミッキーアイル	48.9	43.8	9－4－4－58／75	12.0%	17.3%	22.7%	51%	54%
42.0	ロードカナロア	42.0	42.7	4－11－10－112／137	2.9%	10.9%	18.2%	37%	52%
36.6	サウスヴィグラス	36.6	43.9	6－5－3－81／95	6.3%	11.6%	14.7%	40%	55%
33.8	アジアエクスプレス	37.1	33.8	4－3－4－62／73	5.5%	9.6%	15.1%	133%	34%

ジョッキー偏差値ランキング

当該コース

ジョッキー偏差値	騎手	好走率偏差値	回収率偏差値	着別度数	勝率	連対率	3着内率	単勝回収率	複勝回収率
59.6	吉田隼人	64.1	59.6	8－5－4－33／50	16.0%	26.0%	34.0%	97%	99%
57.3	和田竜二	57.3	59.3	8－16－13－93／130	6.2%	18.5%	28.5%	38%	99%
54.1	岩田望来	71.2	54.1	22－15－13－76／126	17.5%	29.4%	39.7%	65%	85%
52.6	古川吉洋	56.8	52.6	1－8－7－41／57	1.8%	15.8%	28.1%	10%	81%
52.5	藤岡康太	58.6	52.5	12－12－4－67／95	12.6%	25.3%	29.5%	84%	81%
50.7	鮫島克駿	50.7	51.8	7－9－5－70／91	7.7%	17.6%	23.1%	92%	79%
50.4	角田大河	50.4	64.8	7－6－6－64／83	8.4%	15.7%	22.9%	89%	113%
48.4	武豊	66.8	48.4	8－4－5－30／47	17.0%	25.5%	36.2%	95%	70%
47.3	川須栄彦	47.3	56.5	7－9－5－82／103	6.8%	15.5%	20.4%	74%	91%
47.0	坂井瑠星	63.9	47.0	7－8－9－47／71	9.9%	21.1%	33.8%	41%	66%
44.9	松山弘平	64.6	44.9	12－12－10－65／99	12.1%	24.2%	34.3%	50%	61%
43.0	団野大成	45.8	43.0	6－5－7－76／94	6.4%	11.7%	19.1%	75%	55%
42.6	藤岡佑介	53.0	42.6	4－6－3－39／52	7.7%	19.2%	25.0%	43%	55%
42.3	幸英明	49.8	42.3	11－8－11－104／134	8.2%	14.2%	22.4%	48%	54%
38.6	松若風馬	42.0	38.6	5－5－4－73／	5.7%	11.5%	16.1%	85%	44%

過去3年レース数 270
過去1年レース数 79

阪神ダ1400m

血統偏差値

要注目種牡馬

父がシニスターミニスター マストバイデータあり	➡P128
父がハーツクライ 血統偏差値55.4	3着内率 25.8% 複勝回収率 95%
父がマジェスティックウォリアー 血統偏差値54.1	3着内率 26.6% 複勝回収率 75%
父がキズナ 血統偏差値52.5	3着内率 30.8% 複勝回収率 72%

ジョッキー偏差値

要注目騎手

鞍上が岩田康誠騎手 ジョッキー偏差値53.9	3着内率 26.7% 複勝回収率 109%
鞍上が川田将雅騎手 ジョッキー偏差値53.0	3着内率 59.7% 複勝回収率 84%
鞍上が吉田隼人騎手 ジョッキー偏差値53.0	3着内率 25.7% 複勝回収率 93%
鞍上が藤岡佑介騎手 ジョッキー偏差値52.8	3着内率 25.4% 複勝回収率 88%

ヘニーヒューズ産駒が信頼できない点に注意

種牡馬別の3着内数だけ見るならば、この阪神ダ1400mはヘニーヒューズ（47回）が頭ひとつ抜けた存在。しかし、複勝回収率は47％にとどまっていたうえ、3着内率も25・0％といまひとつでした。これなら、他の血統を積極的に狙っていきたいところです。

注目するべき種牡馬の筆頭格は、やはり血統偏差値ランキング首位のシニスターミニスター。3着内数（21回）は意外と少なかったものの、複勝回収率が110％に達していましたし。3着内率も決して悪くありません。

ジョッキー偏差値ランキングから強調できるのは川田将雅騎手。主要ジョッキーの複勝回収率が総じて低めだったことを考えると、好走率だけでなく単複の回収率も高く評価できます。

血統偏差値ランキング

当該コース

血統偏差値	騎手	好走率偏差値	回収率偏差値	着別度数	勝率	連対率	3着内率	単勝回収率	複勝回収率
61.5	シニスターミニスター	61.5	75.2	4－6－11－52／73	5.5%	13.7%	28.8%	42%	110%
55.4	ハーツクライ	55.4	66.0	4－9－3－46／62	6.5%	21.0%	25.8%	23%	95%
54.1	マジェスティックウォリアー	57.0	54.1	6－10－13－80／109	5.5%	14.7%	26.6%	23%	75%
52.5	キズナ	65.6	52.5	17－7－8－72／104	16.3%	23.1%	30.8%	76%	72%
50.4	アジアエクスプレス	61.5	50.4	6－7－8－52／73	8.2%	17.8%	28.8%	57%	69%
48.4	ダイワメジャー	48.4	51.3	9－13－4－90／116	7.8%	19.0%	22.4%	74%	70%
47.5	エピファネイア	53.0	47.5	4－8－6－55／73	5.5%	16.4%	24.7%	23%	64%
45.5	パイロ	68.3	45.5	10－8－8－55／81	12.3%	22.2%	32.1%	83%	61%
44.1	キンシャサノキセキ	44.1	67.2	4－8－11－90／113	3.5%	10.6%	20.4%	77%	97%
43.8	ルーラーシップ	43.8	49.2	3－6－10－75／94	3.2%	9.6%	20.2%	13%	67%
43.0	ドレフォン	51.7	43.0	11－5－9－79／104	10.6%	15.4%	24.0%	75%	57%
40.6	モーリス	41.0	40.6	9－4－3－69／85	10.6%	15.3%	18.8%	102%	53%
39.7	ディスクリートキャット	39.7	43.7	3－3－6－54／66	4.5%	9.1%	18.2%	80%	58%
39.4	ロードカナロア	39.4	48.3	9－10－7－118／144	6.3%	13.2%	18.1%	45%	65%
37.4	ヘニーヒューズ	53.7	37.4	25－13－9－141／188	13.3%	20.2%	25.0%	87%	47%

ジョッキー偏差値ランキング

当該コース

ジョッキー偏差値	騎手	好走率偏差値	回収率偏差値	着別度数	勝率	連対率	3着内率	単勝回収率	複勝回収率
53.9	岩田康誠	53.9	59.4	9－4－7－55／75	12.0%	17.3%	26.7%	97%	109%
53.0	川田将雅	83.5	53.0	22－8－10－27／67	32.8%	44.8%	59.7%	98%	84%
53.0	吉田隼人	53.0	55.2	7－5－7－55／74	9.5%	16.2%	25.7%	125%	93%
52.8	藤岡佑介	52.8	54.0	6－7－3－47／63	9.5%	20.6%	25.4%	158%	88%
52.3	鮫島克駿	52.8	52.3	7－9－13－85／114	6.1%	14.0%	25.4%	36%	82%
52.2	武豊	60.7	52.2	9－9－7－48／73	12.3%	24.7%	34.2%	73%	82%
51.0	坂井瑠星	64.9	51.0	12－11－14－58／95	12.6%	24.2%	38.9%	40%	77%
50.7	池添謙一	50.7	55.9	6－10－5－70／91	6.6%	17.6%	23.1%	51%	95%
49.9	松山弘平	67.0	49.9	22－16－14－74／126	17.5%	30.2%	41.3%	85%	73%
48.5	和田竜二	48.5	52.5	7－16－13－139／175	4.0%	13.1%	20.6%	23%	83%
48.2	藤岡康太	50.4	48.2	10－7－11－95／123	8.1%	13.8%	22.8%	23%	66%
45.7	角田大河	48.7	45.7	6－5－8－72／91	6.6%	12.1%	20.9%	91%	57%
45.5	団野大成	48.0	45.5	7－10－6－92／115	6.1%	14.8%	20.0%	86%	56%
43.6	岩田望来	50.9	43.6	15－10－10－115／150	10.0%	16.7%	23.3%	39%	49%
43.4	幸英明	46.8	43.4	12－9－10－135／166	7.2%	12.7%	18.7%	50%	48%

過去3年 レース数 425

過去1年 レース数 125

阪神ダ1800m

血統偏差値

要注目種牡馬

父がキズナ マストバイデータあり	➡P130
父がシニスターミニスター マストバイデータあり	➡P128
父がパイロ 血統偏差値51.6	3着内率 29.6% 複勝回収率 82%
父がドゥラメンテ 血統偏差値50.8	3着内率 33.9% 複勝回収率 80%

ジョッキー偏差値

要注目騎手

鞍上が武豊騎手 マストバイデータあり	➡P129
鞍上が藤岡佑介騎手 マストバイデータあり	➡P129
鞍上が松山弘平騎手 マストバイデータあり	➡P130
鞍上が吉田隼人騎手 ジョッキー偏差値55.2	3着内率 40.0% 複勝回収率 87%

キズナとシニスターミニスターの産駒が中心

集計期間中の3着内数はキズナ（65回）が単独トップで、シニスターミニスター（59回）が単独2位。この2種牡馬は血統偏差値ランキングでも2位と1位に君臨しています。甲乙つけがたいところではあるものの、より好走率や回収率が高かったのはシニスターミニスターの方。23年は3着内率61・4%、複勝回収率150%とさらに成績が上向いていましたし、引き続きしっかりマークしておきましょう。

騎手別成績を見ると、3着内数トップの岩田望来騎手（92回）も悪くない成績を収めていましたが、同2位の松山弘平騎手（81回）はジョッキー偏差値の数字が頭ひとつ抜けていました。好走率も回収率も申し分のない高水準なので、今後も目が離せません。

血統偏差値ランキング

当該コース

血統偏差値	騎手	好走率偏差値	回収率偏差値	着別度数	勝率	連対率	3着内率	単勝回収率	複勝回収率
65.4	シニスターミニスター	75.6	65.4	29−17−13−73/132	22.0%	34.8%	44.7%	164%	109%
58.5	キズナ	60.0	58.5	21−27−17−123/188	11.2%	25.5%	34.6%	66%	95%
51.6	パイロ	52.4	51.6	8−14−10−76/108	7.4%	20.4%	29.6%	55%	82%
50.8	ドゥラメンテ	58.9	50.8	13−16−14−84/127	10.2%	22.8%	33.9%	22%	80%
49.7	ヘニーヒューズ	49.7	72.1	10−13−9−83/115	8.7%	20.0%	27.8%	32%	122%
49.0	マジェスティックウォリアー	49.0	54.9	15−12−13−106/146	10.3%	18.5%	27.4%	102%	88%
47.0	ドレフォン	55.8	47.0	17−12−13−90/132	12.9%	22.0%	31.8%	64%	73%
45.3	ルーラーシップ	45.6	45.3	20−15−21−166/222	9.0%	15.8%	25.2%	98%	69%
43.8	ロードカナロア	43.8	47.4	9−13−9−98/129	7.0%	17.1%	24.0%	39%	74%
43.2	オルフェーヴル	46.3	43.2	7−15−7−84/113	6.2%	19.5%	25.7%	79%	65%
40.4	ジャスタウェイ	47.7	40.4	12−8−10−83/113	10.6%	17.7%	26.5%	83%	60%
39.2	ハーツクライ	43.4	39.2	9−8−7−77/101	8.9%	16.8%	23.8%	29%	57%
35.4	ダイワメジャー	35.4	50.9	6−4−8−79/97	6.2%	10.3%	18.6%	221%	80%
33.3	ホッコータルマエ	36.3	33.3	13−10−8−131/162	8.0%	14.2%	19.1%	66%	46%

ジョッキー偏差値ランキング

当該コース

ジョッキー偏差値	騎手	好走率偏差値	回収率偏差値	着別度数	勝率	連対率	3着内率	単勝回収率	複勝回収率
69.3	松山弘平	71.1	69.3	30−30−21−90/171	17.5%	35.1%	47.4%	82%	108%
55.2	吉田隼人	63.9	55.2	14−12−10−54/90	15.6%	28.9%	40.0%	79%	87%
50.3	岩田望来	65.5	50.3	34−33−25−129/221	15.4%	30.3%	41.6%	103%	80%
50.2	岩田康誠	54.4	50.2	15−7−7−67/96	15.6%	22.9%	30.2%	163%	80%
49.8	鮫島克駿	54.0	49.8	15−12−26−125/178	8.4%	15.2%	29.8%	55%	79%
48.5	幸英明	53.1	48.5	25−21−25−175/246	10.2%	18.7%	28.9%	125%	77%
47.2	富田暁	47.2	61.0	7−7−12−88/114	6.1%	12.3%	22.8%	79%	96%
46.7	角田大河	46.7	66.8	10−9−12−108/139	7.2%	13.7%	22.3%	39%	104%
46.6	坂井瑠星	60.9	46.6	20−21−15−96/152	13.2%	27.0%	36.8%	57%	75%
46.0	国分恭介	46.0	62.0	8−7−7−80/102	7.8%	14.7%	21.6%	234%	97%
45.6	松若風馬	45.6	56.7	9−9−14−119/151	6.0%	11.9%	21.2%	41%	89%
43.8	和田竜二	49.3	43.8	17−20−31−204/272	6.3%	13.6%	25.0%	43%	71%
42.9	小沢大仁	42.9	43.0	10−8−3−93/114	8.8%	15.8%	18.4%	163%	70%
42.9	藤岡康太	45.7	42.9	13−15−9−137/174	7.5%	16.1%	21.3%	75%	69%
31.7	団野大成	46.6	31.7	14−14−10−133/171	8.2%	16.4%	22.2%	91%	53%

過去3年レース数 78

過去1年レース数 23

阪神ダ2000m

血統偏差値

要注目種牡馬

父がキズナ マストバイデータあり	➡P130	
父がホッコータルマエ 血統偏差値57.7	3着内率 39.4%	複勝回収率 165%
父がブラックタイド 血統偏差値56.5	3着内率 57.9%	複勝回収率 124%
父がキングカメハメハ 血統偏差値53.1	3着内率 37.8%	複勝回収率 106%

ジョッキー偏差値

要注目騎手

鞍上が松山弘平騎手 マストバイデータあり	➡P130	
鞍上が鮫島克駿騎手 ジョッキー偏差値64.6	3着内率 50.0%	複勝回収率 151%
鞍上が岩田望来騎手 ジョッキー偏差値59.7	3着内率 47.8%	複勝回収率 104%
鞍上が川田将雅騎手 ジョッキー偏差値54.5	3着内率 60.7%	複勝回収率 86%

キズナと松山弘平騎手に共通している得意条件

集計期間中の3着内数がもっとも多かった種牡馬はキングカメハメハ（17回）。現役の直仔が減りつつあるものの、23年を含め非常に優秀な成績を収めていますから、もうしばらくは注目しておいた方が良いかもしれません。

3着内数2位（15回）で、なおかつ血統偏差値ランキングのトップに立っているのがキズナ。阪神ダ1800mでも素晴らしい数字をマークしていましたし、セットで覚えておきましょう。

ジョッキー別成績を見ると、岩田望来騎手、鮫島克駿騎手、松山弘平騎手あたりの健闘ぶりが目立っています。このうち松山弘平騎手は、阪神ダ1800mでも出色の好成績を収めていたジョッキー。キズナと同じく、どちらのコースも絶好の狙い目です。

血統偏差値ランキング

当該コース

血統偏差値	騎手	好走率偏差値	回収率偏差値	着別度数	勝率	連対率	3着内率	単勝回収率	複勝回収率
57.8	キズナ	57.8	60.4	3－5－7－23／38	7.9%	21.1%	39.5%	19%	145%
57.7	ホッコータルマエ	57.7	64.0	7－4－2－20／33	21.2%	33.3%	39.4%	389%	165%
56.5	ブラックタイド	73.1	56.5	7－3－1－8／19	36.8%	52.6%	57.9%	142%	124%
53.1	キングカメハメハ	56.4	53.1	7－4－6－28／45	15.6%	24.4%	37.8%	106%	106%
52.4	ドゥラメンテ	60.0	52.4	1－2－5－11／19	5.3%	15.8%	42.1%	11%	102%
50.9	ワールドエース	50.9	55.1	1－3－1－11／16	6.3%	25.0%	31.3%	22%	116%
49.9	エピファネイア	49.9	50.8	2－1－3－14／20	10.0%	15.0%	30.0%	17%	93%
49.4	ハービンジャー	49.4	74.1	1－1－3－12／17	5.9%	11.8%	29.4%	557%	220%
48.9	オルフェーヴル	59.8	48.9	5－3－5－18／31	16.1%	25.8%	41.9%	85%	83%
47.9	ジャスタウェイ	47.9	52.2	2－5－1－21／29	6.9%	24.1%	27.6%	56%	101%
45.9	ルーラーシップ	49.5	45.9	6－3－4－31／44	13.6%	20.5%	29.5%	53%	67%
42.7	キンシャサノキセキ	49.4	42.7	2－2－1－12／17	11.8%	23.5%	29.4%	37%	49%
40.7	ハーツクライ	40.7	40.8	2－4－2－34／42	4.8%	14.3%	19.0%	13%	39%
40.0	ロードカナロア	40.3	40.0	0－2－3－22／27	0.0%	7.4%	18.5%	0%	35%
38.7	ダンカーク	38.7	40.8	1－2－0－15／18	5.6%	16.7%	16.7%	11%	39%

ジョッキー偏差値ランキング

当該コース

ジョッキー偏差値	騎手	好走率偏差値	回収率偏差値	着別度数	勝率	連対率	3着内率	単勝回収率	複勝回収率
64.6	鮫島克駿	64.6	73.7	8－5－0－13／26	30.8%	50.0%	50.0%	193%	151%
62.8	松山弘平	65.6	62.8	5－6－6－16／33	15.2%	33.3%	51.5%	62%	115%
59.7	岩田望来	63.1	59.7	12－5－5－24／46	26.1%	37.0%	47.8%	134%	104%
54.5	川田将雅	71.9	54.5	7－6－4－11／28	25.0%	46.4%	60.7%	71%	86%
50.8	藤岡康太	50.8	51.3	1－2－5－19／27	3.7%	11.1%	29.6%	7%	75%
50.4	坂井瑠星	50.4	52.5	4－0－5－22／31	12.9%	12.9%	29.0%	50%	80%
49.1	幸英明	49.1	51.2	3－4－6－35／48	6.3%	14.6%	27.1%	51%	75%
46.0	岩田康誠	48.4	46.0	3－2－1－17／23	13.0%	21.7%	26.1%	40%	58%
45.6	団野大成	50.1	45.6	3－3－2－20／28	10.7%	21.4%	28.6%	65%	56%
42.2	和田竜二	42.3	42.2	2－4－2－39／47	4.3%	12.8%	17.0%	20%	45%
41.4	中井裕二	41.4	54.0	1－2－0－16／19	5.3%	15.8%	15.8%	33%	85%
40.9	角田大河	40.9	59.4	1－2－0－17／20	5.0%	15.0%	15.0%	446%	103%
40.6	富田暁	44.8	40.6	1－2－2－19／24	4.2%	12.5%	20.8%	8%	40%
39.2	酒井学	39.2	41.7	1－2－1－28／32	3.1%	9.4%	12.5%	16%	43%
34.0	国分優作	39.6	34.0	0－2－1－20／23	0.0%	8.7%	13.0%	0%	17%

阪神ダ1200m

血統 マストバイデータ

父がエーピーインディ系種牡馬 ×

性が牡・セン、かつ、馬齢が3歳以下

3着内率	複勝回収率
41.4%	124%

着別度数	勝率	連対率	単勝回収率
15－10－11－51／87	17.2%	28.7%	127%

	着別度数	勝率	連対率	3着内率	単勝回収率	複勝回収率
直近1年	7－6－3－19／35	20.0%	37.1%	45.7%	194%	117%

伊吹メモ 牝馬は好走率や回収率が低く、4歳以上の牡馬もやや安定感を欠いていたのですが、3歳以下の牡馬は好走率も回収率も申し分のない高水準。たとえ近走成績からは強調しづらい馬であっても、このコースでは一発を警戒しておきたいところです。

阪神ダ1400m・ダ1800m

父がシニスターミニスター ×

馬齢が4歳以下、かつ、出走頭数が15頭以下

3着内率	複勝回収率
50.0%	134%

着別度数	勝率	連対率	単勝回収率
23－21－17－61／122	18.9%	36.1%	132%

	着別度数	勝率	連対率	3着内率	単勝回収率	複勝回収率
直近1年	11－7－7－15／40	27.5%	45.0%	62.5%	223%	150%

伊吹メモ エーピーインディ系種牡馬であるにもかかわらず、正直なところ阪神ダ1200mの成績はいまひとつ。しかし、阪神ダ1400mと阪神ダ1800mは全体的に回収率が優秀で、4歳以下の若い馬に限れば好走率も及第点と言える水準に達しています。

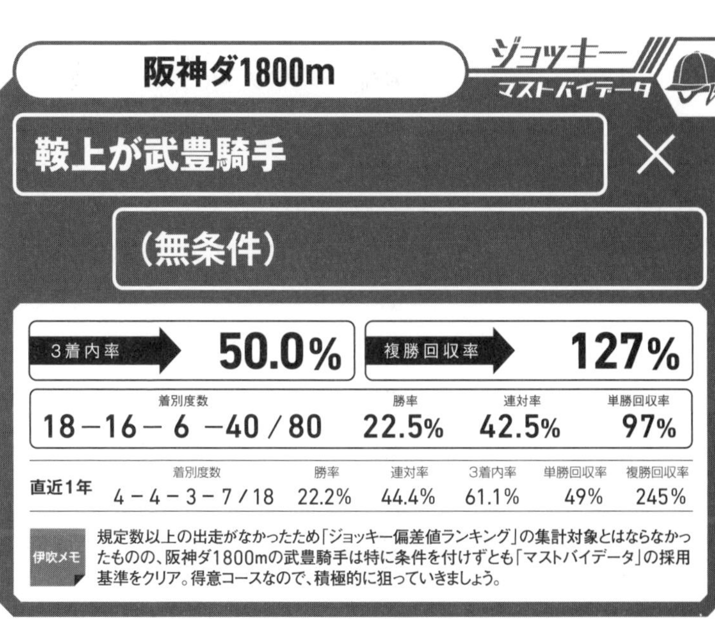

阪神ダ1800m

ジョッキー マストバイデータ

鞍上が武豊騎手 ×

（無条件）

3着内率 50.0%　複勝回収率 127%

着別度数	勝率	連対率	単勝回収率
18－16－6－40／80	22.5%	42.5%	97%

	着別度数	勝率	連対率	3着内率	単勝回収率	複勝回収率
直近1年	4－4－3－7／18	22.2%	44.4%	61.1%	49%	245%

伊吹メモ　規定数以上の出走がなかったため「ジョッキー偏差値ランキング」の集計対象とはならなかったものの、阪神ダ1800mの武豊騎手は特に条件を付けずとも「マストバイデータ」の採用基準をクリア。得意コースなので、積極的に狙っていきましょう。

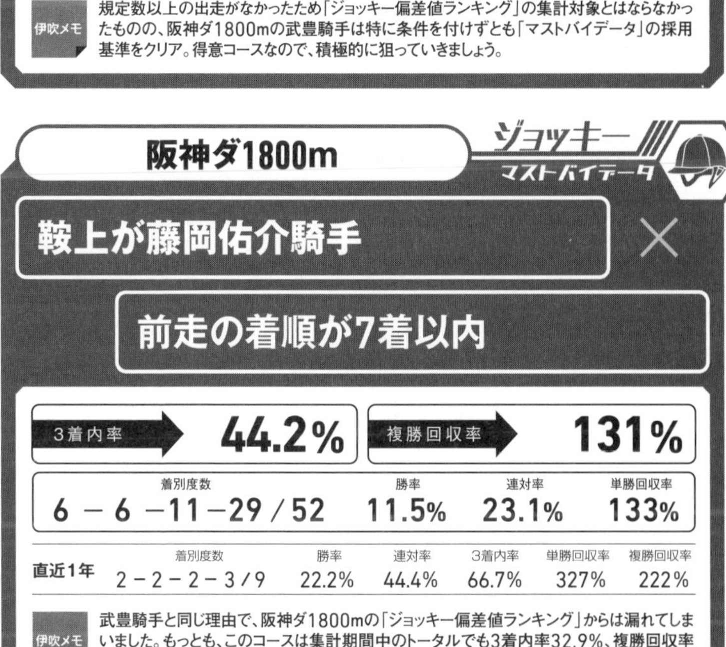

阪神ダ1800m

ジョッキー マストバイデータ

鞍上が藤岡佑介騎手 ×

前走の着順が7着以内

3着内率 44.2%　複勝回収率 131%

着別度数	勝率	連対率	単勝回収率
6－6－11－29／52	11.5%	23.1%	133%

	着別度数	勝率	連対率	3着内率	単勝回収率	複勝回収率
直近1年	2－2－2－3／9	22.2%	44.4%	66.7%	327%	222%

伊吹メモ　武豊騎手と同じ理由で、阪神ダ1800mの「ジョッキー偏差値ランキング」からは漏れてしまいました。もっとも、このコースは集計期間中のトータルでも3着内率32.9%、複勝回収率102%。大敗直後の馬を除けばより堅実でしたし、今後も目が離せません。

阪神ダ1800m・ダ2000m

父がキズナ ×

馬齢が3歳以下

3着内率	複勝回収率
42.6%	134%

着別度数	勝率	連対率	単勝回収率
18－24－13－74／129	14.0%	32.6%	80%

	着別度数	勝率	連対率	3着内率	単勝回収率	複勝回収率
直近1年	5－8－1－18/32	15.6%	40.6%	43.8%	146%	131%

伊吹メモ　阪神ダ1800～2000mのレースを使ったキズナ産駒は、集計期間中のトータルでも3着内率35.4%、複勝回収率104%。まだ芝向きというイメージの方が強いせいか、早い時期からダートを使ってきた産駒は、思いのほか人気の盲点になりがちです。

阪神ダ1800m・ダ2000m

鞍上が松山弘平騎手 ×

前走の着順が5着以下、かつ、馬番が3～16番

3着内率	複勝回収率
57.7%	194%

着別度数	勝率	連対率	単勝回収率
10－17－14－30／71	14.1%	38.0%	126%

	着別度数	勝率	連対率	3着内率	単勝回収率	複勝回収率
直近1年	1－7－2－10/20	5.0%	40.0%	50.0%	17%	119%

伊吹メモ　阪神ダ1800～2000mの松山弘平騎手は、前走好走馬であっても大敗直後の馬であっても、好走率がほぼ同じ。当然ながら、大敗直後の馬とタッグを組んだレースは配当的な妙味が増します。この傾向をしっかり馬券に活かしていきましょう。

福島競馬場
FUKUSHIMA RACE COURSE

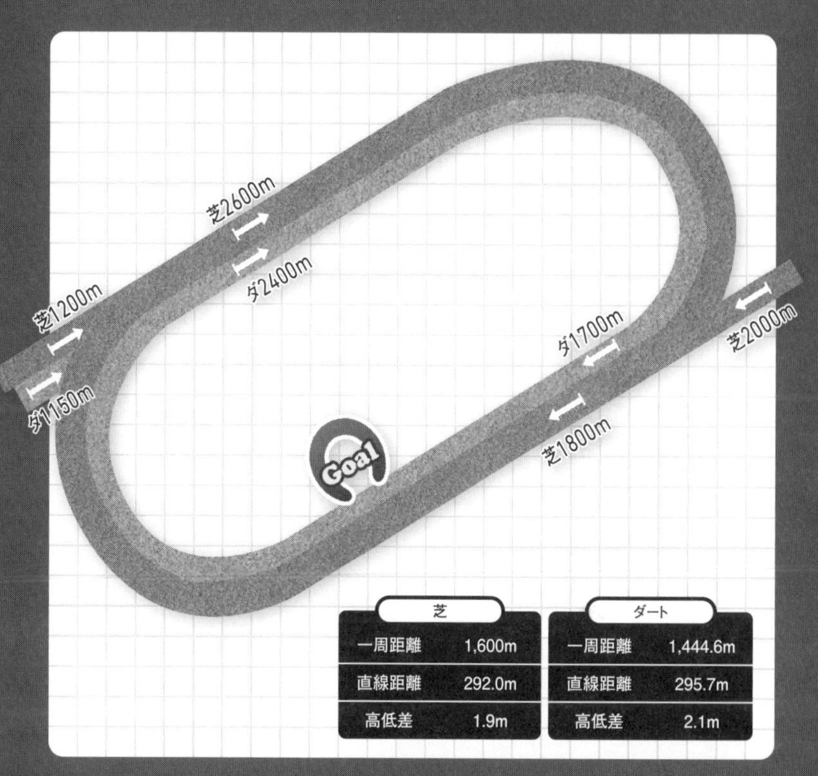

芝	
一周距離	1,600m
直線距離	292.0m
高低差	1.9m

ダート	
一周距離	1,444.6m
直線距離	295.7m
高低差	2.1m

過去3年レース数 142

過去1年レース数 54

福島芝1200m

血統偏差値

要注目種牡馬

父がキズナ マストバイデータあり	➡P140
父がビッグアーサー マストバイデータあり	➡P140
父がエイシンフラッシュ 血統偏差値56.0	3着内率 26.7% 複勝回収率 161%
父がアメリカンペイトリオット 血統偏差値52.7	3着内率 24.1% 複勝回収率 84%

ジョッキー偏差値

要注目騎手

鞍上が西村淳也騎手 ジョッキー偏差値62.9	3着内率 41.9% 複勝回収率 98%
鞍上が丹内祐次騎手 ジョッキー偏差値57.8	3着内率 38.6% 複勝回収率 85%
鞍上が菱田裕二騎手 ジョッキー偏差値57.4	3着内率 33.3% 複勝回収率 84%
鞍上が丸田恭介騎手 ジョッキー偏差値56.5	3着内率 31.3% 複勝回収率 82%

ビッグアーサー産駒は好走率や回収率も優秀

注目しておきたい種牡馬の筆頭格はビッグアーサー。集計期間中の3着内数(28回)が頭ひとつ抜けたトップだったうえ、好走率や回収率が非常に高く、血統偏差値ランキングでも首位に君臨していました。出馬表を見る際は真っ先にチェックしておきましょう。

狙いやすい種牡馬をもう一頭挙げるならばキズナ。集計期間中の3着内数(11回)はやや少なかったものの、好走率も回収率も上々の数字です。

ジョッキー偏差値ランキングのトップは西村淳也騎手でしたが、23年春以降は西日本の主場で騎乗する日が多く、今後は参戦機会が大幅に減りそう。夏場の開催では戸崎圭太騎手を、いわゆる「裏開催」の時は丹内祐次騎手あたりを重視するべきだと思います。

血統偏差値ランキング

当該コース

血統偏差値	騎手	好走率偏差値	回収率偏差値	着別度数	勝率	連対率	3着内率	単勝回収率	複勝回収率
58.7	ビッグアーサー	71.5	58.7	11－10－7－45／73	15.1%	28.8%	38.4%	57%	104%
58.0	キズナ	58.0	61.7	3－5－3－28／39	7.7%	20.5%	28.2%	34%	115%
56.0	エイシンフラッシュ	56.0	74.4	2－3－3－22／30	6.7%	16.7%	26.7%	16%	161%
52.7	アメリカンペイトリオット	52.7	53.2	1－1－5－22／29	3.4%	6.9%	24.1%	106%	84%
50.0	リオンディーズ	64.8	50.0	5－4－5－28／42	11.9%	21.4%	33.3%	89%	73%
49.9	ルーラーシップ	62.1	49.9	6－2－2－22／32	18.8%	25.0%	31.3%	116%	72%
49.7	スクリーンヒーロー	49.7	62.3	4－1－2－25／32	12.5%	15.6%	21.9%	431%	117%
48.8	ディスクリートキャット	48.8	63.6	3－1－3－26／33	9.1%	12.1%	21.2%	113%	122%
48.7	キンシャサノキセキ	48.7	49.3	3－3－5－41／52	5.8%	11.5%	21.2%	88%	70%
48.1	ミッキーアイル	59.9	48.1	7－6－3－38／54	13.0%	24.1%	29.6%	81%	66%
46.6	ダイワメジャー	51.1	46.6	7－8－5－67／87	8.0%	17.2%	23.0%	72%	61%
45.9	ロードカナロア	49.7	45.9	8－3－10－75／96	8.3%	11.5%	21.9%	42%	58%
45.8	イスラボニータ	45.8	45.8	3－3－1－30／37	8.1%	16.2%	18.9%	69%	58%
44.3	アドマイヤムーン	44.3	48.3	2－4－2－37／45	4.4%	13.3%	17.8%	76%	67%
38.8	モーリス	40.1	38.8	3－2－1－35／41	7.3%	12.2%	14.6%	73%	32%

ジョッキー偏差値ランキング

当該コース

ジョッキー偏差値	騎手	好走率偏差値	回収率偏差値	着別度数	勝率	連対率	3着内率	単勝回収率	複勝回収率
62.9	西村淳也	69.4	62.9	4－5－4－18／31	12.9%	29.0%	41.9%	98%	98%
57.8	丹内祐次	66.1	57.8	5－7－5－27／44	11.4%	27.3%	38.6%	82%	85%
57.4	菱田裕二	60.7	57.4	3－3－4－20／30	10.0%	20.0%	33.3%	41%	84%
56.5	丸田恭介	58.6	56.5	2－5－3－22／32	6.3%	21.9%	31.3%	107%	82%
55.5	戸崎圭太	75.2	55.5	10－5－5－22／42	23.8%	35.7%	47.6%	84%	79%
54.8	三浦皇成	61.9	54.8	2－4－4－19／29	6.9%	20.7%	34.5%	20%	77%
54.0	亀田温心	54.3	54.0	3－4－3－27／37	8.1%	18.9%	27.0%	90%	75%
52.2	永島まなみ	57.0	52.2	6－4－1－26／37	16.2%	27.0%	29.7%	173%	71%
52.2	永野猛蔵	52.2	68.1	1－9－2－36／48	2.1%	20.8%	25.0%	17%	110%
51.7	佐々木大輔	51.7	56.2	2－3－7－37／49	4.1%	10.2%	24.5%	73%	81%
50.7	菅原明良	58.4	50.7	7－9－2－40／58	12.1%	27.6%	31.0%	61%	67%
49.4	武藤雅	49.4	75.0	3－4－3－35／45	6.7%	15.6%	22.2%	128%	127%
48.0	木幡巧也	48.0	49.8	5－3－2－38／48	10.4%	16.7%	20.8%	102%	65%
45.7	杉原誠人	45.7	52.0	2－2－6－44／54	3.7%	7.4%	18.5%	63%	71%
37.2	原優介	41.5	37.2	4－4－4－71／83	4.8%	9.6%	14.5%	22%	34%

過去3年レース数 87

過去1年レース数 33

福島芝1800m

血統偏差値

要注目種牡馬

父がキズナ マストバイデータあり	➡P140
父がダノンバラード マストバイデータあり	➡P141
父がスクリーンヒーロー 血統偏差値66.2	3着内率 46.2% 複勝回収率 191%
父がブラックタイド 血統偏差値61.1	3着内率 40.0% 複勝回収率 169%

ジョッキー偏差値

要注目騎手

鞍上が丸山元気騎手 ジョッキー偏差値62.8	3着内率 40.0% 複勝回収率 168%
鞍上が三浦皇成騎手 ジョッキー偏差値53.5	3着内率 41.2% 複勝回収率 93%
鞍上が角田大和騎手 ジョッキー偏差値52.8	3着内率 33.3% 複勝回収率 90%
鞍上がM.デムーロ騎手 ジョッキー偏差値52.7	3着内率 46.9% 複勝回収率 89%

キズナやスクリーンヒーローの産駒が狙い目

集計期間中の3着内数がもっとも多かった種牡馬はゴールドシップ（19回）。ただし、複勝回収率は52％にとどまっています。３着内率は悪くない水準だったものの、配当的な妙味は期待できないと見るべきでしょう。

より積極的に狙っていきたいのは、血統偏差値ランキングで上位に食い込んでいるキズナやスクリーンヒーロー。いずれも複勝回収率が１００％を大きく超えているうえ、３着内率もゴールドシップよりだいぶ上でした。

ジョッキー偏差値ランキングでトップに立っていたのは丸山元気騎手。年次別の成績も安定していましたから、今後も目が離せません。夏場の開催で活躍が目立っていた三浦皇成騎手も、コース適性は高いと見て良さそうです。

血統偏差値ランキング

当該コース

血統偏差値	騎手	好走率偏差値	回収率偏差値	着別度数	勝率	連対率	3着内率	単勝回収率	複勝回収率
66.2	スクリーンヒーロー	66.2	70.7	2－8－2－14/26	7.7%	38.5%	46.2%	27%	191%
61.1	ブラックタイド	61.1	66.2	5－3－0－12/20	25.0%	40.0%	40.0%	275%	169%
58.7	キズナ	59.0	58.7	7－5－3－25/40	17.5%	30.0%	37.5%	262%	132%
56.4	ロゴタイプ	60.1	56.4	1－1－5－11/18	5.6%	11.1%	38.9%	21%	120%
54.4	ダノンバラード	54.4	58.9	4－1－3－17/25	16.0%	20.0%	32.0%	375%	133%
53.0	オルフェーヴル	61.8	53.0	3－3－3－13/22	13.6%	27.3%	40.9%	76%	104%
51.2	ドゥラメンテ	51.2	60.1	5－5－1－28/39	12.8%	25.6%	28.2%	64%	138%
46.5	シルバーステート	69.4	46.5	6－3－0－9/18	33.3%	50.0%	50.0%	97%	71%
44.3	ルーラーシップ	44.3	47.3	2－1－4－28/35	5.7%	8.6%	20.0%	16%	76%
42.6	ゴールドシップ	52.4	42.6	11－3－5－45/64	17.2%	21.9%	29.7%	78%	52%
42.4	モーリス	42.4	54.1	3－0－3－28/34	8.8%	8.8%	17.6%	22%	109%
41.8	ディープインパクト	44.7	41.8	3－3－3－35/44	6.8%	13.6%	20.5%	35%	48%
40.7	エピファネイア	40.7	41.8	2－3－5－54/64	3.1%	7.8%	15.6%	35%	48%
40.6	ハービンジャー	44.0	40.6	3－4－3－41/51	5.9%	13.7%	19.6%	21%	42%
40.2	ダイワメジャー	48.5	40.2	2－5－0－21/28	7.1%	25.0%	25.0%	12%	41%

ジョッキー偏差値ランキング

当該コース

ジョッキー偏差値	騎手	好走率偏差値	回収率偏差値	着別度数	勝率	連対率	3着内率	単勝回収率	複勝回収率
62.8	丸山元気	62.8	69.3	4－2－6－18/30	13.3%	20.0%	40.0%	223%	168%
53.5	三浦皇成	63.8	53.5	2－8－4－20/34	5.9%	29.4%	41.2%	40%	93%
52.8	角田大和	57.1	52.8	2－1－3－12/18	11.1%	16.7%	33.3%	63%	90%
52.7	M.デムーロ	68.7	52.7	5－5－5－17/32	15.6%	31.3%	46.9%	65%	89%
51.9	丹内祐次	51.9	52.6	1－1－4－16/22	4.5%	9.1%	27.3%	24%	89%
50.7	西村淳也	65.8	50.7	7－2－1－13/23	30.4%	39.1%	43.5%	130%	80%
50.3	津村明秀	52.7	50.3	2－5－2－23/32	6.3%	21.9%	28.1%	30%	78%
50.2	菅原明良	50.4	50.2	5－2－5－35/47	10.6%	14.9%	25.5%	116%	77%
49.6	富田暁	55.6	49.6	0－5－1－13/19	0.0%	26.3%	31.6%	0%	74%
49.3	柴田大知	49.3	85.8	4－4－0－25/33	12.1%	24.2%	24.2%	67%	246%
49.1	斎藤新	53.5	49.1	3－1－3－17/24	12.5%	16.7%	29.2%	65%	72%
48.9	木幡巧也	55.3	48.9	3－3－4－22/32	9.4%	18.8%	31.3%	76%	71%
48.6	原優介	48.6	51.9	4－2－5－36/47	8.5%	12.8%	23.4%	151%	85%
48.5	戸崎圭太	64.2	48.5	8－4－3－21/36	22.2%	33.3%	41.7%	89%	69%
47.9	田辺裕信	57.1	47.9	0－5－2－14/21	0.0%	23.8%	33.3%	0%	66%

過去3年レース数 62
過去1年レース数 24

福島芝2000m

血統偏差値

要注目種牡馬

父がキズナ マストバイデータあり	➡P140
父がダノンバラード マストバイデータあり	➡P141
父がロードカナロア 血統偏差値55.5	3着内率 31.3% 複勝回収率 116%
父がジャスタウェイ 血統偏差値53.8	3着内率 29.2% 複勝回収率 212%

ジョッキー偏差値

要注目騎手

鞍上が角田大和騎手 ジョッキー偏差値60.0	3着内率 36.8% 複勝回収率 108%
鞍上が津村明秀騎手 ジョッキー偏差値59.5	3着内率 30.8% 複勝回収率 174%
鞍上が永島まなみ騎手 ジョッキー偏差値59.5	3着内率 35.7% 複勝回収率 106%
鞍上が丸田恭介騎手 ジョッキー偏差値59.5	3着内率 30.8% 複勝回収率 199%

キズナ産駒はこのコースでも出色の数字をマーク

福島芝1200mや福島芝1800mと同じく、この福島芝2000mもキズナ産駒が優秀な成績を収めているコース。本書の集計期間中に限ると3着内率47・1%、複勝回収率160%で、血統偏差値ランキングの首位に君臨していました。3着内数（16回）がもっとも多かった種牡馬でもありますし、引き続きマークしておきましょう。

ジョッキー偏差値ランキングから強調できるのは角田大和騎手。集計期間中の3着内数（7回）は3位タイで、好走率や回収率も申し分のない高水準です。22年11月19日の福島12R（3歳以上1勝クラス）では、後の重賞ウイナーでもある単勝オッズ32・4倍（8番人気）のブローザホーンを2着に導き、好配当決着を演出しています。

血統偏差値ランキング

当該コース

血統偏差値	騎手	好走率偏差値	回収率偏差値	着別度数	勝率	連対率	3着内率	単勝回収率	複勝回収率
63.5	キズナ	68.6	63.5	6－3－7－18／34	17.6%	26.5%	47.1%	299%	160%
59.2	ダノンバラード	59.2	64.5	1－3－1－9／14	7.1%	28.6%	35.7%	169%	166%
55.5	ロードカナロア	55.5	55.7	3－0－2－11／16	18.8%	18.8%	31.3%	110%	116%
53.8	ジャスタウェイ	53.8	72.7	2－2－3－17／24	8.3%	16.7%	29.2%	52%	212%
52.1	ハービンジャー	52.1	63.7	3－1－6－27／37	8.1%	10.8%	27.0%	50%	161%
51.2	スクリーンヒーロー	64.1	51.2	6－2－2－14／24	25.0%	33.3%	41.7%	133%	91%
50.8	オルフェーヴル	54.9	50.8	2－2－3－16／23	8.7%	17.4%	30.4%	54%	89%
50.2	キングカメハメハ	62.8	50.2	1－2－5－12／20	5.0%	15.0%	40.0%	34%	86%
48.1	エピファネイア	48.1	48.3	3－3－2－28／36	8.3%	16.7%	22.2%	36%	75%
46.6	ハーツクライ	46.6	46.6	4－2－6－47／59	6.8%	10.2%	20.3%	61%	65%
45.8	ブラックタイド	55.2	45.8	0－2－2－9／13	0.0%	15.4%	30.8%	0%	61%
44.3	ディープインパクト	46.3	44.3	3－5－2－40／50	6.0%	16.0%	20.0%	41%	52%
42.5	ゴールドシップ	44.3	42.5	4－4－1－42／51	7.8%	15.7%	17.6%	80%	42%
41.0	ルーラーシップ	41.0	41.0	3－1－2－38／44	6.8%	9.1%	13.6%	70%	34%
39.8	ドゥラメンテ	39.8	39.8	0－3－1－29／33	0.0%	9.1%	12.1%	0%	27%

ジョッキー偏差値ランキング

当該コース

ジョッキー偏差値	騎手	好走率偏差値	回収率偏差値	着別度数	勝率	連対率	3着内率	単勝回収率	複勝回収率
60.0	角田大和	65.6	60.0	2－3－2－12／19	10.5%	26.3%	36.8%	85%	108%
59.5	津村明秀	59.5	75.8	1－2－1－9／13	7.7%	23.1%	30.8%	202%	174%
59.5	永島まなみ	64.4	59.5	3－1－1－9／14	21.4%	28.6%	35.7%	190%	106%
59.5	丸田恭介	59.5	81.7	0－1－3－9／13	0.0%	7.7%	30.8%	0%	199%
54.3	田辺裕信	68.8	54.3	4－1－1－9／15	26.7%	33.3%	40.0%	154%	84%
53.6	内田博幸	53.6	62.0	0－3－1－12／16	0.0%	18.8%	25.0%	0%	116%
51.8	丹内祐次	63.3	51.8	5－1－3－17／26	19.2%	23.1%	34.6%	88%	74%
50.7	菅原明良	60.7	50.7	2－2－4－17／25	8.0%	16.0%	32.0%	32%	70%
49.3	戸崎圭太	69.9	49.3	3－3－1－10／17	17.6%	35.3%	41.2%	57%	64%
48.3	菱田裕二	50.8	48.3	1－2－1－14／18	5.6%	16.7%	22.2%	50%	60%
47.5	西村淳也	58.7	47.5	2－3－1－14／20	10.0%	25.0%	30.0%	51%	56%
46.5	武藤雅	47.1	46.5	1－1－3－22／27	3.7%	7.4%	18.5%	35%	52%
45.8	原優介	45.8	48.3	3－1－1－24／29	10.3%	13.8%	17.2%	175%	59%
44.2	永野猛蔵	50.4	44.2	2－2－1－18／23	8.7%	17.4%	21.7%	34%	42%
42.4	丸山元気	42.4	46.1	1－2－2－31／36	2.8%	8.3%	13.9%	11%	50%

過去3年レース数	30
過去1年レース数	12

福島芝2600m

血統偏差値

要注目種牡馬

父がステイゴールド系種牡馬 マストバイデータあり	➡P141
父がオルフェーヴル 血統偏差値59.9	3着内率 50.0% 複勝回収率 131%
父がゴールドシップ 血統偏差値58.6	3着内率 41.2% 複勝回収率 124%
父がキズナ 血統偏差値52.6	3着内率 35.0% 複勝回収率 92%

ジョッキー偏差値

要注目騎手

鞍上が菱田裕二騎手 ジョッキー偏差値65.6	3着内率 54.5% 複勝回収率 139%
鞍上が石橋脩騎手 ジョッキー偏差値63.3	3着内率 57.1% 複勝回収率 128%
鞍上が田辺裕信騎手 ジョッキー偏差値62.7	3着内率 66.7% 複勝回収率 125%
鞍上が菅原明良騎手 ジョッキー偏差値57.7	3着内率 50.0% 複勝回収率 102%

ステイゴールド系の種牡馬と相性が良いコース

種牡馬別の3着内数を見ると、トップはゴールドシップ（21回）で、2位がオルフェーヴル（13回）。同じステイゴールド系に属するこの2種牡馬は、血統偏差値ランキングでもワンツーフィニッシュを決めていました。単純にこのコースを使ってくる産駒が多いうえ、コース適性の高さに世間の評価が追い付いていない印象。これを狙わない手はありません。近走成績がいまひとつでも激走を警戒しておきましょう。

ちなみに、福島芝1200〜2000mの3コースで優秀な成績を収めていたキズナは、このコースにおける好走率や回収率も及第点。長距離向きの産駒なら積極的に狙って良さそうです。

ジョッキー部門では田辺裕信騎手や菱田裕二騎手の活躍が目立っています。

血統偏差値ランキング

当該コース

血統偏差値	騎手	好走率偏差値	回収率偏差値	着別度数	勝率	連対率	3着内率	単勝回収率	複勝回収率
59.9	オルフェーヴル	66.2	59.9	6－1－6－13／26	23.1%	26.9%	50.0%	179%	131%
58.6	ゴールドシップ	60.2	58.6	7－4－10－30／51	13.7%	21.6%	41.2%	178%	124%
52.6	キズナ	56.1	52.6	2－2－3－13／20	10.0%	20.0%	35.0%	20%	92%
50.3	シルバーステート	66.2	50.3	0－2－1－3／6	0.0%	33.3%	50.0%	0%	80%
47.8	ルーラーシップ	49.4	47.8	1－2－2－15／20	5.0%	15.0%	25.0%	90%	66%
45.3	ドゥラメンテ	45.3	45.3	0－2－2－17／21	0.0%	9.5%	19.0%	0%	52%
42.8	キングカメハメハ	44.4	42.8	0－3－0－14／17	0.0%	17.6%	17.6%	0%	39%
42.5	ハーツクライ	42.5	73.1	1－3－0－23／27	3.7%	14.8%	14.8%	14%	202%
40.3	ディープインパクト	43.3	40.3	2－1－1－21／25	8.0%	12.0%	16.0%	54%	26%
39.3	エピファネイア	39.3	39.4	0－1－0－9／10	0.0%	10.0%	10.0%	0%	21%
37.2	ハービンジャー	37.2	39.9	0－1－1－27／29	0.0%	3.4%	6.9%	0%	23%

ジョッキー偏差値ランキング

当該コース

ジョッキー偏差値	騎手	好走率偏差値	回収率偏差値	着別度数	勝率	連対率	3着内率	単勝回収率	複勝回収率
65.6	菱田裕二	65.7	65.6	2－4－0－5／11	18.2%	54.5%	54.5%	72%	139%
63.3	石橋脩	67.0	63.3	2－2－0－3／7	28.6%	57.1%	57.1%	365%	128%
62.7	田辺裕信	71.9	62.7	4－2－0－3／9	44.4%	66.7%	66.7%	202%	125%
57.7	菅原明良	63.4	57.7	0－2－3－5／10	0.0%	20.0%	50.0%	0%	102%
56.2	三浦皇成	71.9	56.2	0－1－3－2／6	0.0%	16.7%	66.7%	0%	95%
56.0	丸山元気	56.0	58.0	2－2－2－11／17	11.8%	23.5%	35.3%	121%	103%
53.8	津村明秀	63.4	53.8	1－2－0－3／6	16.7%	50.0%	50.0%	138%	83%
53.3	丹内祐次	58.3	53.3	2－0－4－9／15	13.3%	13.3%	40.0%	32%	81%
51.2	永島まなみ	57.1	51.2	2－1－0－5／8	25.0%	37.5%	37.5%	116%	71%
50.7	内田博幸	50.7	51.2	0－0－2－6／8	0.0%	0.0%	25.0%	0%	71%
50.1	富田暁	53.3	50.1	2－1－0－7／10	20.0%	30.0%	30.0%	148%	66%
49.3	黛弘人	49.3	58.5	1－0－1－7／9	11.1%	11.1%	22.2%	127%	105%
48.2	藤田菜七子	48.2	64.3	1－0－1－8／10	10.0%	10.0%	20.0%	475%	133%
46.5	角田大和	46.5	55.9	1－1－0－10／12	8.3%	16.7%	16.7%	197%	93%
46.5	武藤雅	46.5	49.9	0－1－1－10／12	0.0%	8.3%	16.7%	0%	65%

福島芝1200m

血統 マストバイデータ

父がビッグアーサー ×

枠番が1～4枠

3着内率 **50.0%** 複勝回収率 **170%**

着別度数	勝率	連対率	単勝回収率
5－8－5－18／36	13.9%	36.1%	52%

	着別度数	勝率	連対率	3着内率	単勝回収率	複勝回収率
直近1年	2－4－2－8／16	12.5%	37.5%	50.0%	65%	176%

伊吹メモ　福島芝1200mのレースを使ったビッグアーサー産駒は、集計期間中のトータルでも3着内率38.4%、複勝回収率104%。ただし、枠番が5～8枠だったレースは3着内率27.0%、複勝回収率40%です。今後も枠順はしっかりチェックしておきましょう。

父がキズナ ×

前走の着順が12着以内、かつ、前走の4コーナー通過順が2番手以下

3着内率 **44.7%** 複勝回収率 **175%**

着別度数	勝率	連対率	単勝回収率
15－8－11－42／76	19.7%	30.3%	285%

	着別度数	勝率	連対率	3着内率	単勝回収率	複勝回収率
直近1年	7－2－8－14／31	22.6%	29.0%	54.8%	284%	218%

伊吹メモ　福島芝のレースを使ったキズナ産駒は、集計期間中のトータルでも3着内率36.8%、複勝回収率128%。福島芝2600mを含め、満遍なく好成績をマークしています。福島芝1200～2000mの3コースは、大敗直後の馬や逃げ馬を除くとより堅実でした。

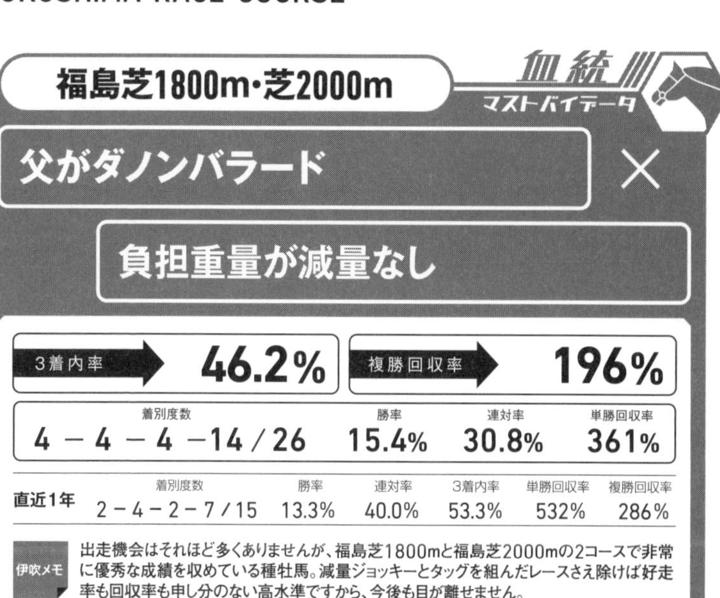

福島芝1800m・芝2000m

父がダノンバラード ×

負担重量が減量なし

3着内率	複勝回収率
46.2%	196%

着別度数	勝率	連対率	単勝回収率
4 − 4 − 4 −14 / 26	15.4%	30.8%	361%

	着別度数	勝率	連対率	3着内率	単勝回収率	複勝回収率
直近1年	2 − 4 − 2 − 7 / 15	13.3%	40.0%	53.3%	532%	286%

伊吹メモ　出走機会はそれほど多くありませんが、福島芝1800mと福島芝2000mの2コースで非常に優秀な成績を収めている種牡馬。減量ジョッキーとタッグを組んだレースさえ除けば好走率も回収率も申し分のない高水準ですから、今後も目が離せません。

福島芝2600m

父がステイゴールド系種牡馬 ×

出走頭数が12頭以上

3着内率	複勝回収率
44.9%	128%

着別度数	勝率	連対率	単勝回収率
13 − 4 −14 −38 / 69	18.8%	24.6%	198%

	着別度数	勝率	連対率	3着内率	単勝回収率	複勝回収率
直近1年	4 − 1 − 6 −13 / 24	16.7%	20.8%	45.8%	285%	162%

伊吹メモ　2023年4月16日の奥の細道特別(4歳以上2勝クラス)では、3頭しかいなかったステイゴールド系種牡馬の産駒がそのまま1〜3着を占め、3連単36万6380円の高額配当決着を演出。少頭数のレースであってもしっかりマークしておいた方が良さそうです。

福島ダ1150m

過去3年レース数 95
過去1年レース数 37

血統偏差値

要注目種牡馬

父か母の父がストームキャット系種牡馬 マストバイデータあり	➡P147
父がストロングリターン 血統偏差値60.1	3着内率 33.3% 複勝回収率 145%
父がエスポワールシチー 血統偏差値59.9	3着内率 39.1% 複勝回収率 117%
父がサウスヴィグラス 血統偏差値59.7	3着内率 36.4% 複勝回収率 117%

ジョッキー偏差値

要注目騎手

鞍上が菅原明良騎手 マストバイデータあり	➡P147
鞍上が田辺裕信騎手 マストバイデータあり	➡P148
鞍上が菱田裕二騎手 マストバイデータあり	➡P148
鞍上が松本大輝騎手 ジョッキー偏差値57.9	3着内率 33.3% 複勝回収率 138%

ヘニーヒューズの産駒は今後も目が離せない

集計期間中の3着内数がもっとも多かった種牡馬はヘニーヒューズ（23回）。2位のサウスヴィグラス（12回）らを大きく引き離す断然のトップでした。好走率や回収率が非常に高く、血統偏差値ランキングでも上位に食い込んでいます。年次別の成績もそれなりに安定していたので、ある程度は素直に信頼して良いでしょう。ちなみに、ヘニーヒューズの後継種牡馬であるアジアエクスプレスの産駒も、及第点と言える成績を収めていました。

ジョッキー別成績を見ると、3着内数は菅原明良騎手、戸崎圭太騎手、永島まなみ騎手（各13回）がトップタイ。菅原明良騎手は単複の回収率も非常に優秀でしたから、この夏もしっかりマークしておきたいところです。

血統偏差値ランキング

当該コース

血統偏差値	騎手	好走率偏差値	回収率偏差値	着別度数	勝率	連対率	3着内率	単勝回収率	複勝回収率
60.1	ストロングリターン	60.1	66.5	2-3-3-16/24	8.3%	20.8%	33.3%	31%	145%
59.9	エスポワールシチー	66.4	59.9	1-3-5-14/23	4.3%	17.4%	39.1%	10%	117%
59.7	サウスヴィグラス	63.4	59.7	6-1-5-21/33	18.2%	21.2%	36.4%	189%	117%
59.2	ヘニーヒューズ	61.2	59.2	6-10-7-44/67	9.0%	23.9%	34.3%	35%	115%
56.3	ドレフォン	58.5	56.3	3-2-2-15/22	13.6%	22.7%	31.8%	212%	103%
55.5	ビッグアーサー	56.5	55.5	1-3-2-14/20	5.0%	20.0%	30.0%	20%	100%
53.9	パイロ	53.9	66.1	4-1-3-21/29	13.8%	17.2%	27.6%	61%	143%
53.6	ザファクター	53.6	61.2	3-2-1-16/22	13.6%	22.7%	27.3%	450%	123%
53.5	カレンブラックヒル	63.4	53.5	3-2-3-14/22	13.6%	22.7%	36.4%	77%	91%
52.4	アジアエクスプレス	52.4	58.2	3-4-4-31/42	7.1%	16.7%	26.2%	34%	110%
49.2	リオンディーズ	49.8	49.2	1-3-1-16/21	4.8%	19.0%	23.8%	21%	74%
45.7	コパノリッキー	45.7	46.1	3-1-1-20/25	12.0%	16.0%	20.0%	55%	61%
41.2	ロードカナロア	41.2	41.6	6-1-2-48/57	10.5%	12.3%	15.8%	67%	43%
39.5	ディスクリートキャット	43.2	39.5	0-4-2-28/34	0.0%	11.8%	17.6%	0%	34%
37.9	キンシャサノキセキ	38.5	37.9	1-3-2-39/45	2.2%	8.9%	13.3%	7%	28%

ジョッキー偏差値ランキング

当該コース

ジョッキー偏差値	騎手	好走率偏差値	回収率偏差値	着別度数	勝率	連対率	3着内率	単勝回収率	複勝回収率
63.6	田辺裕信	74.8	63.6	5-2-4-9/20	25.0%	35.0%	55.0%	164%	137%
58.8	菅原明良	61.7	58.8	6-2-5-21/34	17.6%	23.5%	38.2%	352%	117%
57.9	松本大輝	57.9	63.9	4-2-3-18/27	14.8%	22.2%	33.3%	82%	138%
56.8	斎藤新	56.8	61.2	4-1-3-17/25	16.0%	20.0%	32.0%	173%	127%
56.7	津村明秀	56.7	64.6	1-4-2-15/22	4.5%	22.7%	31.8%	30%	141%
55.9	角田大和	57.0	55.9	5-4-1-21/31	16.1%	29.0%	32.3%	128%	105%
55.6	丹内祐次	57.1	55.6	3-4-4-23/34	8.8%	20.6%	32.4%	35%	104%
55.0	秋山稔樹	55.0	55.6	4-2-2-19/27	14.8%	22.2%	29.6%	201%	104%
52.4	木幡巧也	54.8	52.4	4-2-4-24/34	11.8%	17.6%	29.4%	198%	91%
52.2	横山琉人	52.2	53.5	1-3-2-17/23	4.3%	17.4%	26.1%	26%	96%
50.6	西村淳也	55.6	50.6	2-1-4-16/23	8.7%	13.0%	30.4%	64%	83%
49.4	永島まなみ	59.3	49.4	7-3-3-24/37	18.9%	27.0%	35.1%	115%	79%
48.0	戸崎圭太	68.1	48.0	5-3-5-15/28	17.9%	28.6%	46.4%	49%	73%
45.1	原優介	45.1	49.4	1-4-6-54/65	1.5%	7.7%	16.9%	13%	79%
39.9	永野猛蔵	45.9	39.9	1-2-4-32/39	2.6%	7.7%	17.9%	73%	40%

過去3年レース数 148
過去1年レース数 57

福島ダ1700m

血統偏差値

要注目種牡馬

父がシニスターミニスター マストバイデータあり	➡P149
父がグラスワンダー系種牡馬 マストバイデータあり	➡P150
父がオルフェーヴル 血統偏差値59.6	3着内率 29.3% 複勝回収率 173%
父がドレフォン 血統偏差値59.1	3着内率 29.3% 複勝回収率 99%

ジョッキー偏差値

要注目騎手

鞍上が菊沢一樹騎手 マストバイデータあり	➡P149
鞍上が田辺裕信騎手 マストバイデータあり	➡P148
鞍上が戸崎圭太騎手 マストバイデータあり	➡P150
鞍上が菱田裕二騎手 マストバイデータあり	➡P148

田辺裕信騎手のアベレージは神懸かり的な高水準

真っ先にチェックしておくべき種牡馬はシニスターミニスター。集計期間中の3着内数(28回)が断然のトップでしたし、好走率や回収率も他の主要な種牡馬より高い水準に達しています。23年11月5日の福島3R(3歳以上1勝クラス)では、単勝オッズ14・8倍(8番人気)のタロファイターが優勝を果たし、3連単46万5010円の高額配当決着に貢献。近走成績がいまひとつであっても侮れません。

ジョッキー部門で強調しておきたいのは田辺裕信騎手。集計期間中の出走数が規定数に満たなかったため、ジョッキー偏差値の集計対象からは外れているのですが、そんな状況下であっても3着内数17回、3着内率63・0%という驚異的な成績を収めていました。

血統偏差値ランキング

当該コース

血統偏差値	騎手	好走率偏差値	回収率偏差値	着別度数	勝率	連対率	3着内率	単勝回収率	複勝回収率
59.6	オルフェーヴル	59.6	82.7	7－1－4－29／41	17.1%	19.5%	29.3%	515%	173%
59.1	ドレフォン	59.6	59.1	5－4－3－29／41	12.2%	22.0%	29.3%	239%	99%
58.6	シニスターミニスター	71.3	58.6	11－6－11－48／76	14.5%	22.4%	36.8%	102%	97%
54.7	マジェスティックウォリアー	54.7	55.4	3－2－7－34／46	6.5%	10.9%	26.1%	70%	87%
52.3	キングカメハメハ	59.6	52.3	5－3－4－29／41	12.2%	19.5%	29.3%	82%	77%
51.1	パイロ	65.9	51.1	4－3－6－26／39	10.3%	17.9%	33.3%	108%	73%
48.4	ルーラーシップ	48.4	51.8	3－4－6－46／59	5.1%	11.9%	22.0%	171%	75%
48.1	キンシャサノキセキ	48.1	48.1	5－5－2－43／55	9.1%	18.2%	21.8%	87%	64%
44.7	エピファネイア	50.4	44.7	3－1－3－23／30	10.0%	13.3%	23.3%	96%	53%
44.6	ヘニーヒューズ	57.3	44.6	5－5－5－39／54	9.3%	18.5%	27.8%	43%	53%
44.4	モーリス	47.2	44.4	2－4－1－26／33	6.1%	18.2%	21.2%	56%	52%
43.9	ドゥラメンテ	50.7	43.9	3－2－3－26／34	8.8%	14.7%	23.5%	24%	50%
42.5	キズナ	42.5	43.4	3－2－1－27／33	9.1%	15.2%	18.2%	76%	49%
42.5	マクフィ	42.5	58.9	2－1－3－27／33	6.1%	9.1%	18.2%	72%	98%
38.3	ホッコータルマエ	42.1	38.3	3－2－2－32／39	7.7%	12.8%	17.9%	48%	33%

ジョッキー偏差値ランキング

当該コース

ジョッキー偏差値	騎手	好走率偏差値	回収率偏差値	着別度数	勝率	連対率	3着内率	単勝回収率	複勝回収率
61.0	菱田裕二	63.3	61.0	8－4－2－27／41	19.5%	29.3%	34.1%	227%	120%
57.6	亀田温心	57.6	67.0	3－4－5－30／42	7.1%	16.7%	28.6%	49%	146%
56.5	菊沢一樹	56.5	83.8	8－3－8－50／69	11.6%	15.9%	27.5%	329%	222%
54.4	戸崎圭太	72.3	54.4	11－3－4－24／42	26.2%	33.3%	42.9%	110%	90%
52.0	三浦皇成	66.1	52.0	2－7－5－24／38	5.3%	23.7%	36.8%	43%	79%
51.1	内田博幸	51.1	51.5	3－2－5－35／45	6.7%	11.1%	22.2%	121%	77%
51.0	菅原明良	62.5	51.0	3－9－6－36／54	5.6%	22.2%	33.3%	51%	75%
50.5	斎藤新	51.5	50.5	3－4－5－41／53	5.7%	13.2%	22.6%	65%	73%
50.0	永野猛蔵	52.9	50.0	2－7－3－38／50	4.0%	18.0%	24.0%	47%	70%
49.8	横山琉人	50.6	49.8	6－2－2－36／46	13.0%	17.4%	21.7%	212%	69%
49.1	西村淳也	55.0	49.1	6－6－1－37／50	12.0%	24.0%	26.0%	85%	66%
47.6	佐々木大輔	47.6	55.4	5－3－2－43／53	9.4%	15.1%	18.9%	223%	95%
47.0	原優介	47.0	56.8	4－2－9－67／82	4.9%	7.3%	18.3%	420%	101%
46.1	丹内祐次	50.6	46.1	1－5－4－36／46	2.2%	13.0%	21.7%	9%	53%
45.2	武藤雅	46.5	45.2	2－5－4－51／62	3.2%	11.3%	17.7%	35%	49%

過去3年 レース数	6	過去1年 レース数	2

福島ダ2400m

血統偏差値ランキング

当該コース

血統偏差値	種牡馬	好走率偏差値	回収率偏差値	着別度数	勝率	連対率	3着内率	単勝回収率	複勝回収率
64.5	ハービンジャー	64.5	77.1	1－0－0－1／2	50.0%	50.0%	50.0%	1365%	275%
61.1	ブラックタイド	64.5	61.1	0－1－1－2／4	0.0%	25.0%	50.0%	0%	147%
53.7	フェノーメノ	59.7	53.7	0－2－0－3／5	0.0%	40.0%	40.0%	0%	88%
52.3	ベルシャザール	56.4	52.3	0－0－1－2／3	0.0%	0.0%	33.3%	0%	76%
51.0	ディープインパクト	56.4	51.0	0－1－0－2／3	0.0%	33.3%	33.3%	0%	66%
48.9	スピルバーグ	56.4	48.9	0－1－0－2／3	0.0%	33.3%	33.3%	0%	50%
40.3	ジャスタウェイ	40.3	42.7	0－0－0－2／2	0.0%	0.0%	0.0%	0%	0%
40.3	ドレフォン	40.3	42.7	0－0－0－2／2	0.0%	0.0%	0.0%	0%	0%
40.3	ハーツクライ	40.3	42.7	0－0－0－5／5	0.0%	0.0%	0.0%	0%	0%
40.3	マジェスティックウォリアー	40.3	42.7	0－0－0－3／3	0.0%	0.0%	0.0%	0%	0%

ジョッキー偏差値ランキング

当該コース

ジョッキー偏差値	騎手	好走率偏差値	回収率偏差値	着別度数	勝率	連対率	3着内率	単勝回収率	複勝回収率
62.9	黛弘人	62.9	65.1	0－0－1－1／2	0.0%	0.0%	50.0%	0%	160%
60.1	横山琉人	62.9	60.1	0－1－0－1／2	0.0%	50.0%	50.0%	0%	125%
59.4	川端海翼	62.9	59.4	1－0－0－1／2	50.0%	50.0%	50.0%	325%	120%
55.9	丸田恭介	62.9	55.9	0－1－0－1／2	0.0%	50.0%	50.0%	0%	95%
53.1	菱田裕二	62.9	53.1	1－0－0－1／2	50.0%	50.0%	50.0%	165%	75%
51.9	亀田温心	55.4	51.9	0－1－0－2／3	0.0%	33.3%	33.3%	0%	66%
49.6	富田暁	55.4	49.6	0－1－0－2／3	0.0%	33.3%	33.3%	0%	50%
49.1	秋山稔樹	55.4	49.1	0－0－1－2／3	0.0%	0.0%	33.3%	0%	46%
48.9	泉谷楓真	51.7	48.9	1－0－0－3／4	25.0%	25.0%	25.0%	122%	45%
40.5	小沢大仁	40.5	42.6	0－0－0－2／2	0.0%	0.0%	0.0%	0%	0%

強いて言えばノーザンダンサー系種牡馬の産駒が狙い目

集計期間中に施行された福島ダ2400mのレースは6鞍。延べ18頭いた3着以内馬の鞍上は、すべて異なるジョッキーでした。出走数が2回以上のジョッキーは計20名もいましたから、これはなかなか珍しい事態と言えそう。騎手というファクターが参考にならないコースと見るべきでしょう。

種牡馬別成績を見ても、3着以内となった回数が2回以上なのはフェノーメノとブラックタイド（各2回）だけ。ただし、ノーザンダンサー系種牡馬の産駒は3着内数4回、3着内率36.4%、複勝回収率128%と、非常に堅実です。

※「父がグラスワンダー系種牡馬」の馬（→P150）は、このコースで適用可能な「マストバイデータ」あり

福島ダ1150m

父か母の父がストームキャット系種牡馬 ×

前走の着順が4着以内

3着内率	複勝回収率
50.7%	149%

着別度数	勝率	連対率	単勝回収率
12－17－9－37／75	16.0%	38.7%	85%

	着別度数	勝率	連対率	3着内率	単勝回収率	複勝回収率
直近1年	7－6－4－9／26	26.9%	50.0%	65.4%	125%	107%

伊吹メモ ストームキャット系種牡馬の産駒はもちろん、母の父にストームキャット系種牡馬を持つ馬も見逃せないコース。前走好走馬に限れば堅実でしたし、近年は人気の盲点になってしまうケースが多く、好走率も申し分のない高水準に達しています。

福島ダ1150m

鞍上が菅原明良騎手 ×

馬齢が4歳以下

3着内率	複勝回収率
41.9%	129%

着別度数	勝率	連対率	単勝回収率
6－2－5－18／31	19.4%	25.8%	387%

	着別度数	勝率	連対率	3着内率	単勝回収率	複勝回収率
直近1年	2－1－2－4／9	22.2%	33.3%	55.6%	137%	122%

伊吹メモ 2021年7月3日の福島12R（3歳以上1勝クラス）では、単勝オッズ76.7倍（13番人気）のココラを優勝に導き、3連単70万6620円の高額配当決着を演出。2023年の該当馬も3着内率55.6%、複勝回収率122%だったので、引き続き注目しておきましょう。

福島ダ1150m・ダ1700m

鞍上が田辺裕信騎手 ×

（無条件）

3着内率	複勝回収率
59.6%	129%

着別度数	勝率	連対率	単勝回収率
13－7－8－19/47	27.7%	42.6%	120%

	着別度数	勝率	連対率	3着内率	単勝回収率	複勝回収率
直近1年	4－3－1－7/15	26.7%	46.7%	53.3%	121%	107%

伊吹メモ　昨年度版でもほぼ同様の条件を「マストバイデータ」としましたが、福島ダの田辺裕信騎手は無条件で連軸に指名して良いくらいの好成績。好走率が非常に高い一方、過剰人気してしまうケースはそれほどないので、逆らう必要はありません。

福島ダ1150m・ダ1700m

鞍上が菱田裕二騎手 ×

性が牡・セン

3着内率	複勝回収率
45.0%	155%

着別度数	勝率	連対率	単勝回収率
8－6－4－22/40	20.0%	35.0%	233%

	着別度数	勝率	連対率	3着内率	単勝回収率	複勝回収率
直近1年	3－2－1－8/14	21.4%	35.7%	42.9%	316%	125%

伊吹メモ　福島ダ1150～1700mの菱田裕二騎手は、集計期間中のトータルでも3着内率37.7%、複勝回収率119%。ただし、牝馬とタッグを組んだレースは3着内率21.1%、複勝回収率50%だったので、牡馬やセン馬に騎乗するレースを狙った方が良さそうです。

福島ダ1700m

父がシニスターミニスター ×

前走の着順が8着以内

3着内率	複勝回収率
46.8%	121%

着別度数	勝率	連対率	単勝回収率
10－5－7－25/47	21.3%	31.9%	157%

	着別度数	勝率	連対率	3着内率	単勝回収率	複勝回収率
直近1年	5－3－3－7/18	27.8%	44.4%	61.1%	250%	165%

伊吹メモ　2023年7月9日の天の川賞（3歳以上2勝クラス）では、単勝オッズ14.7倍（5番人気）のアシタガアルサが優勝を果たし、好配当決着に貢献。近走成績の悪い馬までマークする必要はなさそうですから、心理的にも狙いやすいのではないかと思います。

福島ダ1700m

鞍上が菊沢一樹騎手 ×

前走の着順が12着以内、かつ、前走の4コーナー通過順が10番手以内

3着内率	複勝回収率
40.5%	352%

着別度数	勝率	連対率	単勝回収率
8－2－7－25/42	19.0%	23.8%	540%

	着別度数	勝率	連対率	3着内率	単勝回収率	複勝回収率
直近1年	1－1－4－11/17	5.9%	11.8%	35.3%	83%	503%

伊吹メモ　福島ダ1700mの菊沢一樹騎手は、集計期間中のトータルだと3着内率が27.5%どまり。ただし、前走の着順が12着以内、かつ前走の4コーナー通過順が10番手以内だった馬に限れば堅実ですし、複勝回収率はとんでもない高水準に達していました。

東京 中山 京都 阪神 福島 新潟 中京 小倉 札幌 函館

福島ダ1700m

鞍上が戸崎圭太騎手 ×

馬番が1～10番、かつ、前走のコースがダ

3着内率	複勝回収率
56.0%	124%

着別度数	勝率	連対率	単勝回収率
9－2－3－11／25	36.0%	44.0%	150%

	着別度数	勝率	連対率	3着内率	単勝回収率	複勝回収率
直近1年	4－1－1－2／8	50.0%	62.5%	75.0%	230%	133%

伊吹メモ　参戦機会はそれほど多くないものの、好走率が高いうえ、配当的な妙味もまずまず。2023年7月23日の横手特別（3歳以上2勝クラス）では単勝オッズ9.4倍（5番人気）のロードバルドルを優勝に導いていましたし、引き続き注目しておきましょう。

福島ダ1700m・ダ2400m

父がグラスワンダー系種牡馬 ×

前走の馬体重が450kg以上、かつ、前走の出走頭数が11頭以上

3着内率	複勝回収率
42.2%	166%

着別度数	勝率	連対率	単勝回収率
6－6－7－26／45	13.3%	26.7%	79%

	着別度数	勝率	連対率	3着内率	単勝回収率	複勝回収率
直近1年	2－1－6－9／18	11.1%	16.7%	50.0%	40%	267%

伊吹メモ　父にグラスワンダー系種牡馬を持つ馬は、福島ダ1150mのレースも単勝回収率160%、複勝回収率137%。もっとも、好走率は中長距離の方が圧倒的に高く、小柄な馬や前走が少頭数のレースだった馬を除けば、回収率も申し分ありません。

新潟競馬場

NIIGATA RACE COURSE

芝		
一周距離	1,623m(内)	2,223m(外)
直線距離	358.7m (内)	658.7m (外)
高低差	0.8m (内)	2.2m(外)

ダート	
一周距離	1,472.5m
直線距離	353.9m
高低差	0.6m

過去3年レース数 66
過去1年レース数 22

新潟芝1000m直

血統偏差値

要注目種牡馬

父がダイワメジャー マストバイデータあり	➡P170
父がマクフィ 血統偏差値62.2	3着内率 35.7% 複勝回収率 180%
父がオルフェーヴル 血統偏差値56.4	3着内率 28.6% 複勝回収率 136%
父がアドマイヤムーン 血統偏差値52.0	3着内率 22.2% 複勝回収率 153%

ジョッキー偏差値

要注目騎手

鞍上が西村淳也騎手 ジョッキー偏差値63.3	3着内率 35.3% 複勝回収率 200%
鞍上が津村明秀騎手 ジョッキー偏差値57.6	3着内率 36.4% 複勝回収率 152%
鞍上が菅原明良騎手 ジョッキー偏差値55.7	3着内率 31.3% 複勝回収率 136%
鞍上が菊沢一樹騎手 ジョッキー偏差値53.8	3着内率 27.0% 複勝回収率 120%

ダイワメジャー産駒やロードカナロア産駒が中心

昨年度版でも指摘した通り、新潟芝1000m直のロードカナロア産駒は、4歳以下の産駒が思いのほか苦戦している一方で、5歳以上の産駒に限ると好走率も回収率も高水準。23年も、全体的な成績は22年以前より地味でしたが、5歳以上のロードカナロア産駒がちょくちょく穴をあけていました。

このロードカナロアと同等以上に高く評価できるのがダイワメジャー。こちらは集計期間中のトータルでも3着内率が33・3%に達していますし、年次ごとの成績も安定しています。

ジョッキー別成績を見ると、3着内数が比較的多かったのは菊沢一樹騎手、菅原明良騎手、丹内祐次騎手、津村明秀騎手あたり。この4名はジョッキー偏差値も及第点と言える数字です。

血統偏差値ランキング

当該コース

血統偏差値	騎手	好走率偏差値	回収率偏差値	着別度数	勝率	連対率	3着内率	単勝回収率	複勝回収率
62.2	マクフィ	66.1	62.2	3－0－2－9／14	21.4%	21.4%	35.7%	344%	180%
56.4	オルフェーヴル	58.7	56.4	1－2－1－10／14	7.1%	21.4%	28.6%	63%	136%
52.0	アドマイヤムーン	52.0	58.7	2－2－2－21／27	7.4%	14.8%	22.2%	24%	153%
51.8	ロードカナロア	52.8	51.8	4－4－9－57／74	5.4%	10.8%	23.0%	159%	101%
51.3	ダイワメジャー	63.7	51.3	5－6－6－34／51	9.8%	21.6%	33.3%	50%	98%
51.1	シルバーステート	66.1	51.1	3－1－1－9／14	21.4%	28.6%	35.7%	92%	97%
50.3	ベーカバド	51.2	50.3	0－2－1－11／14	0.0%	14.3%	21.4%	0%	90%
49.2	ザファクター	66.1	49.2	2－1－2－9／14	14.3%	21.4%	35.7%	41%	82%
48.3	ディープブリランテ	50.8	48.3	0－0－4－15／19	0.0%	0.0%	21.1%	0%	76%
46.8	キズナ	46.8	49.1	0－2－3－24／29	0.0%	6.9%	17.2%	0%	81%
45.7	ダノンレジェンド	49.7	45.7	1－2－2－20／25	4.0%	12.0%	20.0%	11%	56%
45.7	ディスクリートキャット	52.4	45.7	1－5－1－24／31	3.2%	19.4%	22.6%	22%	56%
45.5	スクリーンヒーロー	45.5	47.6	1－2－1－21／25	4.0%	12.0%	16.0%	134%	70%
44.6	ジョーカプチーノ	44.6	46.1	1－1－3－28／33	3.0%	6.1%	15.2%	134%	59%
43.3	アメリカンペイトリオット	47.2	43.3	2－1－0－14／17	11.8%	17.6%	17.6%	84%	38%

ジョッキー偏差値ランキング

当該コース

ジョッキー偏差値	騎手	好走率偏差値	回収率偏差値	着別度数	勝率	連対率	3着内率	単勝回収率	複勝回収率
63.3	西村淳也	68.1	63.3	1－2－3－11／17	5.9%	17.6%	35.3%	30%	200%
57.6	津村明秀	69.2	57.6	4－5－3－21／33	12.1%	27.3%	36.4%	251%	152%
55.7	菅原明良	63.9	55.7	5－3－2－22／32	15.6%	25.0%	31.3%	93%	136%
53.8	菊沢一樹	59.5	53.8	5－4－1－27／37	13.5%	24.3%	27.0%	160%	120%
53.5	丸山元気	66.0	53.5	1－4－3－16／24	4.2%	20.8%	33.3%	42%	117%
50.5	丹内祐次	62.9	50.5	4－5－1－23／33	12.1%	27.3%	30.3%	154%	93%
50.3	菱田裕二	50.3	50.9	2－1－1－18／22	9.1%	13.6%	18.2%	25%	96%
48.2	杉原誠人	57.4	48.2	3－3－3－27／36	8.3%	16.7%	25.0%	64%	73%
47.9	松本大輝	51.2	47.9	1－2－1－17／21	4.8%	14.3%	19.0%	49%	70%
47.9	武藤雅	48.8	47.9	1－3－0－20／24	4.2%	16.7%	16.7%	71%	70%
47.7	藤田菜七子	50.5	47.7	2－3－4－40／49	4.1%	10.2%	18.4%	16%	68%
47.2	斎藤新	48.8	47.2	0－0－4－20／24	0.0%	0.0%	16.7%	0%	65%
47.2	嶋田純次	52.2	47.2	2－4－3－36／45	4.4%	13.3%	20.0%	18%	64%
46.8	原優介	49.8	46.8	1－2－3－28／34	2.9%	8.8%	17.6%	65%	61%
45.8	小林脩斗	45.8	47.2	1－0－3－25／29	3.4%	3.4%	13.8%	18%	64%

過去3年レース数	62
過去1年レース数	15

新潟芝1200m内

血統偏差値

要注目種牡馬

	3着内率	複勝回収率
父がダイワメジャー 血統偏差値57.9	39.4%	116%
父がマクフィ 血統偏差値57.8	31.3%	116%
父がオルフェーヴル 血統偏差値57.4	43.8%	114%
父がマツリダゴッホ 血統偏差値54.7	33.3%	101%

ジョッキー偏差値

要注目騎手

	3着内率	複勝回収率
鞍上が石橋脩騎手 ジョッキー偏差値80.2	53.8%	270%
鞍上が丹内祐次騎手 ジョッキー偏差値56.9	34.5%	113%
鞍上が亀田温心騎手 ジョッキー偏差値56.5	26.9%	132%
鞍上が菱田裕二騎手 ジョッキー偏差値55.9	33.3%	107%

ダイワメジャー産駒の活躍が目立っている

血統偏差値ランキングでトップに立っていたのはダイワメジャー。3着内率は39・4％に、複勝回収率は116％に達していましたし、3着内数（13回）もロードカナロア（14回）に次ぐ単独2位でした。近年は種付け数が減っていたうえ、24年は種付けを行わないことになったそうですが、まだまだ現役の産駒はたくさんいますから、引き続きマークしておきましょう。

集計期間中の3着内数がもっとも多かったジョッキーは丹内祐次騎手。好走率や回収率も申し分のない高水準です。あとはジョッキー偏差値トップの石橋脩騎手あたりも見逃せない存在。参戦機会はそれほど多くなかったものの、コンスタントに波乱を演出していたので、今後も目が離せません。

血統偏差値ランキング

当該コース

血統偏差値	騎手	好走率偏差値	回収率偏差値	着別度数	勝率	連対率	3着内率	単勝回収率	複勝回収率
57.9	ダイワメジャー	67.4	57.9	5－4－4－20／33	15.2%	27.3%	39.4%	59%	116%
57.8	マクフィ	59.6	57.8	3－1－1－11／16	18.8%	25.0%	31.3%	415%	116%
57.4	オルフェーヴル	71.6	57.4	3－1－3－9／16	18.8%	25.0%	43.8%	79%	114%
54.7	マツリダゴッホ	61.6	54.7	2－2－2－12／18	11.1%	22.2%	33.3%	70%	101%
54.5	キズナ	54.5	68.9	2－2－3－20／27	7.4%	14.8%	25.9%	423%	169%
53.6	ディープブリランテ	53.6	71.8	2－1－1－12／16	12.5%	18.8%	25.0%	189%	183%
51.8	ルーラーシップ	55.2	51.8	0－1－3－11／15	0.0%	6.7%	26.7%	0%	87%
49.4	リオンディーズ	53.6	49.4	2－3－0－15／20	10.0%	25.0%	25.0%	60%	76%
49.0	ロードカナロア	55.0	49.0	5－4－5－39／53	9.4%	17.0%	26.4%	39%	74%
48.5	モーリス	58.1	48.5	4－4－0－19／27	14.8%	29.6%	29.6%	58%	71%
47.7	ハービンジャー	47.7	61.4	1－1－1－13／16	6.3%	12.5%	18.8%	15%	133%
45.7	キンシャサノキセキ	45.7	47.7	2－2－1－25／30	6.7%	13.3%	16.7%	62%	67%
43.3	ビッグアーサー	49.4	43.3	2－2－3－27／34	5.9%	11.8%	20.6%	39%	46%
42.2	スクリーンヒーロー	42.2	56.1	1－1－1－20／23	4.3%	8.7%	13.0%	12%	108%
38.5	エピファネイア	40.4	38.5	1－1－1－24／27	3.7%	7.4%	11.1%	12%	23%

ジョッキー偏差値ランキング

当該コース

ジョッキー偏差値	騎手	好走率偏差値	回収率偏差値	着別度数	勝率	連対率	3着内率	単勝回収率	複勝回収率
80.2	石橋脩	80.2	81.1	3－1－3－6／13	23.1%	30.8%	53.8%	205%	270%
56.9	丹内祐次	63.2	56.9	3－3－4－19／29	10.3%	20.7%	34.5%	68%	113%
56.5	亀田温心	56.5	59.9	1－5－1－19／26	3.8%	23.1%	26.9%	33%	132%
55.9	菱田裕二	62.1	55.9	4－4－1－18／27	14.8%	29.6%	33.3%	87%	107%
52.5	佐々木大輔	54.8	52.5	0－2－2－12／16	0.0%	12.5%	25.0%	0%	85%
52.0	勝浦正樹	52.0	69.5	3－0－2－18／23	13.0%	13.0%	21.7%	146%	194%
51.8	富田暁	59.6	51.8	2－2－3－16／23	8.7%	17.4%	30.4%	26%	80%
51.5	菊沢一樹	51.5	72.6	1－2－4－26／33	3.0%	9.1%	21.2%	333%	215%
50.8	西村淳也	55.6	50.8	3－3－1－20／27	11.1%	22.2%	25.9%	79%	74%
48.9	吉田隼人	60.6	48.9	2－2－2－13／19	10.5%	21.1%	31.6%	25%	62%
47.8	泉谷楓真	58.0	47.8	1－0－3－10／14	7.1%	7.1%	28.6%	29%	55%
46.5	丸山元気	49.6	46.5	0－2－2－17／21	0.0%	9.5%	19.0%	0%	46%
45.7	原優介	47.5	45.7	1－1－2－20／24	4.2%	8.3%	16.7%	14%	41%
45.0	菅原明良	50.4	45.0	4－0－1－20／25	16.0%	16.0%	20.0%	72%	36%
44.6	松本大輝	45.9	44.6	1－1－2－23／27	3.7%	7.4%	14.8%	19%	33%

過去3年レース数 69

過去1年レース数 23

新潟芝1400m内

血統偏差値

要注目種牡馬

父がロードカナロア マストバイデータあり	➡P170	
父がジャスタウェイ 血統偏差値61.4	3着内率 36.4%	複勝回収率 124%
父がイスラボニータ 血統偏差値57.9	3着内率 42.9%	複勝回収率 110%
父がヴィクトワールピサ 血統偏差値55.9	3着内率 28.6%	複勝回収率 105%

ジョッキー偏差値

要注目騎手

鞍上が菱田裕二騎手 ジョッキー偏差値59.1	3着内率 35.0%	複勝回収率 146%
鞍上が津村明秀騎手 ジョッキー偏差値56.3	3着内率 40.0%	複勝回収率 125%
鞍上が木幡巧也騎手 ジョッキー偏差値55.2	3着内率 23.5%	複勝回収率 356%
鞍上が西村淳也騎手 ジョッキー偏差値53.3	3着内率 38.9%	複勝回収率 102%

ロードカナロア産駒や津村明秀騎手が好成績

真っ先にチェックしておきたい種牡馬はロードカナロア。集計期間中の3着内数(17回)が頭ひとつ抜けたトップだったうえ、好走率や回収率も及第点の水準に達しています。23年10月15日の信越S(3歳以上オープン)では、単勝オッズ34・8倍(12番人気)のグランデマーレが2着に、同12・8倍(6番人気)のルプリュフォールが3着に好走。妙味ある産駒を見逃さないよう、常に意識しておきましょう。

ジョッキー別の3着内数を見ると、トップは津村明秀騎手(12回)。3着内率は40・0%に、複勝回収率は125%に達していて、ジョッキー偏差値ランキングでも2位に食い込んでいました。思いのほか過小評価されてしまうことが多いので、今後も要注意です。

血統偏差値ランキング

当該コース

血統偏差値	騎手	好走率偏差値	回収率偏差値	着別度数	勝率	連対率	3着内率	単勝回収率	複勝回収率
61.4	ジャスタウェイ	63.8	61.4	3－2－3－14／22	13.6%	22.7%	36.4%	400%	124%
57.9	イスラボニータ	70.4	57.9	2－1－3－8／14	14.3%	21.4%	42.9%	370%	110%
55.9	ヴィクトワールピサ	55.9	56.9	4－0－0－10／14	28.6%	28.6%	28.6%	355%	105%
55.9	ジョーカプチーノ	55.9	59.1	1－2－1－10／14	7.1%	21.4%	28.6%	30%	115%
55.2	エピファネイア	55.2	55.4	4－5－3－31／43	9.3%	20.9%	27.9%	170%	99%
54.5	モーリス	54.5	72.6	6－3－0－24／33	18.2%	27.3%	27.3%	483%	171%
53.9	キズナ	53.9	58.2	1－2－5－22／30	3.3%	10.0%	26.7%	12%	111%
53.8	ミッキーアイル	60.7	53.8	2－2－1－10／15	13.3%	26.7%	33.3%	164%	92%
53.6	ロードカナロア	56.1	53.6	8－6－3－42／59	13.6%	23.7%	28.8%	170%	92%
52.0	ドレフォン	58.9	52.0	1－2－3－13／19	5.3%	15.8%	31.6%	15%	85%
50.5	スクリーンヒーロー	50.5	63.7	1－2－4－23／30	3.3%	10.0%	23.3%	137%	134%
50.1	ダイワメジャー	61.7	50.1	5－2－5－23／35	14.3%	20.0%	34.3%	104%	77%
47.3	ドゥラメンテ	57.3	47.3	1－4－4－21／30	3.3%	16.7%	30.0%	12%	65%
47.1	ルーラーシップ	47.1	47.6	0－3－3－24／30	0.0%	10.0%	20.0%	0%	67%
40.6	ディープインパクト	40.6	57.6	2－2－1－32／37	5.4%	10.8%	13.5%	278%	108%

ジョッキー偏差値ランキング

当該コース

ジョッキー偏差値	騎手	好走率偏差値	回収率偏差値	着別度数	勝率	連対率	3着内率	単勝回収率	複勝回収率
59.1	菱田裕二	64.9	59.1	2－3－2－13／20	10.0%	25.0%	35.0%	100%	146%
56.3	津村明秀	69.2	56.3	3－4－5－18／30	10.0%	23.3%	40.0%	59%	125%
55.2	木幡巧也	55.2	86.8	2－2－0－13／17	11.8%	23.5%	23.5%	201%	356%
53.3	西村淳也	68.2	53.3	1－3－3－11／18	5.6%	22.2%	38.9%	228%	102%
53.0	柴田大知	53.0	56.7	1－2－1－15／19	5.3%	15.8%	21.1%	317%	128%
52.8	富田暁	57.5	52.8	1－2－2－14／19	5.3%	15.8%	26.3%	33%	98%
50.3	丹内祐次	58.3	50.3	0－4－2－16／22	0.0%	18.2%	27.3%	0%	80%
50.1	戸崎圭太	67.9	50.1	5－3－2－16／26	19.2%	30.8%	38.5%	78%	78%
49.3	杉原誠人	49.3	50.7	1－2－1－20／24	4.2%	12.5%	16.7%	262%	82%
49.2	三浦皇成	64.7	49.2	1－5－2－15／23	4.3%	26.1%	34.8%	17%	71%
48.5	石橋脩	50.9	48.5	3－1－1－22／27	11.1%	14.8%	18.5%	136%	66%
48.4	丸山元気	54.0	48.4	0－3－1－14／18	0.0%	16.7%	22.2%	0%	66%
47.5	菅原明良	55.8	47.5	3－2－4－28／37	8.1%	13.5%	24.3%	50%	59%
45.3	M.デムーロ	55.6	45.3	3－0－3－19／25	12.0%	12.0%	24.0%	69%	42%
44.2	藤田菜七子	48.2	44.2	2－1－1－22／26	7.7%	11.5%	15.4%	45%	34%

過去3年レース数 88
過去1年レース数 27

新潟芝1600m外

血統偏差値

要注目種牡馬

父がロードカナロア マストバイデータあり	➡P170
父がスクリーンヒーロー 血統偏差値65.9	3着内率 55.0% 複勝回収率 130%
父がゴールドシップ 血統偏差値59.4	3着内率 33.3% 複勝回収率 180%
父がダイワメジャー 血統偏差値56.8	3着内率 31.0% 複勝回収率 101%

ジョッキー偏差値

要注目騎手

鞍上が津村明秀騎手 ジョッキー偏差値60.4	3着内率 37.0% 複勝回収率 145%
鞍上が川田将雅騎手 ジョッキー偏差値57.3	3着内率 76.2% 複勝回収率 106%
鞍上がM.デムーロ騎手 ジョッキー偏差値56.8	3着内率 31.4% 複勝回収率 118%
鞍上が西村淳也騎手 ジョッキー偏差値55.8	3着内率 35.7% 複勝回収率 98%

ここもロードカナロア産駒や津村明秀騎手が強い

新潟芝1400m内と新潟芝1600m外は、距離こそ1ハロンしか変わらないものの、形態が大きく異なるコース。しかし、新潟芝1400m内でまずまずの成績を収めていたロードカナロアは、この新潟芝1600m外でも優秀な数字をマークしています。23年に限れば3着内率36・4%、複勝回収率259%でしたから、これからさらに良化していくかもしれません。

同様に、新潟芝1400m内の成績が良かった津村明秀騎手は、この新潟芝1600m外においても絶好の狙い目。集計期間中の3着内数(17回)がもっとも多かったうえ、ジョッキー偏差値ランキングでも首位に君臨していました。あとは好走率が非常に高かった川田将雅騎手も注目すべき存在です。

NIIGATA RACE COURSE

血統偏差値ランキング

当該コース

血統偏差値	騎手	好走率偏差値	回収率偏差値	着別度数	勝率	連対率	3着内率	単勝回収率	複勝回収率
65.9	スクリーンヒーロー	83.8	65.9	4-3-4-9/20	20.0%	35.0%	55.0%	73%	130%
59.4	ゴールドシップ	59.4	79.3	1-4-2-14/21	4.8%	23.8%	33.3%	175%	180%
56.8	ダイワメジャー	56.8	58.1	3-0-6-20/29	10.3%	10.3%	31.0%	33%	101%
53.8	ロードカナロア	53.8	62.2	6-4-9-48/67	9.0%	14.9%	28.4%	37%	116%
49.6	ディープインパクト	49.6	50.6	6-5-5-49/65	9.2%	16.9%	24.6%	34%	73%
46.7	エピファネイア	52.9	46.7	8-5-3-42/58	13.8%	22.4%	27.6%	101%	58%
45.0	ハーツクライ	45.0	46.1	4-2-2-31/39	10.3%	15.4%	20.5%	52%	56%
45.0	リオンディーズ	54.7	45.0	2-2-3-17/24	8.3%	16.7%	29.2%	75%	52%
44.4	オルフェーヴル	44.4	56.6	2-3-2-28/35	5.7%	14.3%	20.0%	142%	95%
44.2	シルバーステート	50.0	44.2	1-3-1-15/20	5.0%	20.0%	25.0%	8%	49%
43.8	ルーラーシップ	43.8	49.5	3-1-3-29/36	8.3%	11.1%	19.4%	53%	68%
42.7	キズナ	48.8	42.7	5-3-3-35/46	10.9%	17.4%	23.9%	48%	43%
42.4	ドゥラメンテ	52.8	42.4	4-5-2-29/40	10.0%	22.5%	27.5%	31%	42%
42.1	ハービンジャー	42.1	44.4	1-4-2-32/39	2.6%	12.8%	17.9%	17%	50%
41.6	モーリス	50.0	41.6	2-8-4-42/56	3.6%	17.9%	25.0%	13%	39%

ジョッキー偏差値ランキング

当該コース

ジョッキー偏差値	騎手	好走率偏差値	回収率偏差値	着別度数	勝率	連対率	3着内率	単勝回収率	複勝回収率
60.4	津村明秀	60.4	64.9	3-6-8-29/46	6.5%	19.6%	37.0%	191%	145%
57.3	川田将雅	86.0	57.3	10-2-4-5/21	47.6%	57.1%	76.2%	146%	106%
56.8	M.デムーロ	56.8	59.6	2-5-4-24/35	5.7%	20.0%	31.4%	19%	118%
55.8	西村淳也	59.6	55.8	2-3-5-18/28	7.1%	17.9%	35.7%	67%	98%
53.3	柴田大知	53.3	63.8	0-2-4-17/23	0.0%	8.7%	26.1%	0%	139%
50.7	菅原明良	58.5	50.7	6-7-2-29/44	13.6%	29.5%	34.1%	72%	73%
50.2	丸山元気	50.2	64.0	0-3-3-22/28	0.0%	10.7%	21.4%	0%	140%
49.7	石橋脩	49.7	62.6	1-3-3-27/34	2.9%	11.8%	20.6%	7%	133%
48.9	三浦皇成	51.7	48.9	6-2-1-29/38	15.8%	21.1%	23.7%	184%	64%
48.7	菊沢一樹	48.7	54.3	0-1-3-17/21	0.0%	4.8%	19.0%	0%	91%
47.2	田辺裕信	47.8	47.2	1-3-2-28/34	2.9%	11.8%	17.6%	28%	56%
46.9	松山弘平	58.0	46.9	2-4-2-16/24	8.3%	25.0%	33.3%	16%	54%
46.0	菱田裕二	46.0	46.1	0-3-0-17/20	0.0%	15.0%	15.0%	0%	50%
45.7	戸崎圭太	54.4	45.7	7-2-1-26/36	19.4%	25.0%	27.8%	96%	48%
44.9	石川裕紀人	50.2	44.9	2-2-2-22/28	7.1%	14.3%	21.4%	30%	44%

過去3年レース数 102
過去1年レース数 32

新潟芝1800m外

血統偏差値

要注目種牡馬

父がディープインパクト 血統偏差値63.2	3着内率 36.6%	複勝回収率 94%
父がドゥラメンテ 血統偏差値61.5	3着内率 37.0%	複勝回収率 90%
父がハーツクライ 血統偏差値59.6	3着内率 36.7%	複勝回収率 86%
父がモーリス 血統偏差値54.1	3着内率 26.5%	複勝回収率 81%

ジョッキー偏差値

要注目騎手

鞍上が菅原明良騎手 マストバイデータあり	➡P171	
鞍上が戸崎圭太騎手 マストバイデータあり	➡P171	
鞍上が三浦皇成騎手 ジョッキー偏差値59.3	3着内率 40.0%	複勝回収率 104%
鞍上が菱田裕二騎手 ジョッキー偏差値58.3	3着内率 30.6%	複勝回収率 106%

実績ある種牡馬を素直に狙った方が良いコース

種牡馬別成績を見ると、集計期間中の3着内数トップ3はディープインパクト(34回)、ハーツクライ(29回)、ドゥラメンテ(20回)。この3種牡馬は血統偏差値ランキングでも1〜3位を占めています。複勝回収率の数字はやや地味に映るかもしれませんが、全体的に波乱が起きづらいコースということもあって、他の主要サイアーと比べればかなり優秀な水準。穴っぽい血統を無理に狙う必要はありません。

集計期間中の3着内数がもっとも多かったジョッキーは戸崎圭太騎手。半数以上のレースで馬券に絡んでいたうえ、複勝回収率も88%と、このコースにおいては及第点と言えるラインに達していました。今後も夏場の開催ではしっかりマークしておきましょう。

血統偏差値ランキング

当該コース

血統偏差値	騎手	好走率偏差値	回収率偏差値	着別度数	勝率	連対率	3着内率	単勝回収率	複勝回収率
63.2	ディープインパクト	67.1	63.2	14－10－10－59／93	15.1%	25.8%	36.6%	123%	94%
61.5	ドゥラメンテ	67.7	61.5	3－9－8－34／54	5.6%	22.2%	37.0%	30%	90%
59.6	ハーツクライ	67.3	59.6	10－8－11－50／79	12.7%	22.8%	36.7%	38%	86%
54.1	モーリス	54.1	57.8	5－2－2－25／34	14.7%	20.6%	26.5%	112%	81%
52.8	ルーラーシップ	52.8	54.9	5－3－7－44／59	8.5%	13.6%	25.4%	130%	74%
52.4	キズナ	64.3	52.4	5－4－2－21／32	15.6%	28.1%	34.4%	68%	68%
52.2	ゴールドシップ	52.2	54.1	0－5－5－30／40	0.0%	12.5%	25.0%	0%	73%
49.5	エピファネイア	52.2	49.5	9－3－7－57／76	11.8%	15.8%	25.0%	89%	61%
47.3	ロードカナロア	48.7	47.3	3－6－1－35／45	6.7%	20.0%	22.2%	51%	56%
45.8	ジャスタウェイ	45.8	51.9	1－5－1－28／35	2.9%	17.1%	20.0%	24%	67%
43.9	オルフェーヴル	43.9	71.1	2－0－3－22／27	7.4%	7.4%	18.5%	37%	114%
43.5	ダノンバラード	43.5	45.8	1－1－2－18／22	4.5%	9.1%	18.2%	159%	52%
41.8	ハービンジャー	42.7	41.8	3－3－4－47／57	5.3%	10.5%	17.5%	27%	42%
40.6	キタサンブラック	50.7	40.6	2－1－2－16／21	9.5%	14.3%	23.8%	50%	40%
34.5	ダイワメジャー	40.8	34.5	2－1－2－26／31	6.5%	9.7%	16.1%	27%	25%

ジョッキー偏差値ランキング

当該コース

ジョッキー偏差値	騎手	好走率偏差値	回収率偏差値	着別度数	勝率	連対率	3着内率	単勝回収率	複勝回収率
59.3	三浦皇成	67.5	59.3	6－4－0－15／25	24.0%	40.0%	40.0%	517%	104%
58.3	菱田裕二	58.3	59.7	3－6－2－25／36	8.3%	25.0%	30.6%	39%	106%
57.6	菅原明良	59.4	57.6	6－1－6－28／41	14.6%	17.1%	31.7%	137%	99%
56.4	勝浦正樹	56.4	65.5	1－1－4－15／21	4.8%	9.5%	28.6%	37%	124%
54.2	戸崎圭太	78.5	54.2	8－9－1－17／35	22.9%	48.6%	51.4%	120%	88%
52.0	津村明秀	60.3	52.0	7－4－5－33／49	14.3%	22.4%	32.7%	102%	82%
49.9	柴田大知	49.9	64.3	0－3－4－25／32	0.0%	9.4%	21.9%	0%	120%
48.7	丹内祐次	48.7	49.4	0－3－3－23／29	0.0%	10.3%	20.7%	0%	73%
47.4	原優介	47.4	68.3	0－3－3－25／31	0.0%	9.7%	19.4%	0%	132%
47.3	杉原誠人	47.3	57.3	0－0－5－21／26	0.0%	0.0%	19.2%	0%	98%
47.3	富田暁	47.3	48.0	2－3－0－21／26	7.7%	19.2%	19.2%	212%	69%
46.9	丸山元気	52.9	46.9	2－2－4－24／32	6.3%	12.5%	25.0%	62%	66%
46.6	秋山稔樹	46.6	56.8	1－3－1－22／27	3.7%	14.8%	18.5%	129%	97%
44.7	西村淳也	52.9	44.7	3－1－4－24／32	9.4%	12.5%	25.0%	48%	59%
36.3	石橋脩	49.9	36.3	2－2－3－25／32	6.3%	12.5%	21.9%	24%	33%

過去3年レース数 41
過去1年レース数 13

新潟芝2000m内

血統偏差値

要注目種牡馬

	3着内率	複勝回収率
父がシルバーステート 血統偏差値54.3	45.5%	99%
父がオルフェーヴル 血統偏差値53.9	40.0%	97%
父がルーラーシップ 血統偏差値53.4	26.9%	124%
父がゴールドシップ 血統偏差値52.4	25.7%	197%

ジョッキー偏差値

要注目騎手

	3着内率	複勝回収率
鞍上が菅原明良騎手 マストバイデータあり	➡P171	
鞍上が田辺裕信騎手 ジョッキー偏差値54.9	44.4%	152%
鞍上が武藤雅騎手 ジョッキー偏差値53.3	33.3%	134%
鞍上が西村淳也騎手 ジョッキー偏差値53.1	54.5%	130%

ゴールドシップ産駒やハービンジャー産駒が優勢

現在のところ、新潟芝2000m内では2～3歳の新馬と未勝利のみが、新潟芝2000m外では1勝クラス以上のレースのみが施行されています。

この新潟芝2000m内における集計期間中の3着内数がもっとも多かった種牡馬はハービンジャー(11回)。計10頭の産駒が馬券に絡んでいましたし、好走率や回収率もまずまずでしたから、コース適性は高いと見て良いでしょう。3着内数2位のゴールドシップ(9回)も、単複の回収率は非常に優秀だったので、ひと通りマークしておいた方が良いかもしれません。

ジョッキー別の3着内数を見ると菅原明良騎手が単独トップ。ジョッキー偏差値ランキングで首位となったように、好走率や回収率もかなり高めです。

血統偏差値ランキング

当該コース

血統偏差値	騎手	好走率偏差値	回収率偏差値	着別度数	勝率	連対率	3着内率	単勝回収率	複勝回収率
54.3	シルバーステート	69.8	54.3	2－2－1－6／11	18.2%	36.4%	45.5%	191%	99%
53.9	オルフェーヴル	65.0	53.9	2－0－2－6／10	20.0%	20.0%	40.0%	88%	97%
53.4	ルーラーシップ	53.4	59.1	4－1－2－19／26	15.4%	19.2%	26.9%	428%	124%
52.4	ゴールドシップ	52.4	73.0	1－4－4－26／35	2.9%	14.3%	25.7%	112%	197%
52.3	ヴィクトワールピサ	55.6	52.3	1－3－1－12／17	5.9%	23.5%	29.4%	31%	88%
51.8	ハービンジャー	55.9	51.8	3－2－6－26／37	8.1%	13.5%	29.7%	58%	85%
48.2	エピファネイア	60.4	48.2	1－5－2－15／23	4.3%	26.1%	34.8%	23%	66%
45.2	キズナ	45.2	46.8	0－2－1－14／17	0.0%	11.8%	17.6%	0%	59%
45.2	ドゥラメンテ	45.2	47.4	1－1－1－14／17	5.9%	11.8%	17.6%	280%	62%
44.4	ジャスタウェイ	44.4	71.2	0－2－0－10／12	0.0%	16.7%	16.7%	0%	187%
44.4	ディープインパクト	59.1	44.4	3－1－0－8／12	25.0%	33.3%	33.3%	65%	46%
43.8	ハーツクライ	49.3	43.8	2－0－4－21／27	7.4%	7.4%	22.2%	37%	43%
42.3	バゴ	42.3	46.9	0－1－1－12／14	0.0%	7.1%	14.3%	0%	60%
42.3	モーリス	42.3	42.8	0－1－1－12／14	0.0%	7.1%	14.3%	0%	38%
39.8	リオンディーズ	40.7	39.8	1－0－1－14／16	6.3%	6.3%	12.5%	18%	22%

ジョッキー偏差値ランキング

当該コース

ジョッキー偏差値	騎手	好走率偏差値	回収率偏差値	着別度数	勝率	連対率	3着内率	単勝回収率	複勝回収率
55.4	菅原明良	59.1	55.4	2－2－4－14／22	9.1%	18.2%	36.4%	387%	158%
54.9	田辺裕信	64.2	54.9	1－2－1－5／9	11.1%	33.3%	44.4%	174%	152%
53.3	武藤雅	57.1	53.3	1－1－2－8／12	8.3%	16.7%	33.3%	25%	134%
53.1	西村淳也	70.7	53.1	3－1－2－5／11	27.3%	36.4%	54.5%	274%	130%
50.5	丹内祐次	70.3	50.5	2－2－3－6／13	15.4%	30.8%	53.8%	47%	100%
49.7	M.デムーロ	67.8	49.7	2－2－2－6／12	16.7%	33.3%	50.0%	80%	90%
49.5	菊沢一樹	49.5	92.4	1－1－1－11／14	7.1%	14.3%	21.4%	319%	596%
48.6	津村明秀	54.1	48.6	0－4－0－10／14	0.0%	28.6%	28.6%	0%	78%
48.0	藤田菜七子	48.0	60.0	2－1－1－17／21	9.5%	14.3%	19.0%	56%	212%
48.0	三浦皇成	55.5	48.0	2－0－2－9／13	15.4%	15.4%	30.8%	100%	70%
47.3	角田大和	50.0	47.3	0－1－1－7／9	0.0%	11.1%	22.2%	0%	62%
46.5	石橋脩	46.5	53.0	0－1－1－10／12	0.0%	8.3%	16.7%	0%	130%
45.8	永野猛蔵	47.4	45.8	0－1－1－9／11	0.0%	9.1%	18.2%	0%	45%
44.6	秋山稔樹	48.6	44.6	1－1－0－8／10	10.0%	20.0%	20.0%	23%	31%
44.3	柴田大知	44.3	46.8	2－0－0－13／15	13.3%	13.3%	13.3%	284%	56%

新潟芝2000m外

過去3年レース数 42
過去1年レース数 12

血統偏差値

要注目種牡馬

	3着内率	複勝回収率
父がスクリーンヒーロー 血統偏差値68.3	42.9%	182%
父がキズナ 血統偏差値58.6	33.3%	129%
父がエピファネイア 血統偏差値56.1	30.8%	110%
父がキングカメハメハ 血統偏差値53.2	28.6%	86%

ジョッキー偏差値

要注目騎手

	3着内率	複勝回収率
鞍上が菅原明良騎手 マストバイデータあり	➡P171	
鞍上が亀田温心騎手 ジョッキー偏差値59.4	61.5%	125%
鞍上が津村明秀騎手 ジョッキー偏差値54.5	31.6%	98%
鞍上が丹内祐次騎手 ジョッキー偏差値54.2	35.3%	96%

菅原明良騎手は内回りでも外回りでも狙える

新潟芝2000m内のジョッキー偏差値ランキングで1位だった菅原明良騎手は、この新潟芝2000m外でも2位にランクイン。23年9月3日の新潟記念（3歳以上GⅢ）では、単勝オッズ52・1倍（10番人気）のインプレスを3着に持ってきて、好配当決着を演出しました。今後も目が離せません。

なお、ジョッキー偏差値ランキング首位の亀田温心騎手は、集計期間中の3着内数（8回）も菅原明良騎手らと並ぶトップタイ。参戦機会は減っていますが、一応覚えておきましょう。

種牡馬別の3着内数はディープインパクト（22回）が断然のトップだったものの、複勝回収率は62%どまり。これなら、エピファネイアやキズナあたりの産駒を高く評価したいところです。

血統偏差値ランキング

当該コース

血統偏差値	騎手	好走率偏差値	回収率偏差値	着別度数	勝率	連対率	3着内率	単勝回収率	複勝回収率
68.3	スクリーンヒーロー	68.3	75.7	3－0－3－8／14	21.4%	21.4%	42.9%	678%	182%
58.6	キズナ	58.6	63.2	2－2－4－16／24	8.3%	16.7%	33.3%	119%	129%
56.1	エピファネイア	56.1	58.9	1－2－5－18／26	3.8%	11.5%	30.8%	10%	110%
53.2	キングカメハメハ	53.8	53.2	2－2－2－15／21	9.5%	19.0%	28.6%	14%	86%
51.9	ヴィクトワールピサ	52.5	51.9	1－2－0－8／11	9.1%	27.3%	27.3%	31%	80%
49.1	ドゥラメンテ	66.3	49.1	2－5－2－13／22	9.1%	31.8%	40.9%	29%	68%
48.7	ハービンジャー	48.7	51.4	5－1－2－26／34	14.7%	17.6%	23.5%	262%	78%
48.5	オルフェーヴル	49.0	48.5	0－3－2－16／21	0.0%	14.3%	23.8%	0%	66%
47.6	ディープインパクト	53.5	47.6	6－10－6－56／78	7.7%	20.5%	28.2%	58%	62%
46.6	モーリス	46.6	55.7	3－0－0－11／14	21.4%	21.4%	21.4%	391%	97%
45.6	ゴールドシップ	48.3	45.6	2－1－0－10／13	15.4%	23.1%	23.1%	120%	53%
44.5	ハーツクライ	44.5	45.9	2－3－1－25／31	6.5%	16.1%	19.4%	46%	54%
39.8	エイシンフラッシュ	47.4	39.8	0－1－1－7／9	0.0%	11.1%	22.2%	0%	28%
39.4	ロードカナロア	39.4	42.2	2－0－0－12／14	14.3%	14.3%	14.3%	112%	39%
38.2	ルーラーシップ	41.8	38.2	0－3－1－20／24	0.0%	12.5%	16.7%	0%	22%

ジョッキー偏差値ランキング

当該コース

ジョッキー偏差値	騎手	好走率偏差値	回収率偏差値	着別度数	勝率	連対率	3着内率	単勝回収率	複勝回収率
59.4	亀田温心	76.1	59.4	4－2－2－5／13	30.8%	46.2%	61.5%	300%	125%
58.0	菅原明良	58.0	59.5	2－2－4－14／22	9.1%	18.2%	36.4%	135%	125%
54.5	津村明秀	54.5	54.6	0－3－3－13／19	0.0%	15.8%	31.6%	0%	98%
54.2	丹内祐次	57.2	54.2	2－2－2－11／17	11.8%	23.5%	35.3%	145%	96%
51.4	菊沢一樹	51.4	76.4	0－0－3－8／11	0.0%	0.0%	27.3%	0%	220%
49.8	石橋脩	49.8	60.3	0－2－1－9／12	0.0%	16.7%	25.0%	0%	130%
48.8	荻野極	51.4	48.8	1－0－2－8／11	9.1%	9.1%	27.3%	104%	66%
46.8	西村淳也	58.3	46.8	5－2－0－12／19	26.3%	36.8%	36.8%	85%	54%
45.7	戸崎圭太	53.4	45.7	2－1－0－7／10	20.0%	30.0%	30.0%	123%	49%
44.6	斎藤新	47.2	44.6	2－0－1－11／14	14.3%	14.3%	21.4%	46%	42%
43.8	勝浦正樹	43.8	49.9	0－2－0－10／12	0.0%	16.7%	16.7%	0%	72%
42.8	菱田裕二	49.8	42.8	3－0－0－9／12	25.0%	25.0%	25.0%	65%	32%
38.4	三浦皇成	38.4	38.7	1－0－0－10／11	9.1%	9.1%	9.1%	17%	10%
37.0	富田暁	37.0	39.2	0－0－1－13／14	0.0%	0.0%	7.1%	0%	12%
37.0	丸山元気	37.0	39.1	1－0－0－13／14	7.1%	7.1%	7.1%	37%	12%

過去3年レース数 30
過去1年レース数 10

新潟芝2200m内

血統偏差値

要注目種牡馬

	3着内率	複勝回収率
父がヴィクトワールピサ 血統偏差値64.4	44.4%	213%
父がロードカナロア 血統偏差値62.5	41.7%	218%
父がキズナ 血統偏差値61.3	40.0%	274%
父がディープインパクト 血統偏差値53.9	29.3%	119%

ジョッキー偏差値

要注目騎手

	3着内率	複勝回収率
鞍上が戸崎圭太騎手 ジョッキー偏差値60.0	54.5%	147%
鞍上がM.デムーロ騎手 ジョッキー偏差値58.9	42.9%	258%
鞍上が岩田望来騎手 ジョッキー偏差値57.7	42.9%	130%
鞍上が田辺裕信騎手 ジョッキー偏差値56.8	42.9%	122%

ディープインパクト系種牡馬の産駒が中心

集計期間中の3着内数がもっとも多かった種牡馬はディープインパクト(12回)。複勝回収率も119%とまずまず優秀です。さらに、後継種牡馬の筆頭格であるキズナも、3着内数こそ6回どまりでしたが、3着内率40・0%、複勝回収率274%と申し分のない数字をマーク。ディープインパクト系種牡馬全体の成績は3着内数25回、3着内率27・8%、複勝回収率115%となっていました。今後もまずはこの父系をマークしておきましょう。

ジョッキー偏差値ランキングでトップに立っていたのは戸崎圭太騎手。22年9月4日の新潟4R(3歳未勝利)では、単勝オッズ23・5倍(9番人気)のロードオブシャドウを3着に持ってきて、高額配当決着を演出しています。

血統偏差値ランキング

当該コース

血統偏差値	騎手	好走率偏差値	回収率偏差値	着別度数	勝率	連対率	3着内率	単勝回収率	複勝回収率
64.4	ヴィクトワールピサ	64.4	67.4	1－1－2－5／9	11.1%	22.2%	44.4%	567%	213%
62.5	ロードカナロア	62.5	68.1	2－2－1－7／12	16.7%	33.3%	41.7%	196%	218%
61.3	キズナ	61.3	75.2	2－0－4－9／15	13.3%	13.3%	40.0%	42%	274%
53.9	ディープインパクト	53.9	55.5	3－5－4－29／41	7.3%	19.5%	29.3%	69%	119%
51.8	シルバーステート	68.2	51.8	0－2－1－3／6	0.0%	33.3%	50.0%	0%	90%
49.8	ハーツクライ	53.5	49.8	1－2－5－20／28	3.6%	10.7%	28.6%	6%	74%
48.3	ハービンジャー	48.3	51.4	2－1－1－15／19	10.5%	15.8%	21.1%	381%	86%
47.1	オルフェーヴル	52.1	47.1	3－0－1－11／15	20.0%	20.0%	26.7%	68%	52%
46.2	ドゥラメンテ	49.4	46.2	3－0－2－17／22	13.6%	13.6%	22.7%	39%	45%
46.1	ルーラーシップ	50.2	46.1	1－3－1－16／21	4.8%	19.0%	23.8%	16%	44%
45.8	スクリーンヒーロー	53.5	45.8	0－1－1－5／7	0.0%	14.3%	28.6%	0%	42%
44.2	エピファネイア	51.9	44.2	1－3－1－14／19	5.3%	21.1%	26.3%	14%	30%
43.4	ゴールドシップ	43.4	44.4	1－2－2－31／36	2.8%	8.3%	13.9%	16%	31%
42.8	モーリス	43.6	42.8	0－0－1－6／7	0.0%	0.0%	14.3%	0%	18%
42.4	キングカメハメハ	42.4	42.9	0－1－0－7／8	0.0%	12.5%	12.5%	0%	20%

ジョッキー偏差値ランキング

当該コース

ジョッキー偏差値	騎手	好走率偏差値	回収率偏差値	着別度数	勝率	連対率	3着内率	単勝回収率	複勝回収率
60.0	戸崎圭太	64.2	60.0	2－2－2－5／11	18.2%	36.4%	54.5%	64%	147%
58.9	M.デムーロ	58.9	74.8	2－1－0－4／7	28.6%	42.9%	42.9%	855%	258%
57.7	岩田望来	58.9	57.7	1－2－0－4／7	14.3%	42.9%	42.9%	122%	130%
56.8	田辺裕信	58.9	56.8	0－0－3－4／7	0.0%	0.0%	42.9%	0%	122%
52.5	菅原明良	57.6	52.5	2－0－2－6／10	20.0%	20.0%	40.0%	251%	90%
52.4	津村明秀	52.4	53.9	1－2－1－10／14	7.1%	21.4%	28.6%	493%	100%
50.9	石橋脩	51.5	50.9	0－2－2－11／15	0.0%	13.3%	26.7%	0%	78%
49.3	丹内祐次	62.1	49.3	2－2－0－4／8	25.0%	50.0%	50.0%	80%	66%
47.6	菱田裕二	54.5	47.6	1－2－0－6／9	11.1%	33.3%	33.3%	63%	53%
47.0	柴田大知	47.0	51.5	0－1－1－10／12	0.0%	8.3%	16.7%	0%	82%
47.0	富田暁	52.4	47.0	1－0－1－5／7	14.3%	14.3%	28.6%	71%	48%
46.4	坂井瑠星	52.4	46.4	1－0－1－5／7	14.3%	14.3%	28.6%	37%	44%
45.9	内田博幸	45.9	49.4	0－1－0－6／7	0.0%	14.3%	14.3%	0%	67%
45.9	原優介	45.9	47.2	0－0－1－6／7	0.0%	0.0%	14.3%	0%	50%
44.3	三浦皇成	49.1	44.3	0－3－0－11／14	0.0%	21.4%	21.4%	0%	28%

過去3年レース数	18
過去1年レース数	4

新潟芝2400m内

血統偏差値

要注目種牡馬

	3着内率	複勝回収率
父がルーラーシップ 血統偏差値67.4	42.9%	248%
父がエピファネイア 血統偏差値58.0	50.0%	120%
父がディープインパクト 血統偏差値54.0	25.0%	124%
父がハービンジャー 血統偏差値53.1	27.8%	87%

ジョッキー偏差値

要注目騎手

	3着内率	複勝回収率
鞍上が菊沢一樹騎手 ジョッキー偏差値74.6	80.0%	806%
鞍上が坂井瑠星騎手 ジョッキー偏差値59.2	75.0%	230%
鞍上が原優介騎手 ジョッキー偏差値57.1	42.9%	197%
鞍上が武藤雅騎手 ジョッキー偏差値55.6	40.0%	174%

ルーラーシップ産駒をマークしておきたい

集計期間中に18レースしか施行されていないため、何とも言えないところはありますが、血統偏差値ランキング首位のルーラーシップは相応に高く評価して良さそう。好走率や回収率が高いだけでなく、集計期間中の3着内数(6回)もディープインパクトと並ぶトップタイでした。22年8月21日の新潟8R(3歳以上1勝クラス)では、単勝オッズ76・2倍(10番人気)のリニューが3着に食い込んでいます。

ちなみに、このリニューとタッグを組んでいたのは菊沢一樹騎手。わずか5戦しか騎乗機会がなかったものの、そのうち4回で馬券に絡んでいましたから、コース適性は高いと見て良いかもしれません。あとは津村明秀騎手あたりもマークしておきたいところです。

血統偏差値ランキング

当該コース

血統偏差値	騎手	好走率偏差値	回収率偏差値	着別度数	勝率	連対率	3着内率	単勝回収率	複勝回収率
67.4	ルーラーシップ	67.4	77.6	2－2－2－8／14	14.3%	28.6%	42.9%	60%	248%
58.0	エピファネイア	72.8	58.0	1－0－1－2／4	25.0%	25.0%	50.0%	335%	120%
54.0	ディープインパクト	54.0	58.7	2－1－3－18／24	8.3%	12.5%	25.0%	40%	124%
53.1	ハービンジャー	56.1	53.1	2－0－3－13／18	11.1%	11.1%	27.8%	144%	87%
53.1	ワールドエース	54.0	53.1	0－0－1－3／4	0.0%	0.0%	25.0%	0%	87%
51.9	ゴールドシップ	51.9	61.1	1－3－0－14／18	5.6%	22.2%	22.2%	26%	140%
50.2	ブラックタイド	50.2	58.6	1－0－0－4／5	20.0%	20.0%	20.0%	370%	124%
49.6	サトノアラジン	54.0	49.6	0－1－0－3／4	0.0%	25.0%	25.0%	0%	65%
45.0	シルバーステート	54.0	45.0	0－1－0－3／4	0.0%	25.0%	25.0%	0%	35%
45.0	ハーツクライ	49.2	45.0	1－2－0－13／16	6.3%	18.8%	18.8%	31%	35%
43.9	キズナ	47.7	43.9	0－2－0－10／12	0.0%	16.7%	16.7%	0%	27%
42.8	オルフェーヴル	45.9	42.8	1－0－0－6／7	14.3%	14.3%	14.3%	42%	20%
42.1	ドゥラメンテ	45.9	42.1	1－0－0－6／7	14.3%	14.3%	14.3%	22%	15%
41.9	キングカメハメハ	41.9	42.2	1－0－0－10／11	9.1%	9.1%	9.1%	41%	16%
35.1	ジャスタウェイ	35.1	39.7	0－0－0－5／5	0.0%	0.0%	0.0%	0%	0%

ジョッキー偏差値ランキング

当該コース

ジョッキー偏差値	騎手	好走率偏差値	回収率偏差値	着別度数	勝率	連対率	3着内率	単勝回収率	複勝回収率
74.6	菊沢一樹	74.6	96.9	0－0－4－1／5	0.0%	0.0%	80.0%	0%	806%
59.2	坂井瑠星	72.4	59.2	2－0－1－1／4	50.0%	50.0%	75.0%	575%	230%
57.1	原優介	58.4	57.1	1－0－2－4／7	14.3%	14.3%	42.9%	102%	197%
55.6	武藤雅	57.2	55.6	0－1－1－3／5	0.0%	20.0%	40.0%	0%	174%
52.6	津村明秀	55.6	52.6	1－1－2－7／11	9.1%	18.2%	36.4%	14%	129%
50.7	丸田恭介	61.5	50.7	0－2－0－2／4	0.0%	50.0%	50.0%	0%	100%
50.7	丸山元気	57.2	50.7	0－2－0－3／5	0.0%	40.0%	40.0%	0%	100%
50.4	吉田隼人	61.5	50.4	1－1－1－3／6	16.7%	33.3%	50.0%	85%	95%
49.4	戸崎圭太	61.5	49.4	2－0－1－3／6	33.3%	33.3%	50.0%	105%	80%
48.4	黛弘人	50.6	48.4	0－1－0－3／4	0.0%	25.0%	25.0%	0%	65%
48.4	横山和生	48.4	48.8	0－0－1－4／5	0.0%	0.0%	20.0%	0%	70%
47.8	勝浦正樹	50.6	47.8	1－0－0－3／4	25.0%	25.0%	25.0%	260%	55%
47.8	藤田菜七子	50.6	47.8	1－1－0－6／8	12.5%	25.0%	25.0%	60%	55%
46.9	菅原明良	50.6	46.9	1－1－0－6／8	12.5%	25.0%	25.0%	50%	41%
46.5	丹内祐次	50.6	46.5	0－2－0－6／8	0.0%	25.0%	25.0%	0%	35%

新潟芝1000m直

血統 マストバイデータ

父がダイワメジャー

×

枠番が3~8枠、かつ、調教師の所属が美浦

3着内率	46.4%	複勝回収率	158%

着別度数	勝率	連対率	単勝回収率
3 − 5 − 5 −15 / 28	10.7%	28.6%	68%

	着別度数	勝率	連対率	3着内率	単勝回収率	複勝回収率
直近1年	0 − 4 − 2 − 6 / 12	0.0%	33.3%	50.0%	0%	183%

伊吹メモ 2023年4月30日の邁進特別（4歳以上2勝クラス）では、単勝オッズ18.5倍（8番人気）のルルルージュが2着に食い込み、好配当決着を演出。よほど内寄りの枠に入ってしまった馬でない限り、超人気薄であっても激走を警戒しておくべきだと思います。

新潟芝1400m内・芝1600m外

父がロードカナロア

前走のコースが今回と同じ距離か今回より長い距離、かつ、前走の着順が12着以内

3着内率	48.3%	複勝回収率	192%

着別度数	勝率	連対率	単勝回収率
10 − 8 −10 −30 / 58	17.2%	31.0%	192%

	着別度数	勝率	連対率	3着内率	単勝回収率	複勝回収率
直近1年	3 − 3 − 4 −14/ 24	12.5%	25.0%	41.7%	178%	280%

伊吹メモ コースの形態は大きく異なりますが、新潟芝1400m内と新潟芝1600m外はいずれもロードカナロア産駒の活躍が目立っている舞台。ただし、今回より短い距離のレースを経由してきた馬は期待を裏切りがちだったので、注意が必要です。

新潟芝1800m外

鞍上が戸崎圭太騎手

×

馬番が1～8番、かつ、出走頭数が9頭以上

3着内率	複勝回収率
72.2%	123%

着別度数	勝率	連対率	単勝回収率
6－7－0－5／18	33.3%	72.2%	185%

直近1年	着別度数	勝率	連対率	3着内率	単勝回収率	複勝回収率
	2－2－0－0／4	50.0%	100.0%	100.0%	415%	162%

伊吹メモ　新潟芝1800m外の戸崎圭太騎手は、集計期間中のトータルでも3着内率が51.4%。内寄りの枠に入ったレースはより堅実でしたし、好走率があまりにも高いせいで、回収率の数字も優秀な水準に達していました。この夏の開催でも見逃せません。

新潟芝1800m外・芝2000m内・芝2000m外

鞍上が菅原明良騎手

×

父がサンデーサイレンス系以外の種牡馬、かつ、馬番が1～13番

3着内率	複勝回収率
46.0%	162%

着別度数	勝率	連対率	単勝回収率
8－5－10－27／50	16.0%	26.0%	289%

直近1年	着別度数	勝率	連対率	3着内率	単勝回収率	複勝回収率
	2－0－4－3／9	22.2%	22.2%	66.7%	170%	158%

伊吹メモ　新潟芝1800m外・新潟芝2000m内・新潟芝2000m外の3コースで満遍なく好成績を収めているジョッキー。サンデーサイレンス系種牡馬の産駒に騎乗したレースこそいまひとつだったものの、それ以外のレースで積極的に狙っていきましょう。

過去3年レース数 205
過去1年レース数 56

新潟ダ1200m

血統偏差値

要注目種牡馬

父がホッコータルマエ マストバイデータあり	➡P178
父がシニスターミニスター 血統偏差値63.1	3着内率 31.0% 複勝回収率 98%
父がヘニーヒューズ 血統偏差値55.2	3着内率 27.8% 複勝回収率 79%
父がロードカナロア 血統偏差値55.2	3着内率 25.5% 複勝回収率 85%

ジョッキー偏差値

要注目騎手

鞍上が今村聖奈騎手 マストバイデータあり	➡P178
鞍上が津村明秀騎手 マストバイデータあり	➡P177
鞍上が戸崎圭太騎手 マストバイデータあり	➡P177
鞍上が菱田裕二騎手 ジョッキー偏差値57.4	3着内率 27.9% 複勝回収率 131%

ヘニーヒューズ産駒の好走率や回収率は及第点

種牡馬別成績を見ると、集計期間中の3着内数はヘニーヒューズ(37回)が頭ひとつ抜けたトップ。3着内率27・8%、複勝回収率79%という数字は少々微妙に映るかもしれませんが、他の主要サイアーと比べれば決して悪くない水準です。妙味を感じる産駒がいたら積極的に狙ってみましょう。

このヘニーヒューズを血統偏差値で上回っていたのがシニスターミニスターとホッコータルマエ。出走数や3着内数はやや少なかったものの、引き続きマークしておくべきだと思います。

ジョッキー偏差値ランキングで断然の首位に君臨している津村明秀騎手は、集計期間中の3着内数も単独トップ。いわゆる「裏開催」時はもちろん、夏場の開催でも頼りになる印象でした。

血統偏差値ランキング

当該コース

血統偏差値	騎手	好走率偏差値	回収率偏差値	着別度数	勝率	連対率	3着内率	単勝回収率	複勝回収率
65.3	ホッコータルマエ	70.0	65.3	4－7－5－32／48	8.3%	22.9%	33.3%	133%	103%
63.1	シニスターミニスター	65.5	63.1	3－6－4－29／42	7.1%	21.4%	31.0%	79%	98%
55.2	ヘニーヒューズ	59.6	55.2	13－13－11－96／133	9.8%	19.5%	27.8%	66%	79%
55.2	ロードカナロア	55.2	57.8	12－7－6－73／98	12.2%	19.4%	25.5%	136%	85%
52.6	スクリーンヒーロー	56.5	52.6	3－5－3－31／42	7.1%	19.0%	26.2%	45%	72%
52.4	ドレフォン	53.2	52.4	3－6－3－37／49	6.1%	18.4%	24.5%	27%	72%
51.9	カレンブラックヒル	51.9	65.4	1－3－6－32／42	2.4%	9.5%	23.8%	8%	103%
51.7	キンシャサノキセキ	51.7	58.8	9－9－9－87／114	7.9%	15.8%	23.7%	56%	87%
45.8	サウスヴィグラス	53.0	45.8	7－6－6－59／78	9.0%	16.7%	24.4%	38%	56%
45.1	ストロングリターン	55.8	45.1	4－8－3－43／58	6.9%	20.7%	25.9%	14%	54%
42.1	アジアエクスプレス	42.1	44.0	1－4－6－48／59	1.7%	8.5%	18.6%	4%	52%
42.1	マクフィ	42.1	54.0	4－2－2－35／43	9.3%	14.0%	18.6%	70%	76%
40.8	パイロ	43.1	40.8	3－3－3－38／47	6.4%	12.8%	19.1%	38%	44%
38.5	コパノリッキー	42.1	38.5	3－3－2－35／43	7.0%	14.0%	18.6%	30%	38%
37.1	ダイワメジャー	39.8	37.1	6－2－0－38／46	13.0%	17.4%	17.4%	88%	35%

ジョッキー偏差値ランキング

当該コース

ジョッキー偏差値	騎手	好走率偏差値	回収率偏差値	着別度数	勝率	連対率	3着内率	単勝回収率	複勝回収率
69.8	津村明秀	69.8	70.5	10－12－5－45／72	13.9%	30.6%	37.5%	147%	161%
57.4	菱田裕二	57.4	63.2	3－7－7－44／61	4.9%	16.4%	27.9%	19%	131%
55.7	丸山元気	55.7	81.4	3－4－6－36／49	6.1%	14.3%	26.5%	88%	207%
54.0	今村聖奈	75.9	54.0	11－5－3－26／45	24.4%	35.6%	42.2%	107%	93%
48.9	三浦皇成	62.5	48.9	7－3－4－30／44	15.9%	22.7%	31.8%	97%	72%
47.7	富田暁	48.6	47.7	4－3－6－49／62	6.5%	11.3%	21.0%	51%	67%
47.0	菅原明良	57.5	47.0	13－7－6－67／93	14.0%	21.5%	28.0%	68%	64%
47.0	西村淳也	56.3	47.0	5－9－3－46／63	7.9%	22.2%	27.0%	34%	64%
46.2	永島まなみ	46.2	49.8	4－5－4－55／68	5.9%	13.2%	19.1%	30%	75%
45.2	佐々木大輔	56.4	45.2	5－3－5－35／48	10.4%	16.7%	27.1%	40%	57%
43.9	藤田菜七子	50.4	43.9	8－8－3－66／85	9.4%	18.8%	22.4%	61%	51%
42.5	秋山稔樹	45.7	42.5	6－2－7－65／80	7.5%	10.0%	18.8%	45%	45%
41.8	丹内祐次	48.0	41.8	2－5－9－62／78	2.6%	9.0%	20.5%	6%	42%
41.3	菊沢一樹	41.3	45.3	5－3－7－83／98	5.1%	8.2%	15.3%	73%	57%
40.4	原優介	40.4	48.7	4－2－7－76／89	4.5%	6.7%	14.6%	19%	71%

過去3年レース数	249
過去1年レース数	71

新潟ダ1800m

血統偏差値

要注目種牡馬

父がホッコータルマエ マストバイデータあり	➡P178
父がグラスワンダー系種牡馬 マストバイデータあり	➡P180
父がアイルハヴアナザー 血統偏差値55.9	3着内率 27.9% 複勝回収率 92%
父がオルフェーヴル 血統偏差値52.2	3着内率 30.7% 複勝回収率 81%

ジョッキー偏差値

要注目騎手

鞍上が今村聖奈騎手 マストバイデータあり	➡P178
鞍上が坂井瑠星騎手 マストバイデータあり	➡P179
鞍上がM.デムーロ騎手 マストバイデータあり	➡P179
鞍上が三浦皇成騎手 マストバイデータあり	➡P180

丹内祐次騎手や津村明秀騎手を狙っていきたい

マークしておきたい種牡馬の代表格はホッコータルマエ。血統偏差値ランキングで2位に食い込んだうえ、集計期間中の3着内数(24回)も単独3位でした。23年9月2日の古町S(3歳以上3勝クラス)では単勝オッズ15・3倍(7番人気)のフルオールが3着となり、高額配当決着に貢献。近走成績が物足りない馬でも侮れません。

ジョッキー別成績を見ると、3着内数がもっとも多かったのは西村淳也騎手(29回)。ただし、23年春以降は西日本の主場で騎乗する日が増えたので、参戦機会が減ってしまいそうです。これなら、3着内数2位の丹内祐次騎手(27回)や、同3位タイの津村明秀騎手(26回)に注目しておきたいところ。いずれもまずまず安定しています。

血統偏差値ランキング

当該コース

血統偏差値	騎手	好走率偏差値	回収率偏差値	着別度数	勝率	連対率	3着内率	単勝回収率	複勝回収率
55.9	アイルハヴアナザー	57.1	55.9	7－5－5－44／61	11.5%	19.7%	27.9%	137%	92%
55.5	ホッコータルマエ	58.3	55.5	8－11－5－60／84	9.5%	22.6%	28.6%	90%	91%
52.2	オルフェーヴル	61.8	52.2	10－9－4－52／75	13.3%	25.3%	30.7%	129%	81%
49.0	ヘニーヒューズ	60.7	49.0	7－15－5－63／90	7.8%	24.4%	30.0%	28%	71%
47.8	ドゥラメンテ	55.2	47.8	7－6－6－52／71	9.9%	18.3%	26.8%	87%	68%
47.6	ハーツクライ	58.9	47.6	9－7－6－54／76	11.8%	21.1%	28.9%	78%	67%
46.8	ルーラーシップ	46.8	50.7	6－10－10－93／119	5.0%	13.4%	21.8%	28%	77%
45.6	パイロ	45.6	53.4	2－6－7－56／71	2.8%	11.3%	21.1%	7%	85%
43.3	キズナ	55.6	43.3	9－5－6－54／74	12.2%	18.9%	27.0%	55%	55%
43.1	リオンディーズ	43.1	80.5	2－2－7－45／56	3.6%	7.1%	19.6%	12%	165%
42.0	シニスターミニスター	47.2	42.0	5－6－8－67／86	5.8%	12.8%	22.1%	29%	51%
39.3	マジェスティックウォリアー	49.4	39.3	7－4－3－46／60	11.7%	18.3%	23.3%	33%	43%
33.0	ロードカナロア	33.0	39.2	2－3－5－63／73	2.7%	6.8%	13.7%	16%	42%
27.3	ジャスタウェイ	27.3	43.7	4－3－1－69／77	5.2%	9.1%	10.4%	41%	56%

ジョッキー偏差値ランキング

当該コース

ジョッキー偏差値	騎手	好走率偏差値	回収率偏差値	着別度数	勝率	連対率	3着内率	単勝回収率	複勝回収率
60.2	菱田裕二	60.2	64.9	9－6－4－49／68	13.2%	22.1%	27.9%	163%	113%
57.6	西村淳也	65.9	57.6	12－12－5－64／93	12.9%	25.8%	31.2%	94%	93%
57.4	角田大和	57.4	59.9	5－2－8－42／57	8.8%	12.3%	26.3%	36%	99%
56.8	丸山元気	56.8	66.4	5－3－5－37／50	10.0%	16.0%	26.0%	51%	117%
54.3	三浦皇成	71.8	54.3	7－6－6－36／55	12.7%	23.6%	34.5%	99%	85%
53.3	丹内祐次	61.6	53.3	10－7－10－67／94	10.6%	18.1%	28.7%	115%	82%
53.0	津村明秀	65.5	53.0	8－7－11－58／84	9.5%	17.9%	31.0%	106%	81%
45.9	秋山稔樹	45.9	70.7	5－5－6－65／81	6.2%	12.3%	19.8%	140%	128%
45.8	斎藤新	55.8	45.8	8－5－3－47／63	12.7%	20.6%	25.4%	94%	62%
45.8	丸田恭介	46.9	45.8	3－7－4－55／69	4.3%	14.5%	20.3%	26%	62%
43.2	菊沢一樹	43.2	47.4	6－8－6－90／110	5.5%	12.7%	18.2%	53%	66%
42.8	菅原明良	49.0	42.8	8－8－10－95／121	6.6%	13.2%	21.5%	54%	54%
41.2	富田暁	46.8	41.2	3－5－7－59／74	4.1%	10.8%	20.3%	53%	50%
40.6	永島まなみ	48.3	40.6	4－4－7－56／71	5.6%	11.3%	21.1%	22%	48%
39.3	原優介	39.3	42.0	4－6－5－79／94	4.3%	10.6%	16.0%	32%	52%

過去3年レース数	6	過去1年レース数	1

新潟ダ2500m

血統偏差値ランキング

当該コース

血統偏差値	種牡馬	好走率偏差値	回収率偏差値	着別度数	勝率	連対率	3着内率	単勝回収率	複勝回収率
61.1	ベルシャザール	64.8	61.1	0－1－1－1／3	0.0%	33.3%	66.7%	0%	113%
58.3	オルフェーヴル	58.3	74.7	1－0－0－1／2	50.0%	50.0%	50.0%	560%	185%
57.3	マジェスティックウォリアー	64.8	57.3	0－1－1－1／3	0.0%	33.3%	66.7%	0%	93%
54.8	ブラックタイド	58.3	54.8	0－1－0－1／2	0.0%	50.0%	50.0%	0%	80%
52.9	ヘニーヒューズ	58.3	52.9	0－0－1－1／2	0.0%	0.0%	50.0%	0%	70%
51.9	モーリス	58.3	51.9	1－0－0－1／2	50.0%	50.0%	50.0%	180%	65%
51.7	ハーツクライ	51.7	53.2	1－1－0－4／6	16.7%	33.3%	33.3%	75%	71%
44.8	キズナ	48.5	44.8	0－1－0－3／4	0.0%	25.0%	25.0%	0%	27%
43.6	ルーラーシップ	43.6	51.4	0－0－1－7／8	0.0%	0.0%	12.5%	0%	62%
38.7	アイルハヴアナザー	38.7	39.6	0－0－0－2／2	0.0%	0.0%	0.0%	0%	0%

ジョッキー偏差値ランキング

当該コース

ジョッキー偏差値	騎手	好走率偏差値	回収率偏差値	着別度数	勝率	連対率	3着内率	単勝回収率	複勝回収率
59.9	横山和生	76.9	59.9	2－0－0－0／2	100.0%	100.0%	100.0%	1045%	340%
59.1	勝浦正樹	59.1	87.3	0－0－1－1／2	0.0%	0.0%	50.0%	0%	980%
52.5	菅原明良	53.1	52.5	0－0－1－2／3	0.0%	0.0%	33.3%	0%	166%
49.0	西村淳也	59.1	49.0	0－0－1－1／2	0.0%	0.0%	50.0%	0%	85%
48.7	丹内祐次	62.6	48.7	2－0－1－2／5	40.0%	40.0%	60.0%	162%	78%
47.8	秋山稔樹	53.1	47.8	0－1－0－2／3	0.0%	33.3%	33.3%	0%	56%
47.7	菱田裕二	53.1	47.7	0－1－0－2／3	0.0%	33.3%	33.3%	0%	53%
47.0	小沢大仁	50.1	47.0	1－0－0－3／4	25.0%	25.0%	25.0%	192%	37%
47.0	武藤雅	53.1	47.0	0－1－0－2／3	0.0%	33.3%	33.3%	0%	36%
41.2	泉谷楓真	41.2	45.4	0－0－0－3／3	0.0%	0.0%	0.0%	0%	0%

エーピーインディ系種牡馬は狙い目かもしれない

集計期間中に施行された新潟ダ2500mのレースは6鞍。異なる複数の産駒が馬券に絡んだ種牡馬は、ハーツクライとマジェスティックウォリアーだけでした。もっとも、そのマジェスティックウォリアーを含むエーピーインディ系種牡馬を父か母の父に持っていた馬は、集計期間中のトータルで3着内数4回、3着内率66.7%、複勝回収率98%。このコースと相性が良い血統とみなして良いかもしれません。

ジョッキー別成績を見ると、丹内祐次騎手と横山和生騎手がそれぞれ2勝をマーク。今後も楽しみな存在です。

※「父がグラスワンダー系種牡馬」の馬（→P180）は、このコースで適用可能な「マストバイデータ」あり

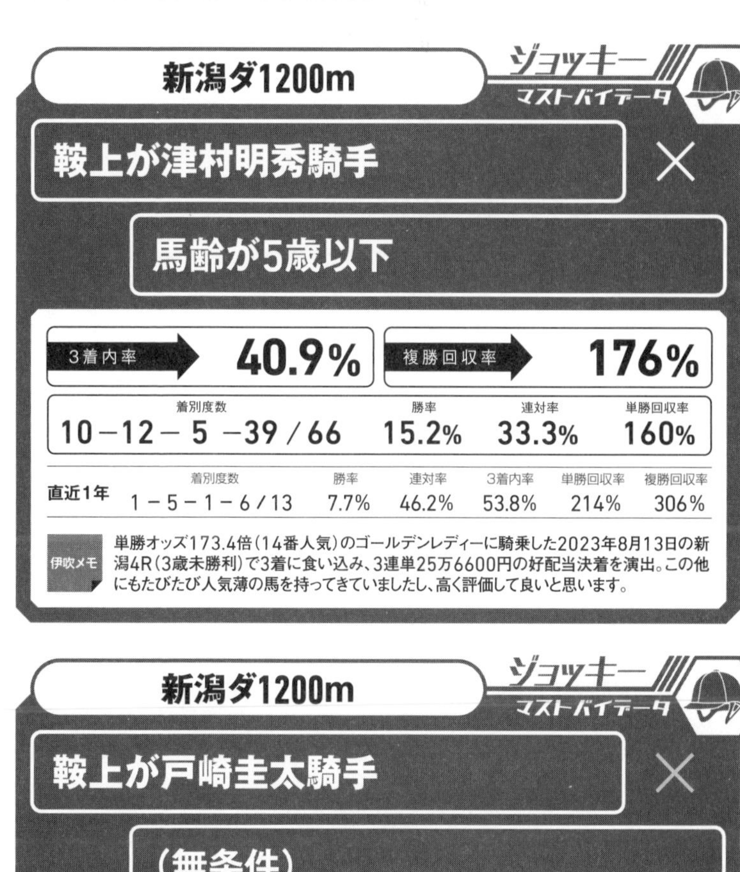

新潟ダ1200m

ジョッキー マストバイデータ

鞍上が津村明秀騎手 ×

馬齢が5歳以下

3着内率	複勝回収率
40.9%	176%

着別度数	勝率	連対率	単勝回収率
10－12－5－39／66	15.2%	33.3%	160%

	着別度数	勝率	連対率	3着内率	単勝回収率	複勝回収率
直近1年	1－5－1－6／13	7.7%	46.2%	53.8%	214%	306%

伊吹メモ　単勝オッズ173.4倍（14番人気）のゴールデンレディーに騎乗した2023年8月13日の新潟4R（3歳未勝利）で3着に食い込み、3連単25万6600円の好配当決着を演出。この他にもたびたび人気薄の馬を持ってきていましたし、高く評価して良いと思います。

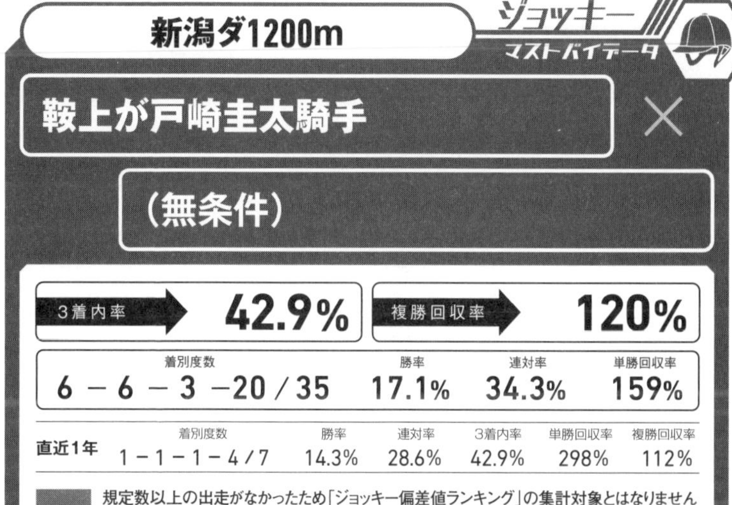

新潟ダ1200m

ジョッキー マストバイデータ

鞍上が戸崎圭太騎手 ×

（無条件）

3着内率	複勝回収率
42.9%	120%

着別度数	勝率	連対率	単勝回収率
6－6－3－20／35	17.1%	34.3%	159%

	着別度数	勝率	連対率	3着内率	単勝回収率	複勝回収率
直近1年	1－1－1－4／7	14.3%	28.6%	42.9%	298%	112%

伊吹メモ　規定数以上の出走がなかったため「ジョッキー偏差値ランキング」の集計対象とはなりませんでしたが、新潟ダ1200mの戸崎圭太騎手は特に条件を付けずとも「マストバイデータ」の採用基準をクリア。意外と人気の盲点になりがちなので見逃せません。

新潟ダ1200m・ダ1800m

父がホッコータルマエ ×

前走の着順が10着以内、かつ、前走のコースがローカル

3着内率	複勝回収率
46.0%	145%

着別度数	勝率	連対率	単勝回収率
5－13－5－27／50	10.0%	36.0%	95%

	着別度数	勝率	連対率	3着内率	単勝回収率	複勝回収率
直近1年	4－5－3－13/25	16.0%	36.0%	48.0%	182%	136%

伊吹メモ 集計期間中はローカルのレースを経由してきた馬の期待値が高かったものの、前走が中央場所のレースだった馬も、妙味あるオッズがついていれば素直に狙って良いはず。大敗直後の馬まで押さえる必要はなく、非常に買いやすい種牡馬です。

新潟ダ1200m・ダ1800m

鞍上が今村聖奈騎手 ×

父がサンデーサイレンス系以外の種牡馬、かつ、前走の着順が10着以内

3着内率	複勝回収率
50.0%	126%

着別度数	勝率	連対率	単勝回収率
12－7－6－25／50	24.0%	38.0%	125%

	着別度数	勝率	連対率	3着内率	単勝回収率	複勝回収率
直近1年	2－1－3－10/16	12.5%	18.8%	37.5%	186%	192%

伊吹メモ 昨年度版でもほぼ同様の条件を「マストバイデータ」としましたが、新潟ダ1200～1800mの今村聖奈騎手は、2023年にも及第点の数字をマーク。ただし、騎乗馬の血統や前走のパフォーマンスは、しっかり確認しておくべきだと思います。

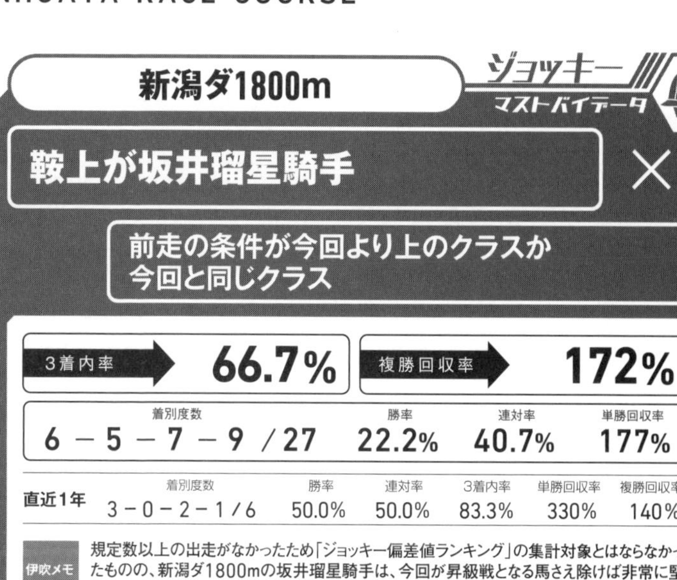

新潟ダ1800m

ジョッキー マストバイデータ

鞍上が坂井瑠星騎手 ×

前走の条件が今回より上のクラスか
今回と同じクラス

3着内率	複勝回収率
66.7%	172%

着別度数	勝率	連対率	単勝回収率
6－5－7－9／27	22.2%	40.7%	177%

	着別度数	勝率	連対率	3着内率	単勝回収率	複勝回収率
直近1年	3－0－2－1／6	50.0%	50.0%	83.3%	330%	140%

伊吹メモ 規定数以上の出走がなかったため「ジョッキー偏差値ランキング」の集計対象とはならなかったものの、新潟ダ1800mの坂井瑠星騎手は、今回が昇級戦となる馬さえ除けば非常に堅実。参戦機会は減るかもしれませんが、しっかり覚えておきましょう。

新潟ダ1800m

ジョッキー マストバイデータ

鞍上がM.デムーロ騎手 ×

（無条件）

3着内率	複勝回収率
50.0%	138%

着別度数	勝率	連対率	単勝回収率
5－5－4－14／28	17.9%	35.7%	291%

	着別度数	勝率	連対率	3着内率	単勝回収率	複勝回収率
直近1年	1－2－3－2／8	12.5%	37.5%	75.0%	656%	247%

伊吹メモ 坂井瑠星騎手と同じ理由で、新潟ダ1800mの「ジョッキー偏差値ランキング」からは漏れてしまいました。もっとも、特に条件を付けずとも「マストバイデータ」の採用基準をクリアしているくらいの得意コースですから、今後も目が離せません。

新潟ダ1800m

ジョッキー マストバイデータ

鞍上が三浦皇成騎手 ×

父がサンデーサイレンス系以外の種牡馬、かつ、前走の出走頭数が今回と同じ頭数か今回より多い頭数

3着内率	複勝回収率
50.0%	123%

着別度数	勝率	連対率	単勝回収率
5－5－5－15/30	16.7%	33.3%	149%

	着別度数	勝率	連対率	3着内率	単勝回収率	複勝回収率
直近1年	2－3－1－3/9	22.2%	55.6%	66.7%	78%	188%

伊吹メモ　サンデーサイレンス系種牡馬の産駒とタッグを組んだレースではやや苦戦していましたが、基本的には信頼できるジョッキー。2023年の夏はこの条件に該当していた馬の活躍が特に目立っていたので、しっかり覚えておきたいところです。

新潟ダ1800m・ダ2500m

父がグラスワンダー系種牡馬 ×

性が牡・セン、かつ、馬齢が4歳以下

3着内率	複勝回収率
48.2%	154%

着別度数	勝率	連対率	単勝回収率
11－10－6－29/56	19.6%	37.5%	115%

	着別度数	勝率	連対率	3着内率	単勝回収率	複勝回収率
直近1年	4－1－2－7/14	28.6%	35.7%	50.0%	172%	105%

伊吹メモ　新潟ダ1800～2500mのレースを使ったグラスワンダー系種牡馬の産駒は、集計期間中のトータルでも3着内率41.0%、複勝回収率116%。牝馬や5歳以上の高齢馬が好走した例もそれなりにありましたし、オッズ次第では狙って良いと思います。

中京競馬場

CHUKYO RACE COURSE

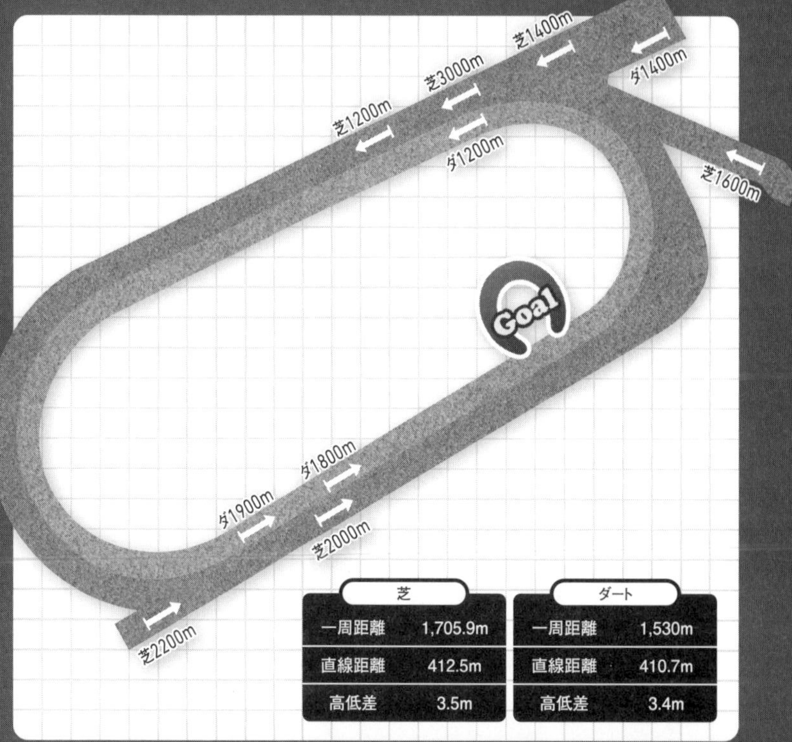

芝	
一周距離	1,705.9m
直線距離	412.5m
高低差	3.5m

ダート	
一周距離	1,530m
直線距離	410.7m
高低差	3.4m

過去3年レース数	80
過去1年レース数	22

中京芝1200m

血統偏差値

要注目種牡馬

父がキングカメハメハ系種牡馬 マストバイデータあり	➡P193
父がダイワメジャー 血統偏差値56.2	3着内率 26.7% 複勝回収率 135%
父がキズナ 血統偏差値55.6	3着内率 26.1% 複勝回収率 90%
父がビッグアーサー 血統偏差値55.1	3着内率 37.8% 複勝回収率 85%

ジョッキー偏差値

要注目騎手

鞍上が浜中俊騎手 ジョッキー偏差値62.0	3着内率 40.0% 複勝回収率 141%
鞍上が富田暁騎手 ジョッキー偏差値58.5	3着内率 32.0% 複勝回収率 156%
鞍上が斎藤新騎手 ジョッキー偏差値58.3	3着内率 31.8% 複勝回収率 275%
鞍上が団野大成騎手 ジョッキー偏差値57.6	3着内率 36.0% 複勝回収率 117%

全体的に期待値が高いのはロードカナロア産駒

集計期間中の3着内数がもっとも多かった種牡馬はロードカナロア。単勝回収率220%、複勝回収率121%と、配当的な妙味もあります。3着内率の23・7%という数字はやや物足りなく感じるかもしれませんが、他の主要サイアーと比べれば決して悪くない数字。上手く付き合っていければ相応の利益をもたらしてくれるでしょう。

血統偏差値ランキングでトップに立っていたのはダイワメジャー。こちらも3着内率は地味な水準ですが、複勝回収率が135%に達していました。

ジョッキー別成績を見ると、3着内数トップの幸英明騎手(15回)、同2位タイの松山弘平騎手(13回)は複勝回収率がいまひとつ。一方、同じく2位タイの岩田望来騎手はまずまずです。

血統偏差値ランキング

当該コース

血統偏差値	騎手	好走率偏差値	回収率偏差値	着別度数	勝率	連対率	3着内率	単勝回収率	複勝回収率
56.2	ダイワメジャー	56.2	69.9	5－9－2－44／60	8.3%	23.3%	26.7%	48%	135%
55.6	キズナ	55.6	56.4	2－4－6－34／46	4.3%	13.0%	26.1%	24%	90%
55.1	ビッグアーサー	68.6	55.1	6－2－6－23／37	16.2%	21.6%	37.8%	171%	85%
54.2	ヴィクトワールピサ	55.6	54.2	1－3－2－17／23	4.3%	17.4%	26.1%	11%	82%
52.9	ロードカナロア	52.9	65.8	15－7－6－90／118	12.7%	18.6%	23.7%	220%	121%
51.1	オルフェーヴル	54.3	51.1	3－3－1－21／28	10.7%	21.4%	25.0%	118%	72%
48.9	ミッキーアイル	63.6	48.9	3－4－0－14／21	14.3%	33.3%	33.3%	50%	65%
46.7	ルーラーシップ	59.2	46.7	1－3－1－12／17	5.9%	23.5%	29.4%	28%	57%
45.6	キンシャサノキセキ	55.1	45.6	4－3－3－29／39	10.3%	17.9%	25.6%	54%	54%
39.1	ディープインパクト	40.8	39.1	2－0－3－34／39	5.1%	5.1%	12.8%	30%	32%
38.9	アドマイヤムーン	38.9	56.7	0－1－1－16／18	0.0%	5.6%	11.1%	0%	91%
38.7	モーリス	45.1	38.7	2－3－0－25／30	6.7%	16.7%	16.7%	46%	31%
37.1	マツリダゴッホ	44.1	37.1	1－0－2－16／19	5.3%	5.3%	15.8%	20%	25%
35.6	ハービンジャー	41.1	35.6	1－0－2－20／23	4.3%	4.3%	13.0%	23%	20%
35.5	エピファネイア	35.5	40.3	1－1－0－23／25	4.0%	8.0%	8.0%	55%	36%

ジョッキー偏差値ランキング

当該コース

ジョッキー偏差値	騎手	好走率偏差値	回収率偏差値	着別度数	勝率	連対率	3着内率	単勝回収率	複勝回収率
62.0	浜中俊	65.3	62.0	1－5－2－12／20	5.0%	30.0%	40.0%	24%	141%
58.5	富田暁	58.5	64.9	0－5－3－17／25	0.0%	20.0%	32.0%	0%	156%
58.3	斎藤新	58.3	87.1	3－1－3－15／22	13.6%	18.2%	31.8%	292%	275%
57.6	団野大成	61.9	57.6	4－4－1－16／25	16.0%	32.0%	36.0%	302%	117%
55.0	池添謙一	55.0	56.1	5－1－1－18／25	20.0%	24.0%	28.0%	204%	109%
53.2	岩田望来	65.9	53.2	5－4－4－19／32	15.6%	28.1%	40.6%	115%	93%
51.2	角田大河	59.6	51.2	1－4－2－14／21	4.8%	23.8%	33.3%	183%	82%
49.3	幸英明	58.4	49.3	7－5－3－32／47	14.9%	25.5%	31.9%	151%	72%
47.9	藤岡康太	56.5	47.9	3－3－5－26／37	8.1%	16.2%	29.7%	37%	64%
47.6	松山弘平	58.2	47.6	3－6－4－28／41	7.3%	22.0%	31.7%	22%	63%
46.5	鮫島克駿	46.6	46.5	2－1－3－27／33	6.1%	9.1%	18.2%	84%	57%
46.0	坂井瑠星	48.9	46.0	3－1－1－19／24	12.5%	16.7%	20.8%	47%	54%
44.3	岩田康誠	51.4	44.3	1－2－2－16／21	4.8%	14.3%	23.8%	20%	45%
44.3	小沢大仁	51.4	44.3	3－1－1－16／21	14.3%	19.0%	23.8%	82%	45%
43.2	武豊	50.5	43.2	3－1－1－17／22	13.6%	18.2%	22.7%	70%	40%

過去3年レース数 97

過去1年レース数 29

中京芝1400m

血統偏差値

要注目種牡馬

父がキズナ マストバイデータあり	➡P193
父がキングカメハメハ系種牡馬 マストバイデータあり	➡P193
父がルーラーシップ 血統偏差値68.2	3着内率 36.0% 複勝回収率 164%
父がモーリス 血統偏差値56.4	3着内率 33.3% 複勝回収率 94%

ジョッキー偏差値

要注目騎手

鞍上が吉田隼人騎手 ジョッキー偏差値56.6	3着内率 30.3% 複勝回収率 104%
鞍上が団野大成騎手 ジョッキー偏差値56.5	3着内率 29.6% 複勝回収率 105%
鞍上が斎藤新騎手 ジョッキー偏差値58.3	3着内率 26.8% 複勝回収率 111%
鞍上が松若風馬騎手 ジョッキー偏差値52.1	3着内率 24.4% 複勝回収率 148%

キズナ産駒やモーリス産駒に注目しておきたい

真っ先にチェックしておくべき種牡馬はキズナ。集計期間中の3着内数(20回)がもっとも多かったうえ、血統偏差値ランキングでも3位に食い込んでいます。23年12月10日の中京4R(2歳未勝利)では単勝オッズ17・5倍(9番人気)の人気薄だったブルボンクイーンが2着に健闘しました。

あとは3着内数が3位タイ(16回)だったモーリスも面白い存在。23年に限ると3着内率50・0%、複勝回収率141%でしたから、これからさらに数字が上向いてくるかもしれません。

ジョッキー部門を見ると、3着内数が比較的多く、好走率や回収率も及第点と言える水準だったのは岩田望来騎手。オッズにもよるとはいえ、ある程度は素直に信頼して良いでしょう。

血統偏差値ランキング

当該コース

血統偏差値	騎手	好走率偏差値	回収率偏差値	着別度数	勝率	連対率	3着内率	単勝回収率	複勝回収率
68.2	ルーラーシップ	68.2	77.4	2－4－3－16／25	8.0%	24.0%	36.0%	19%	164%
56.4	モーリス	64.7	56.4	8－3－5－32／48	16.7%	22.9%	33.3%	198%	94%
55.5	キズナ	62.6	55.5	8－6－6－43／63	12.7%	22.2%	31.7%	105%	91%
53.6	シルバーステート	53.6	54.9	2－2－2－18／24	8.3%	16.7%	25.0%	93%	89%
53.0	ディープインパクト	53.0	59.0	7－2－4－40／53	13.2%	17.0%	24.5%	88%	102%
52.6	オルフェーヴル	53.6	52.6	0－3－3－18／24	0.0%	12.5%	25.0%	0%	81%
52.3	ヴィクトワールピサ	52.3	53.2	1－4－1－19／25	4.0%	20.0%	24.0%	22%	83%
51.9	リオンディーズ	51.9	65.7	3－1－5－29／38	7.9%	10.5%	23.7%	75%	125%
51.9	ロードカナロア	51.9	54.1	8－6－4－58／76	10.5%	18.4%	23.7%	176%	86%
49.0	ハーツクライ	56.6	49.0	4－5－0－24／33	12.1%	27.3%	27.3%	138%	69%
48.7	ワールドエース	56.6	48.7	0－3－3－16／22	0.0%	13.6%	27.3%	0%	68%
47.9	ミッキーアイル	57.6	47.9	2－5－0－18／25	8.0%	28.0%	28.0%	52%	66%
44.2	ダイワメジャー	50.3	44.2	3－6－7－55／71	4.2%	12.7%	22.5%	16%	53%
43.3	スクリーンヒーロー	58.4	43.3	1－2－3－15／21	4.8%	14.3%	28.6%	25%	50%
42.5	ハービンジャー	42.5	46.5	2－2－2－30／36	5.6%	11.1%	16.7%	140%	61%

ジョッキー偏差値ランキング

当該コース

ジョッキー偏差値	騎手	好走率偏差値	回収率偏差値	着別度数	勝率	連対率	3着内率	単勝回収率	複勝回収率
56.6	吉田隼人	57.1	56.6	5－2－3－23／33	15.2%	21.2%	30.3%	157%	104%
56.5	団野大成	56.5	57.0	0－4－4－19／27	0.0%	14.8%	29.6%	0%	105%
54.2	藤岡康太	54.2	58.4	4－4－3－30／41	9.8%	19.5%	26.8%	246%	111%
53.4	秋山真一郎	53.4	66.0	1－2－4－20／27	3.7%	11.1%	25.9%	15%	142%
52.1	松若風馬	52.1	67.3	1－4－6－34／45	2.2%	11.1%	24.4%	51%	148%
51.5	岩田望来	58.6	51.5	6－9－2－36／53	11.3%	28.3%	32.1%	89%	83%
51.2	川田将雅	73.8	51.2	4－6－2－12／24	16.7%	41.7%	50.0%	57%	82%
50.2	角田大和	50.2	56.6	1－2－3－21／27	3.7%	11.1%	22.2%	30%	104%
49.3	幸英明	50.2	49.3	4－3－3－35／45	8.9%	15.6%	22.2%	176%	74%
48.3	坂井瑠星	58.2	48.3	8－1－3－26／38	21.1%	23.7%	31.6%	126%	70%
47.1	角田大河	47.1	52.7	2－2－1－22／27	7.4%	14.8%	18.5%	83%	88%
46.4	永島まなみ	46.4	48.4	3－2－1－28／34	8.8%	14.7%	17.6%	110%	70%
44.1	松山弘平	57.7	44.1	5－5－3－29／42	11.9%	23.8%	31.0%	59%	52%
43.7	西村淳也	49.9	43.7	3－4－0－25／32	9.4%	21.9%	21.9%	58%	51%
43.0	鮫島克駿	47.3	43.0	2－1－3－26／32	6.3%	9.4%	18.8%	26%	48%

過去3年レース数 156
過去1年レース数 49

中京芝1600m

血統偏差値

要注目種牡馬

父がキズナ マストバイデータあり	➡P193
父がディープインパクト系種牡馬 マストバイデータあり	➡P194
父がリオンディーズ 血統偏差値59.2	3着内率 31.6% 複勝回収率 100%
父がロードカナロア 血統偏差値53.9	3着内率 31.0% 複勝回収率 80%

ジョッキー偏差値

要注目騎手

鞍上が藤岡佑介騎手 ジョッキー偏差値62.8	3着内率 45.7% 複勝回収率 126%
鞍上が横山典弘騎手 ジョッキー偏差値59.1	3着内率 47.4% 複勝回収率 109%
鞍上が斎藤新騎手 ジョッキー偏差値58.3	3着内率 47.3% 複勝回収率 102%
鞍上が吉田隼人騎手 ジョッキー偏差値50.6	3着内率 28.6% 複勝回収率 94%

岩田望来騎手らの健闘ぶりが光っているコース

注目は何と言ってもロードカナロア産駒。種牡馬の中ではもっとも3着内数(45回)が多かったうえ、3着内率も31・0%とまずまず優秀です。複勝回収率の80%という数字も、他の主要サイアーと比べれば上々の水準。人気の盲点になっている産駒を見逃さないよう、普段から意識しておきましょう。

ちなみに、血統偏差値ランキング1位のリオンディーズも、ロードカナロアと同じキングカメハメハ系種牡馬の産駒。今後も目が離せません。

ジョッキー偏差値ランキングから強調しておきたいのは岩田望来騎手。好走率や回収率は申し分のない高水準ですし、3着内数(35回)も単独トップでした。出馬表を見る際は真っ先にチェックしておくべきだと思います。

血統偏差値ランキング

当該コース

血統偏差値	騎手	好走率偏差値	回収率偏差値	着別度数	勝率	連対率	3着内率	単勝回収率	複勝回収率
59.2	リオンディーズ	59.2	61.9	2－9－7－39／57	3.5%	19.3%	31.6%	65%	100%
53.9	ロードカナロア	58.4	53.9	21－8－16－100／145	14.5%	20.0%	31.0%	128%	80%
53.5	イスラボニータ	69.1	53.5	4－6－4－22／36	11.1%	27.8%	38.9%	34%	79%
52.1	キズナ	52.1	74.0	11－6－7－67／91	12.1%	18.7%	26.4%	187%	130%
51.6	ドゥラメンテ	69.5	51.6	6－14－7－42／69	8.7%	29.0%	39.1%	55%	75%
51.5	エピファネイア	51.5	62.7	11－11－6－80／108	10.2%	20.4%	25.9%	222%	102%
46.7	ディープインパクト	49.7	46.7	12－11－7－92／122	9.8%	18.9%	24.6%	41%	63%
43.4	ヴィクトワールピサ	43.4	55.6	4－2－1－28／35	11.4%	17.1%	20.0%	166%	84%
42.7	モーリス	55.3	42.7	9－11－5－62／87	10.3%	23.0%	28.7%	53%	53%
41.0	ジャスタウェイ	42.1	41.0	4－1－3－34／42	9.5%	11.9%	19.0%	42%	49%
39.6	ダイワメジャー	51.6	39.6	7－6－6－54／73	9.6%	17.8%	26.0%	45%	45%
39.5	エイシンフラッシュ	39.5	44.3	4－0－2－29／35	11.4%	11.4%	17.1%	171%	57%
37.1	ルーラーシップ	37.1	47.4	5－3－2－55／65	7.7%	12.3%	15.4%	122%	64%
36.9	ハービンジャー	39.8	36.9	3－1－5－43／52	5.8%	7.7%	17.3%	16%	39%
36.2	ハーツクライ	42.7	36.2	2－6－6－58／72	2.8%	11.1%	19.4%	25%	37%

ジョッキー偏差値ランキング

当該コース

ジョッキー偏差値	騎手	好走率偏差値	回収率偏差値	着別度数	勝率	連対率	3着内率	単勝回収率	複勝回収率
62.8	藤岡佑介	62.8	64.0	5－4－7－19／35	14.3%	25.7%	45.7%	143%	126%
59.1	横山典弘	64.0	59.1	4－7－7－20／38	10.5%	28.9%	47.4%	62%	109%
57.2	岩田望来	64.0	57.2	10－14－11－39／74	13.5%	32.4%	47.3%	51%	102%
50.6	吉田隼人	50.6	54.5	4－6－6－40／56	7.1%	17.9%	28.6%	137%	94%
50.0	松山弘平	56.6	50.0	18－8－8－58／92	19.6%	28.3%	37.0%	128%	78%
49.1	川田将雅	66.5	49.1	13－7－9－28／57	22.8%	35.1%	50.9%	76%	75%
46.7	富田暁	46.7	71.0	2－3－4－30／39	5.1%	12.8%	23.1%	22%	149%
46.4	和田竜二	46.4	47.7	4－9－6－65／84	4.8%	15.5%	22.6%	15%	71%
45.3	西村淳也	54.6	45.3	8－4－1－25／38	21.1%	31.6%	34.2%	78%	63%
45.0	松若風馬	45.0	54.1	5－5－1－42／53	9.4%	18.9%	20.8%	350%	92%
44.2	鮫島克駿	44.2	72.7	3－3－4－41／51	5.9%	11.8%	19.6%	326%	155%
44.2	藤岡康太	44.5	44.2	1－5－4－40／50	2.0%	12.0%	20.0%	3%	59%
42.7	坂井瑠星	47.3	42.7	7－5－4－51／67	10.4%	17.9%	23.9%	69%	54%
42.7	幸英明	42.7	43.6	6－4－4－66／80	7.5%	12.5%	17.5%	42%	57%
39.8	武豊	48.1	39.8	2－2－7－33／44	4.5%	9.1%	25.0%	23%	44%

過去3年レース数 195

過去1年レース数 49

中京芝2000m

血統偏差値

要注目種牡馬

父がシルバーステート マストバイデータあり	➡P194
父がステイゴールド系種牡馬 マストバイデータあり	➡P195
父がディープインパクト 血統偏差値55.3	3着内率 40.5% 複勝回収率 88%
父がオルフェーヴル 血統偏差値51.6	3着内率 28.6% 複勝回収率 124%

ジョッキー偏差値

要注目騎手

鞍上が川田将雅騎手 マストバイデータあり	➡P195
鞍上が岩田望来騎手 ジョッキー偏差値56.6	3着内率 39.6% 複勝回収率 85%
鞍上が斎藤新騎手 ジョッキー偏差値58.3	3着内率 30.9% 複勝回収率 105%
鞍上が和田竜二騎手 ジョッキー偏差値51.1	3着内率 30.3% 複勝回収率 97%

川田将雅騎手がとんでもない好成績を収めている

ジョッキー別の3着内数を見ると、川田将雅騎手(51回)が頭ひとつ抜けたトップ。3着内率が66・2%に達しているうえ、回収率は単複とも100%を超えており、ジョッキー偏差値ランキングでも首位に君臨しています。注目を集めがちなトップジョッキーですが、このコースはあまりにも好走率が高過ぎて、世間の評価が追い付いていない印象。無理には逆らえません。

川田将雅騎手の陰に隠れてしまっているものの、3着内数2位(40回)の岩田望来騎手がマークした3着内率39・6%、複勝回収率85%という数字も、他の主要ジョッキーと比べればかなり優秀。高く評価して良さそうです。

あとはディープインパクト直仔もまずまずの成績を収めていました。

血統偏差値ランキング

当該コース

血統偏差値	騎手	好走率偏差値	回収率偏差値	着別度数	勝率	連対率	3着内率	単勝回収率	複勝回収率
68.0	シルバーステート	68.0	71.6	7－1－8－24／40	17.5%	20.0%	40.0%	228%	133%
55.3	ディープインパクト	68.8	55.3	27－28－20－110／185	14.6%	29.7%	40.5%	217%	88%
51.6	オルフェーヴル	51.6	68.3	4－6－8－45／63	6.3%	15.9%	28.6%	66%	124%
49.8	ドゥラメンテ	49.8	53.9	8－11－13－85／117	6.8%	16.2%	27.4%	50%	84%
49.4	キタサンブラック	59.2	49.4	6－7－8－41／62	9.7%	21.0%	33.9%	57%	71%
49.1	エピファネイア	50.1	49.1	11－12－10－87／120	9.2%	19.2%	27.5%	68%	70%
49.0	キズナ	49.8	49.0	9－12－11－85／117	7.7%	17.9%	27.4%	30%	70%
48.9	ハービンジャー	53.0	48.9	18－10－14－100／142	12.7%	19.7%	29.6%	81%	70%
46.7	ブラックタイド	47.2	46.7	2－7－4－38／51	3.9%	17.6%	25.5%	67%	64%
46.0	モーリス	61.5	46.0	7－4－11－40／62	11.3%	17.7%	35.5%	39%	62%
42.8	キングカメハメハ	47.9	42.8	6－5－8－54／73	8.2%	15.1%	26.0%	60%	53%
40.8	ハーツクライ	42.3	40.8	15－15－6－127／163	9.2%	18.4%	22.1%	42%	47%
38.5	ルーラーシップ	38.5	38.5	10－4－8－91／113	8.8%	12.4%	19.5%	37%	41%
36.7	ゴールドシップ	36.7	63.2	5－4－3－54／66	7.6%	13.6%	18.2%	122%	110%
35.6	ロードカナロア	35.6	37.8	4－7－0－52／63	6.3%	17.5%	17.5%	56%	39%

ジョッキー偏差値ランキング

当該コース

ジョッキー偏差値	騎手	好走率偏差値	回収率偏差値	着別度数	勝率	連対率	3着内率	単勝回収率	複勝回収率
65.2	川田将雅	78.2	65.2	27－13－11－26／77	35.1%	51.9%	66.2%	102%	102%
56.6	岩田望来	58.1	56.6	20－12－8－61／101	19.8%	31.7%	39.6%	191%	85%
51.5	幸英明	51.5	66.5	4－11－15－67／97	4.1%	15.5%	30.9%	50%	105%
51.1	和田竜二	51.1	63.0	6－9－12－62／89	6.7%	16.9%	30.3%	48%	97%
49.4	吉田隼人	49.4	50.5	6－2－10－46／64	9.4%	12.5%	28.1%	97%	72%
49.3	松山弘平	55.0	49.3	14－13－11－69／107	13.1%	25.2%	35.5%	58%	70%
48.3	鮫島克駿	48.3	50.8	5－7－8－55／75	6.7%	16.0%	26.7%	52%	73%
47.9	横山典弘	55.3	47.9	4－6－4－25／39	10.3%	25.6%	35.9%	49%	67%
47.7	坂井瑠星	48.6	47.7	5－6－9－54／74	6.8%	14.9%	27.0%	43%	67%
45.9	団野大成	45.9	48.1	4－4－4－39／51	7.8%	15.7%	23.5%	86%	68%
42.8	松若風馬	42.8	48.1	2－7－4－54／67	3.0%	13.4%	19.4%	48%	68%
41.9	武豊	48.5	41.9	8－4－2－38／52	15.4%	23.1%	26.9%	89%	55%
41.7	泉谷楓真	41.7	54.4	4－2－1－32／39	10.3%	15.4%	17.9%	237%	80%
40.5	西村淳也	40.5	47.7	4－1－3－41／49	8.2%	10.2%	16.3%	508%	67%
37.9	藤岡康太	47.3	37.9	6－6－6－53／71	8.5%	16.9%	25.4%	25%	47%

過去3年レース数 89
過去1年レース数 23

中京芝2200m

血統偏差値

要注目種牡馬

父がスクリーンヒーロー 血統偏差値58.2	3着内率 36.8%	複勝回収率 100%
父がオルフェーヴル 血統偏差値57.1	3着内率 36.0%	複勝回収率 105%
父がキングカメハメハ 血統偏差値56.4	3着内率 38.5%	複勝回収率 92%
父がエピファネイア 血統偏差値56.2	3着内率 35.3%	複勝回収率 98%

ジョッキー偏差値

要注目騎手

鞍上が藤岡康太騎手 ジョッキー偏差値61.0	3着内率 43.8%	複勝回収率 131%
鞍上が酒井学騎手 ジョッキー偏差値56.9	3着内率 38.1%	複勝回収率 108%
鞍上が斎藤新騎手 ジョッキー偏差値58.3	3着内率 36.0%	複勝回収率 117%
鞍上が川田将雅騎手 ジョッキー偏差値53.6	3着内率 72.5%	複勝回収率 90%

川田将雅騎手はこのコースでも安定感抜群

種牡馬別の3着内数を見ると、トップはディープインパクト(30回)で、2位はハーツクライ(20回)。しかし、ディープインパクトは複勝回収率が、ハーツクライは3着内率が物足りない水準にとどまっています。これなら、3着内数3位タイ(18回)のエピファネイアを重視したいところ。23年はいまひとつだったものの、近いうちに巻き返してくるのではないでしょうか。

ジョッキー偏差値ランキングから強調できるのは藤岡康太騎手。好走率や回収率が非常に高いうえ、年次ごとの成績も安定していましたから、今後も目が離せません。あとは川田将雅騎手も見逃せない存在。中京芝2000mと同等以上の数字をマークしているので、素直に信頼して良さそうです。

血統偏差値ランキング

当該コース

血統偏差値	騎手	好走率偏差値	回収率偏差値	着別度数	勝率	連対率	3着内率	単勝回収率	複勝回収率
58.2	スクリーンヒーロー	58.2	59.9	5－0－2－12／19	26.3%	26.3%	36.8%	300%	100%
57.1	オルフェーヴル	57.1	62.1	3－3－3－16／25	12.0%	24.0%	36.0%	148%	105%
56.4	キングカメハメハ	60.2	56.4	7－3－5－24／39	17.9%	25.6%	38.5%	91%	92%
56.2	エピファネイア	56.2	59.2	7－7－4－33／51	13.7%	27.5%	35.3%	131%	98%
55.8	ロードカナロア	74.5	55.8	1－5－6－12／24	4.2%	25.0%	50.0%	10%	91%
49.7	ルーラーシップ	49.7	64.9	6－7－5－42／60	10.0%	21.7%	30.0%	41%	111%
49.5	キズナ	49.7	49.5	3－5－4－28／40	7.5%	20.0%	30.0%	72%	76%
45.5	ディープインパクト	52.9	45.5	14－8－8－62／92	15.2%	23.9%	32.6%	64%	67%
42.7	ハーツクライ	42.7	62.9	9－7－4－62／82	11.0%	19.5%	24.4%	133%	107%
42.3	ドゥラメンテ	56.4	42.3	4－6－7－31／48	8.3%	20.8%	35.4%	19%	60%
39.4	モーリス	39.4	50.9	2－2－1－18／23	8.7%	17.4%	21.7%	81%	80%
39.3	ゴールドシップ	43.5	39.3	3－5－5－39／52	5.8%	15.4%	25.0%	24%	53%
37.2	ノヴェリスト	46.9	37.2	0－2－3－13／18	0.0%	11.1%	27.8%	0%	48%
37.1	ハービンジャー	37.7	37.1	5－3－5－51／64	7.8%	12.5%	20.3%	48%	48%
35.5	キタサンブラック	40.0	35.5	2－1－1－14／18	11.1%	16.7%	22.2%	22%	45%

ジョッキー偏差値ランキング

当該コース

ジョッキー偏差値	騎手	好走率偏差値	回収率偏差値	着別度数	勝率	連対率	3着内率	単勝回収率	複勝回収率
61.0	藤岡康太	61.0	65.0	3－9－2－18／32	9.4%	37.5%	43.8%	175%	131%
56.9	酒井学	56.9	58.5	2－3－3－13／21	9.5%	23.8%	38.1%	72%	108%
55.3	坂井瑠星	55.3	61.1	2－3－4－16／25	8.0%	20.0%	36.0%	29%	117%
53.6	川田将雅	81.9	53.6	21－5－3－11／40	52.5%	65.0%	72.5%	121%	90%
53.4	武豊	53.4	60.6	2－2－2－12／18	11.1%	22.2%	33.3%	28%	115%
50.7	吉田隼人	50.7	57.6	3－3－2－19／27	11.1%	22.2%	29.6%	154%	104%
49.6	松若風馬	49.6	71.8	2－5－2－23／32	6.3%	21.9%	28.1%	80%	155%
47.1	池添謙一	49.0	47.1	1－3－2－16／22	4.5%	18.2%	27.3%	8%	66%
45.9	和田竜二	48.3	45.9	1－4－5－28／38	2.6%	13.2%	26.3%	46%	62%
44.8	松山弘平	51.4	44.8	6－3－6－34／49	12.2%	18.4%	30.6%	89%	58%
43.7	鮫島克駿	43.7	46.5	2－2－1－20／25	8.0%	16.0%	20.0%	198%	64%
43.0	団野大成	43.0	58.4	2－1－1－17／21	9.5%	14.3%	19.0%	109%	107%
42.4	岩田望来	47.8	42.4	3－5－2－29／39	7.7%	20.5%	25.6%	65%	50%
41.7	西村淳也	50.4	41.7	3－4－0－17／24	12.5%	29.2%	29.2%	82%	47%
32.6	幸英明	37.4	32.6	0－3－2－39／44	0.0%	6.8%	11.4%	0%	15%

過去3年レース数 3　過去1年レース数 1

中京芝3000m

血統偏差値ランキング 当該コース

血統偏差値	種牡馬	好走率偏差値	回収率偏差値	着別度数	勝率	連対率	3着内率	単勝回収率	複勝回収率
78.4	ディーププリランテ	78.4	83.9	1－0－0－0／1	100.0%	100.0%	100.0%	2650%	500%
69.9	ハービンジャー	78.4	69.9	0－1－0－0／1	0.0%	100.0%	100.0%	0%	320%
55.7	キングカメハメハ	55.7	66.0	0－0－1－2／3	0.0%	0.0%	33.3%	0%	270%
51.1	ルーラーシップ	51.1	56.1	0－1－0－4／5	0.0%	20.0%	20.0%	0%	142%
49.9	オルフェーヴル	58.0	49.9	1－0－1－3／5	20.0%	20.0%	40.0%	60%	62%
48.1	ハーツクライ	51.1	48.1	0－0－1－4／5	0.0%	0.0%	20.0%	0%	40%
47.9	ゴールドシップ	55.7	47.9	1－0－0－2／3	33.3%	33.3%	33.3%	70%	36%
47.7	ディープインパクト	51.1	47.7	0－1－0－4／5	0.0%	20.0%	20.0%	0%	34%
44.3	ヴィクトワールピサ	44.3	45.0	0－0－0－1／1	0.0%	0.0%	0.0%	0%	0%
44.3	エピファネイア	44.3	45.0	0－0－0－1／1	0.0%	0.0%	0.0%	0%	0%

ジョッキー偏差値ランキング 当該コース

ジョッキー偏差値	騎手	好走率偏差値	回収率偏差値	着別度数	勝率	連対率	3着内率	単勝回収率	複勝回収率
64.6	坂井瑠星	74.6	64.6	0－0－1－0／1	0.0%	0.0%	100.0%	0%	200%
59.3	高倉稜	59.3	69.7	1－0－0－1／2	50.0%	50.0%	50.0%	1325%	250%
59.3	団野大成	59.3	60.5	0－1－0－1／2	0.0%	50.0%	50.0%	0%	160%
59.3	吉田隼人	59.3	80.3	0－1－0－1／2	0.0%	50.0%	50.0%	0%	355%
58.5	川田将雅	74.6	58.5	0－0－1－0／1	0.0%	0.0%	100.0%	0%	140%
54.2	幸英明	54.2	71.7	0－0－1－2／3	0.0%	0.0%	33.3%	0%	270%
52.9	西村淳也	59.3	52.9	1－0－0－1／2	50.0%	50.0%	50.0%	150%	85%
49.9	松山弘平	59.3	49.9	1－0－0－1／2	50.0%	50.0%	50.0%	105%	55%
44.1	岩田望来	44.1	44.3	0－0－0－2／2	0.0%	0.0%	0.0%	0%	0%
44.1	斎藤新	44.1	44.3	0－0－0－1／1	0.0%	0.0%	0.0%	0%	0%

強いて言うならステイゴールド系種牡馬が狙い目

　京都競馬場の開催休止期間中だった21～23年に万葉Sが施行されたコース。いつまたレースが組まれても良いよう、一応振り返っておきましょう。

　複数の産駒が馬券に絡んだ種牡馬はオルフェーヴルのみ。また、同じステイゴールド系に属するゴールドシップからも勝ち馬が出ています。ステイゴールド系種牡馬全体の成績は3着内率30.0%、複勝回収率42%でしたが、大敗直後の該当馬が多かった点や、他に成績の良い父系が見当たらない点を考慮すると、ある程度は高く評価して良さそう。参考にしてみてください。

中京芝1200m・芝1400m

父がキングカメハメハ系種牡馬 ×

前走の着順が5着以内、かつ、
前走との間隔が中8週以内

3着内率 **42.6%**　複勝回収率 **136%**

着別度数	勝率	連対率	単勝回収率
21－14－14－66／115	18.3%	30.4%	217%

	着別度数	勝率	連対率	3着内率	単勝回収率	複勝回収率
直近1年	9－7－1－12/29	31.0%	55.2%	58.6%	381%	173%

伊吹メモ　中京芝1200～1400mのレースを使ったキングカメハメハ系種牡馬の産駒は、集計期間中のトータルだと3着内率が22.2%、複勝回収率が88%。ただし、前走好走馬に限れば好走率も回収率も高水準だったので、しっかりチェックしておきましょう。

中京芝1400m・芝1600m

父がキズナ ×

馬番が1～7番、かつ、
前走との間隔が中10週以内

3着内率 **44.4%**　複勝回収率 **214%**

着別度数	勝率	連対率	単勝回収率
11－8－5－30／54	20.4%	35.2%	376%

	着別度数	勝率	連対率	3着内率	単勝回収率	複勝回収率
直近1年	4－3－2－5／14	28.6%	50.0%	64.3%	126%	156%

伊吹メモ　中京芝1400m・中京芝1600mの2コースで内寄りの枠に入ったキズナ産駒は、超人気薄でも要注意。2022年6月12日の中京4R（3歳未勝利・芝1600m）では、単勝オッズ111.9倍（11番人気）のダイシンビヨンドが優勝を果たし、波乱を演出しました。

中京芝1600m

父がディープインパクト系種牡馬 ×

馬齢が3歳以下、かつ、前走の馬体重が450kg以上

3着内率	複勝回収率
40.5%	201%

着別度数	勝率	連対率	単勝回収率
18－16－15－72／121	14.9%	28.1%	150%

	着別度数	勝率	連対率	3着内率	単勝回収率	複勝回収率
直近1年	9－5－4－25/43	20.9%	32.6%	41.9%	109%	123%

伊吹メモ　中京芝1600mは、キズナ以外のディープインパクト系種牡馬も優秀な成績を収めているコース。極端に小柄な馬でない限り、父にディープインパクト系種牡馬を持つ2～3歳馬は、近走成績がいまひとつでも激走を警戒しておきたいところです。

中京芝2000m

父がシルバーステート

（無条件）

3着内率	複勝回収率
40.0%	133%

着別度数	勝率	連対率	単勝回収率
7－1－8－24／40	17.5%	20.0%	228%

	着別度数	勝率	連対率	3着内率	単勝回収率	複勝回収率
直近1年	3－0－4－8/15	20.0%	20.0%	46.7%	154%	143%

伊吹メモ　シルバーステート産駒は、中京芝の全コースを対象とした集計期間中のトータルでも3着内率31.9%、複勝回収率129%。この中京芝2000mは特に条件を付けずとも「マストバイデータ」の採用基準をクリアしていますし、今後も目が離せません。

中京芝2000m

父がステイゴールド系種牡馬 ×

前走の上がり3ハロンタイム順位が5位以内、かつ、馬齢が3歳以上

3着内率	複勝回収率
43.8%	122%

着別度数	勝率	連対率	単勝回収率
9－6－13－36／64	14.1%	23.4%	97%

	着別度数	勝率	連対率	3着内率	単勝回収率	複勝回収率
直近1年	2－1－3－9／15	13.3%	20.0%	40.0%	171%	170%

伊吹メモ 中京芝2000mは父にステイゴールド系種牡馬を持つ馬の期待値が高め。前走で出走メンバー中上位の上がり3ハロンタイムをマークしていた馬に限れば、好走率も優秀な水準に達しています。妙味ある該当馬を見逃さないよう心掛けましょう。

中京芝2000m

鞍上が川田将雅騎手 ×

出走頭数が14頭以上

3着内率	複勝回収率
79.2%	142%

着別度数	勝率	連対率	単勝回収率
11－4－4－5／24	45.8%	62.5%	191%

	着別度数	勝率	連対率	3着内率	単勝回収率	複勝回収率
直近1年	4－3－1－0／8	50.0%	87.5%	100.0%	182%	146%

伊吹メモ 中京芝2000m以上のレースに出走した川田将雅騎手の騎乗馬は、集計期間中のトータルでも単勝回収率108%、複勝回収率98%。好走率があまりにも高過ぎて、人気が追い付いていない印象でした。この中京芝2000mは特に期待値の高いコースです。

過去3年レース数 172
過去1年レース数 43

中京ダ1200m

血統偏差値

要注目種牡馬

父がシニスターミニスター マストバイデータあり	➡P204
父がハーツクライ マストバイデータあり	➡P205
父がヘニーヒューズ マストバイデータあり	➡P204
父がホッコータルマエ 血統偏差値56.8	3着内率 25.6% 複勝回収率 99%

ジョッキー偏差値

要注目騎手

鞍上が坂井瑠星騎手 マストバイデータあり	➡P205
鞍上が藤岡康太騎手 ジョッキー偏差値57.1	3着内率 28.2% 複勝回収率 241%
鞍上が斎藤新騎手 ジョッキー偏差値58.3	3着内率 25.8% 複勝回収率 124%
鞍上が松若風馬騎手 ジョッキー偏差値52.7	3着内率 25.4% 複勝回収率 96%

シニスターミニスターとヘニーヒューズが好成績

集計期間中の3着内数がもっとも多かった種牡馬はヘニーヒューズ（33回）。3着内率31・7％、複勝回収率96％と、アベレージの面でも優秀な成績を収めています。ひと通りチェックしておくに越したことはありません。

このヘニーヒューズを血統偏差値ランキングで上回ったのがシニスターミニスター。好走率や回収率は申し分のない水準に達していますし、3着内数（25回）も単独2位でした。妙味ある産駒を見逃してしまわないよう、こちらもしっかりマークしておきましょう。

ジョッキー偏差値ランキングからピックアップしておきたいのは坂井瑠星騎手。集計期間中の3着内数（23回）が松山弘平騎手（35回）に次ぐ2位タイだったうえ、3着内率が優秀です。

血統偏差値ランキング

当該コース

血統偏差値	騎手	好走率偏差値	回収率偏差値	着別度数	勝率	連対率	3着内率	単勝回収率	複勝回収率
68.7	シニスターミニスター	68.7	74.6	12－7－6－49／74	16.2%	25.7%	33.8%	244%	148%
58.0	ヘニーヒューズ	65.7	58.0	10－14－9－71／104	9.6%	23.1%	31.7%	54%	96%
56.8	ホッコータルマエ	56.8	59.0	3－3－4－29／39	7.7%	15.4%	25.6%	75%	99%
53.5	ロードカナロア	60.6	53.5	8－8－8－61／85	9.4%	18.8%	28.2%	37%	82%
52.2	エスポワールシチー	52.2	66.3	3－2－4－31／40	7.5%	12.5%	22.5%	41%	122%
51.8	ダノンレジェンド	51.8	58.9	2－1－5－28／36	5.6%	8.3%	22.2%	34%	99%
51.7	ドレフォン	64.6	51.7	7－2－4－29／42	16.7%	21.4%	31.0%	131%	76%
51.4	ストロングリターン	51.4	57.2	4－2－3－32／41	9.8%	14.6%	22.0%	54%	94%
49.3	ミッキーアイル	52.9	49.3	6－5－3－47／61	9.8%	18.0%	23.0%	60%	69%
48.8	リオンディーズ	60.6	48.8	4－3－4－28／39	10.3%	17.9%	28.2%	46%	67%
45.3	コパノリッキー	45.3	49.4	6－0－2－37／45	13.3%	13.3%	17.8%	432%	69%
44.6	サウスヴィグラス	44.6	51.3	5－6－4－72／87	5.7%	12.6%	17.2%	128%	75%
44.6	パイロ	49.8	44.6	3－3－4－38／48	6.3%	12.5%	20.8%	39%	54%
40.9	キンシャサノキセキ	54.2	40.9	6－8－2－51／67	9.0%	20.9%	23.9%	30%	42%
40.2	メイショウボーラー	40.2	54.2	2－4－4－60／70	2.9%	8.6%	14.3%	87%	84%

ジョッキー偏差値ランキング

当該コース

ジョッキー偏差値	騎手	好走率偏差値	回収率偏差値	着別度数	勝率	連対率	3着内率	単勝回収率	複勝回収率
57.1	藤岡康太	57.1	84.3	5－3－3－28／39	12.8%	20.5%	28.2%	322%	241%
54.5	川須栄彦	54.5	58.9	4－7－5－46／62	6.5%	17.7%	25.8%	31%	124%
53.2	坂井瑠星	75.5	53.2	8－6－9－28／51	15.7%	27.5%	45.1%	59%	98%
52.7	松若風馬	54.0	52.7	9－4－3－47／63	14.3%	20.6%	25.4%	103%	96%
52.3	角田大河	52.3	54.8	4－2－4－32／42	9.5%	14.3%	23.8%	109%	105%
49.9	古川吉洋	49.9	72.5	2－2－4－29／37	5.4%	10.8%	21.6%	334%	187%
49.1	富田暁	51.5	49.1	4－5－3－40／52	7.7%	17.3%	23.1%	66%	79%
48.7	松山弘平	67.4	48.7	16－11－8－58／93	17.2%	29.0%	37.6%	110%	77%
48.5	小沢大仁	48.5	56.2	6－3－3－47／59	10.2%	15.3%	20.3%	529%	112%
48.4	西村淳也	59.7	48.4	4－3－4－25／36	11.1%	19.4%	30.6%	38%	76%
48.2	幸英明	49.3	48.2	8－3－9－75／95	8.4%	11.6%	21.1%	79%	75%
46.0	鮫島克駿	52.3	46.0	6－6－3－48／63	9.5%	19.0%	23.8%	50%	65%
45.0	岩田望来	56.2	45.0	4－10－9－61／84	4.8%	16.7%	27.4%	22%	60%
43.7	和田竜二	45.2	43.7	3－3－8－67／81	3.7%	7.4%	17.3%	18%	54%
42.4	永島まなみ	42.4	55.3	1－3－5－52／61	1.6%	6.6%	14.8%	284%	108%

過去3年レース数 224

過去1年レース数 54

中京ダ1400m

血統偏差値

要注目種牡馬

種牡馬	3着内率	複勝回収率
父がハーツクライ マストバイデータあり	➡P205	
父がルーラーシップ 血統偏差値61.3	27.7%	162%
父がディスクリートキャット 血統偏差値59.5	31.9%	98%
父がマクフィ 血統偏差値52.0	23.9%	92%

ジョッキー偏差値

要注目騎手

騎手	3着内率	複勝回収率
鞍上が西村淳也騎手 ジョッキー偏差値56.5	31.1%	93%
鞍上が吉田隼人騎手 ジョッキー偏差値55.9	30.3%	94%
鞍上が斎藤新騎手 ジョッキー偏差値58.3	37.8%	86%
鞍上が岩田望来騎手 ジョッキー偏差値53.3	37.3%	85%

ルーラーシップやロードカナロアの健闘が目立つ

中京ダ1200mで素晴らしい成績を収めていたシニスターミニスターとヘニーヒューズは、このコースだと好走率も回収率も物足りない水準。出走数がそれなりに多い種牡馬ですし、扱い方を誤らないよう注意しましょう。

比較的狙いやすい印象だったのはロードカナロア。集計期間中の3着内数(44回)がもっとも多かったうえ、好走率や回収率も、他の主要サイアーと比べれば悪くない水準でした。

さらに面白い存在と言えるのはルーラーシップ。単勝回収率が194%に、複勝回収率が162%に達しているほか、集計期間中の3着内数(23回)も単独3位と、相当に健闘しています。出走してきた産駒は片っ端から押さえておいた方が良いかもしれません。

血統偏差値ランキング

当該コース

血統偏差値	騎手	好走率偏差値	回収率偏差値	着別度数	勝率	連対率	3着内率	単勝回収率	複勝回収率
61.3	ルーラーシップ	61.3	82.1	6－9－8－60／83	7.2%	18.1%	27.7%	194%	162%
59.5	ディスクリートキャット	71.5	59.5	6－5－4－32／47	12.8%	23.4%	31.9%	64%	98%
52.0	マクフィ	52.0	57.3	7－5－4－51／67	10.4%	17.9%	23.9%	86%	92%
52.0	ロードカナロア	62.5	52.0	17－14－13－112／156	10.9%	19.9%	28.2%	94%	77%
49.6	シニスターミニスター	58.5	49.6	8－6－7－58／79	10.1%	17.7%	26.6%	82%	70%
49.4	ジャスタウェイ	49.4	57.8	3－7－3－44／57	5.3%	17.5%	22.8%	78%	94%
48.6	マジェスティックウォリアー	48.6	53.4	5－4－9－62／80	6.3%	11.3%	22.5%	48%	81%
48.6	モーリス	57.1	48.6	7－4－2－37／50	14.0%	22.0%	26.0%	100%	68%
48.5	キズナ	50.3	48.5	9－5－5－63／82	11.0%	17.1%	23.2%	110%	67%
46.2	アジアエクスプレス	53.8	46.2	5－9－3－52／69	7.2%	20.3%	24.6%	64%	61%
42.4	キンシャサノキセキ	43.6	42.4	6－9－5－78／98	6.1%	15.3%	20.4%	35%	50%
41.9	ドレフォン	48.8	41.9	5－5－4－48／62	8.1%	16.1%	22.6%	61%	49%
41.2	ダイワメジャー	41.2	42.8	8－3－3－58／72	11.1%	15.3%	19.4%	90%	51%
41.2	ヘニーヒューズ	43.5	41.2	12－14－6－125／157	7.6%	16.6%	20.4%	66%	47%
39.8	パイロ	48.4	39.8	7－3－5－52／67	10.4%	14.9%	22.4%	55%	43%

ジョッキー偏差値ランキング

当該コース

ジョッキー偏差値	騎手	好走率偏差値	回収率偏差値	着別度数	勝率	連対率	3着内率	単勝回収率	複勝回収率
56.5	西村淳也	56.6	56.5	5－8－10－51／74	6.8%	17.6%	31.1%	95%	93%
55.9	吉田隼人	55.9	56.9	4－7－12－53／76	5.3%	14.5%	30.3%	47%	94%
53.9	松山弘平	61.9	53.9	19－8－15－69／111	17.1%	24.3%	37.8%	93%	86%
53.3	岩田望来	61.5	53.3	15－16－10－69／110	13.6%	28.2%	37.3%	105%	85%
52.8	川田将雅	78.3	52.8	20－12－3－25／60	33.3%	53.3%	58.3%	95%	84%
52.4	武豊	60.1	52.4	5－4－7－29／45	11.1%	20.0%	35.6%	126%	82%
49.3	和田竜二	49.3	53.0	3－10－9－78／100	3.0%	13.0%	22.0%	11%	84%
48.1	坂井瑠星	53.2	48.1	8－7－6－57／78	10.3%	19.2%	26.9%	48%	71%
47.1	角田大和	47.1	51.6	2－6－6－59／73	2.7%	11.0%	19.2%	31%	80%
46.3	池添謙一	53.8	46.3	5－3－5－34／47	10.6%	17.0%	27.7%	61%	66%
46.0	松若風馬	47.5	46.0	6－7－3－65／81	7.4%	16.0%	19.8%	70%	66%
45.7	団野大成	51.3	45.7	6－3－4－40／53	11.3%	17.0%	24.5%	67%	65%
44.4	鮫島克駿	46.3	44.4	6－5－5－72／88	6.8%	12.5%	18.2%	105%	61%
43.2	幸英明	48.7	43.2	7－9－9－93／118	5.9%	13.6%	21.2%	54%	58%
42.8	藤岡康太	48.6	42.8	3－3－10－60／76	3.9%	7.9%	21.1%	12%	57%

過去3年レース数 315
過去1年レース数 81

中京ダ1800m

血統偏差値

要注目種牡馬

父がキズナ マストバイデータあり	➡P206
父がキタサンブラック マストバイデータあり	➡P206
父がハーツクライ 血統偏差値56.8	3着内率 33.0% 複勝回収率 87%
父がパイロ 血統偏差値56.6	3着内率 31.0% 複勝回収率 86%

ジョッキー偏差値

要注目騎手

	3着内率	複勝回収率
鞍上が坂井瑠星騎手 ジョッキー偏差値59.4	35.6%	105%
鞍上が鮫島克駿騎手 ジョッキー偏差値55.0	34.7%	87%
鞍上が斎藤新騎手 ジョッキー偏差値58.3	31.3%	83%
鞍上が川田将雅騎手 ジョッキー偏差値49.8	50.0%	76%

キズナ産駒は近走成績がいまひとつでも要注意

真っ先にチェックしておくべき種牡馬はキズナ。集計期間中の3着内数(41回)がトップだったうえ、単勝回収率は297%に、複勝回収率は135%に達しています。3着内率の29・3%も、他の主要サイアーと比べれば悪くない数字。人気薄の産駒であってもしっかりマークしておきましょう。

キズナほど派手な回収率ではなかったものの、好走率の高さを考えると、血統偏差値ランキング上位のハーツクライやパイロも高く評価したいところ。よほど大きな不安のある産駒でなければ、無理に逆らう必要はありません。

ジョッキー偏差値ランキングで首位に立っていたのは坂井瑠星騎手。3着内数や3着内率はもちろん、単複の回収率も相当に優秀な水準でした。

血統偏差値ランキング

当該コース

血統偏差値	騎手	好走率偏差値	回収率偏差値	着別度数	勝率	連対率	3着内率	単勝回収率	複勝回収率
56.8	ハーツクライ	61.3	56.8	12－9－12－67／100	12.0%	21.0%	33.0%	75%	87%
56.6	パイロ	58.0	56.6	3－5－14－49／71	4.2%	11.3%	31.0%	48%	86%
55.1	キズナ	55.1	80.7	16－10－15－99／140	11.4%	18.6%	29.3%	297%	135%
52.3	エピファネイア	52.3	56.7	6－10－8－63／87	6.9%	18.4%	27.6%	96%	87%
52.1	ヘニーヒューズ	53.7	52.1	7－14－10－78／109	6.4%	19.3%	28.4%	49%	77%
52.0	シニスターミニスター	52.0	59.3	13－6－7－69／95	13.7%	20.0%	27.4%	103%	92%
49.6	ドゥラメンテ	68.4	49.6	7－15－16－64／102	6.9%	21.6%	37.3%	31%	72%
48.0	ディープインパクト	52.4	48.0	9－5－7－55／76	11.8%	18.4%	27.6%	97%	69%
47.4	キングカメハメハ	58.8	47.4	11－7－5－50／73	15.1%	24.7%	31.5%	120%	68%
45.7	ドレフォン	58.6	45.7	12－5－10－59／86	14.0%	19.8%	31.4%	103%	64%
44.7	ロードカナロア	44.8	44.7	9－6－9－80／104	8.7%	14.4%	23.1%	64%	62%
43.6	マジェスティックウォリアー	43.6	50.9	10－6－9－87／112	8.9%	14.3%	22.3%	84%	75%
41.1	オルフェーヴル	49.7	41.1	6－10－9－71／96	6.3%	16.7%	26.0%	30%	55%
41.0	ホッコータルマエ	41.0	46.5	11－3－7－80／101	10.9%	13.9%	20.8%	56%	66%
32.5	ルーラーシップ	35.5	32.5	10－9－6－118／143	7.0%	13.3%	17.5%	38%	38%

ジョッキー偏差値ランキング

当該コース

ジョッキー偏差値	騎手	好走率偏差値	回収率偏差値	着別度数	勝率	連対率	3着内率	単勝回収率	複勝回収率
59.4	坂井瑠星	59.4	63.6	14－10－13－67／104	13.5%	23.1%	35.6%	90%	105%
55.0	鮫島克駿	58.4	55.0	14－13－8－66／101	13.9%	26.7%	34.7%	80%	87%
52.9	吉田隼人	55.1	52.9	10－7－9－57／83	12.0%	20.5%	31.3%	89%	83%
49.8	川田将雅	73.9	49.8	13－14－5－32／64	20.3%	42.2%	50.0%	73%	76%
48.1	松山弘平	62.5	48.1	24－15－19－92／150	16.0%	26.0%	38.7%	87%	73%
47.6	団野大成	47.6	52.2	9－7－5－67／88	10.2%	18.2%	23.9%	70%	81%
46.7	富田暁	46.7	54.7	5－6－9－67／87	5.7%	12.6%	23.0%	117%	86%
46.5	西村淳也	46.5	47.3	8－6－4－61／79	10.1%	17.7%	22.8%	84%	71%
45.7	松若風馬	49.6	45.7	6－8－15－83／112	5.4%	12.5%	25.9%	39%	68%
45.5	岩田望来	55.1	45.5	16－16－9－90／131	12.2%	24.4%	31.3%	97%	67%
43.3	幸英明	50.7	43.3	14－12－16－114／156	9.0%	16.7%	26.9%	43%	63%
43.2	藤岡康太	56.7	43.2	10－11－8－59／88	11.4%	23.9%	33.0%	75%	62%
42.4	角田大和	42.4	57.7	6－5－6－74／91	6.6%	12.1%	18.7%	94%	93%
40.9	和田竜二	48.2	40.9	8－15－11－105／139	5.8%	16.5%	24.5%	46%	58%
39.6	小沢大仁	39.6	46.9	4－4－8－85／101	4.0%	7.9%	15.8%	51%	70%

過去3年レース数 116
過去1年レース数 27

中京ダ1900m

血統偏差値

要注目種牡馬

父がキズナ マストバイデータあり	➡P206
父がキタサンブラック マストバイデータあり	➡P206
父がヘニーヒューズ 血統偏差値59.5	3着内率 35.7% 複勝回収率 154%
父がシニスターミニスター 血統偏差値54.2	3着内率 30.8% 複勝回収率 173%

ジョッキー偏差値

要注目騎手

鞍上が西村淳也騎手 ジョッキー偏差値65.4	3着内率 46.4% 複勝回収率 143%
鞍上が川田将雅騎手 ジョッキー偏差値56.6	3着内率 65.4% 複勝回収率 98%
鞍上が斎藤新騎手 ジョッキー偏差値58.3	3着内率 31.8% 複勝回収率 166%
鞍上が吉田隼人騎手 ジョッキー偏差値52.6	3着内率 29.4% 複勝回収率 107%

キズナ産駒はこのコースでも目が離せない存在

中京ダ1800mで優秀な成績を収めていたキズナ産駒は、この中京ダ1900mでも、3着内率43.1%、複勝回収率108%と素晴らしい数字をマークしていました。単純に、中京ダ中長距離が合っているのでしょう。

このキズナと互角以上の血統偏差値をマークしたのが、シニスターミニスターとヘニーヒューズ。どちらも中京ダ1200mで産駒の活躍が目立っていた種牡馬です。中京ダ1400mや中京ダ1800mを極端に苦手としているわけではありませんが、この傾向は頭に入れておくべきだと思います。

ジョッキー部門で強調しておきたいのは、やはり川田将雅騎手。3着内率があまりにも高いせいで、複勝回収率も優秀な水準に達していました。

血統偏差値ランキング

当該コース

血統偏差値	騎手	好走率偏差値	回収率偏差値	着別度数	勝率	連対率	3着内率	単勝回収率	複勝回収率
59.5	ヘニーヒューズ	59.5	69.7	5－3－2－18／28	17.9%	28.6%	35.7%	125%	154%
58.3	キズナ	67.5	58.3	5－11－12－37／65	7.7%	24.6%	43.1%	46%	108%
54.2	シニスターミニスター	54.2	74.6	4－1－3－18／26	15.4%	19.2%	30.8%	73%	173%
51.9	パイロ	54.0	51.9	5－2－4－25／36	13.9%	19.4%	30.6%	65%	83%
51.5	オルフェーヴル	67.2	51.5	3－4－5－16／28	10.7%	25.0%	42.9%	60%	81%
50.0	ブラックタイド	50.0	50.4	1－3－3－19／26	3.8%	15.4%	26.9%	138%	77%
49.4	ダンカーク	53.7	49.4	6－3－1－23／33	18.2%	27.3%	30.3%	116%	73%
49.0	ハーツクライ	54.1	49.0	7－7－5－43／62	11.3%	22.6%	30.6%	53%	71%
48.1	ホッコータルマエ	59.2	48.1	6－7－4－31／48	12.5%	27.1%	35.4%	46%	68%
46.1	キングカメハメハ	54.4	46.1	7－2－4－29／42	16.7%	21.4%	31.0%	80%	60%
44.3	ロードカナロア	44.3	45.2	2－2－4－29／37	5.4%	10.8%	21.6%	25%	56%
44.0	ジャスタウェイ	46.6	44.0	2－5－2－29／38	5.3%	18.4%	23.7%	33%	52%
41.1	キンシャサノキセキ	46.9	41.1	2－1－3－19／25	8.0%	12.0%	24.0%	24%	40%
40.7	ディープインパクト	42.6	40.7	2－3－1－24／30	6.7%	16.7%	20.0%	27%	38%
36.7	ルーラーシップ	36.7	59.1	2－4－3－53／62	3.2%	9.7%	14.5%	11%	112%

ジョッキー偏差値ランキング

当該コース

ジョッキー偏差値	騎手	好走率偏差値	回収率偏差値	着別度数	勝率	連対率	3着内率	単勝回収率	複勝回収率
65.4	西村淳也	65.4	68.6	1－3－9－15／28	3.6%	14.3%	46.4%	24%	143%
56.6	川田将雅	79.7	56.6	6－8－3－9／26	23.1%	53.8%	65.4%	64%	98%
54.4	富田暁	54.4	74.7	7－3－4－30／44	15.9%	22.7%	31.8%	105%	166%
52.6	吉田隼人	52.6	58.8	5－3－2－24／34	14.7%	23.5%	29.4%	167%	107%
52.4	幸英明	57.8	52.4	11－6－7－42／66	16.7%	25.8%	36.4%	120%	82%
51.0	鮫島克駿	51.0	55.1	2－2－8－32／44	4.5%	9.1%	27.3%	20%	92%
48.6	藤岡康太	48.6	54.7	2－5－0－22／29	6.9%	24.1%	24.1%	70%	91%
48.2	角田大河	48.2	50.2	1－1－6－26／34	2.9%	5.9%	23.5%	6%	74%
48.1	松若風馬	49.3	48.1	2－2－4－24／32	6.3%	12.5%	25.0%	31%	66%
47.9	岩田望来	52.2	47.9	7－3－5－37／52	13.5%	19.2%	28.8%	59%	65%
47.0	松山弘平	56.0	47.0	6－7－6－37／56	10.7%	23.2%	33.9%	47%	62%
46.6	酒井学	46.6	56.6	2－3－1－22／28	7.1%	17.9%	21.4%	57%	98%
46.2	坂井瑠星	54.3	46.2	3－6－4－28／41	7.3%	22.0%	31.7%	17%	59%
43.5	団野大成	44.1	43.5	2－2－2－27／33	6.1%	12.1%	18.2%	17%	49%
43.3	角田大和	43.3	57.9	3－3－0－29／35	8.6%	17.1%	17.1%	344%	103%

中京ダ1200m

父がシニスターミニスター ×

調教師の所属が栗東、かつ、馬番が1～14番

3着内率	複勝回収率
43.1%	189%

着別度数	勝率	連対率	単勝回収率
12－7－6－33／58	20.7%	32.8%	311%

	着別度数	勝率	連対率	3着内率	単勝回収率	複勝回収率
直近1年	1－1－3－8／13	7.7%	15.4%	38.5%	92%	110%

伊吹メモ　シニスターミニスター産駒は、中京ダの全コースを対象とした集計期間中のトータルでも3着内率29.2%、複勝回収率109%。中京ダ1200mは好走率も比較的高く、関東馬や極端な外枠に入った馬を除くと、さらに優秀な成績を収めています。

中京ダ1200m

父がヘニーヒューズ ×

前走の上がり3ハロンタイム順位が7位以内、かつ、前走の出走頭数が12頭以上

3着内率	複勝回収率
40.4%	124%

着別度数	勝率	連対率	単勝回収率
6－10－7－34／57	10.5%	28.1%	62%

	着別度数	勝率	連対率	3着内率	単勝回収率	複勝回収率
直近1年	0－3－1－7／11	0.0%	27.3%	36.4%	0%	103%

伊吹メモ　前走の内容が極端に悪かった馬でない限り、中京ダ1200mのヘニーヒューズ産駒は素直に信頼して良さそう。2022年9月25日の中京12R（3歳以上2勝クラス）では、単勝オッズ59.9倍（13番人気）のコーリングローリーが2着に突っ込んできました。

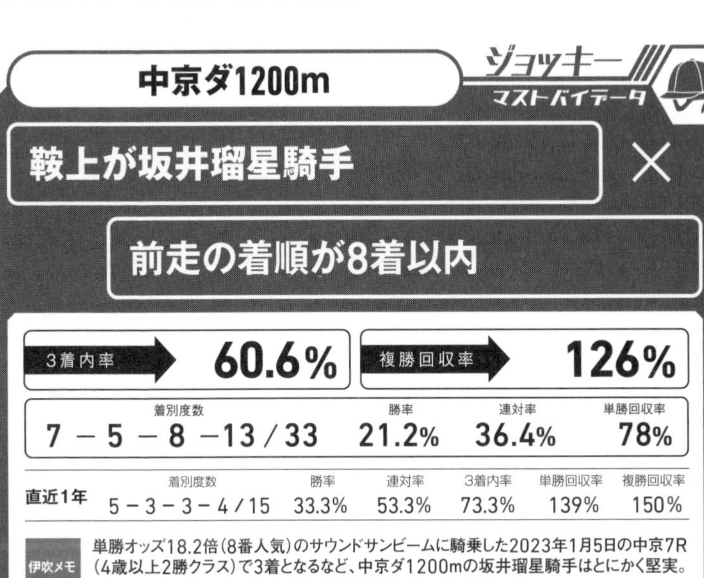

中京ダ1200m

ジョッキー マストバイデータ

鞍上が坂井瑠星騎手 ×

前走の着順が8着以内

3着内率 **60.6%**　複勝回収率 **126%**

着別度数	勝率	連対率	単勝回収率
7－5－8－13／33	21.2%	36.4%	78%

	着別度数	勝率	連対率	3着内率	単勝回収率	複勝回収率
直近1年	5－3－3－4／15	33.3%	53.3%	73.3%	139%	150%

伊吹メモ　単勝オッズ18.2倍（8番人気）のサウンドサンビームに騎乗した2023年1月5日の中京7R（4歳以上2勝クラス）で3着となるなど、中京ダ1200mの坂井瑠星騎手はとにかく堅実。人気の盲点になっているようであれば、積極的に狙っていきましょう。

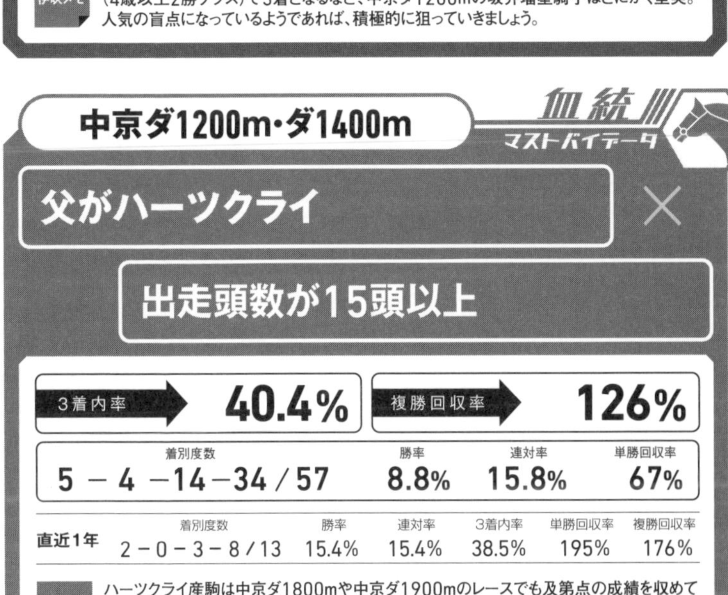

中京ダ1200m・ダ1400m

血統 マストバイデータ

父がハーツクライ ×

出走頭数が15頭以上

3着内率 **40.4%**　複勝回収率 **126%**

着別度数	勝率	連対率	単勝回収率
5－4－14－34／57	8.8%	15.8%	67%

	着別度数	勝率	連対率	3着内率	単勝回収率	複勝回収率
直近1年	2－0－3－8／13	15.4%	15.4%	38.5%	195%	176%

伊吹メモ　ハーツクライ産駒は中京ダ1800mや中京ダ1900mのレースでも及第点の成績を収めているのですが、より期待値が高かったのは短距離の2コース。たとえ少頭数のレースであっても、妙味あるオッズがついているならば勝負して良さそうです。

中京ダ1800m・ダ1900m

父がキズナ ×

前走のコースが右回り、かつ、前走のコースが1800m以上

3着内率	複勝回収率
43.8%	232%

着別度数	勝率	連対率	単勝回収率
13−10−9−41/73	17.8%	31.5%	521%

	着別度数	勝率	連対率	3着内率	単勝回収率	複勝回収率
直近1年	2−4−4−10/20	10.0%	30.0%	50.0%	342%	190%

伊吹メモ 中京ダ1800〜1900mのレースを使ったキズナ産駒は、集計期間中のトータルでも3着内率33.7%、複勝回収率127%。右回りから左回りに替わって一変する馬が非常に多かったので、同様の臨戦過程を見かけたら高く評価するべきだと思います。

中京ダ1800m・ダ1900m

父がキタサンブラック ×

性が牡・セン

3着内率	複勝回収率
40.9%	148%

着別度数	勝率	連対率	単勝回収率
7−5−6−26/44	15.9%	27.3%	142%

	着別度数	勝率	連対率	3着内率	単勝回収率	複勝回収率
直近1年	2−2−2−9/15	13.3%	26.7%	40.0%	242%	238%

伊吹メモ 牝馬が穴をあけた例もあるとはいえ、好走例の大半を占めていたのは牡馬。2023年12月3日のチャンピオンズC（3歳以上GI・中京ダ1800m）では、単勝オッズ92.0倍（12番人気）のウィルソンテソーロが2着に食い込み、高額配当決着を演出しました。

小倉競馬場

KOKURA RACE COURSE

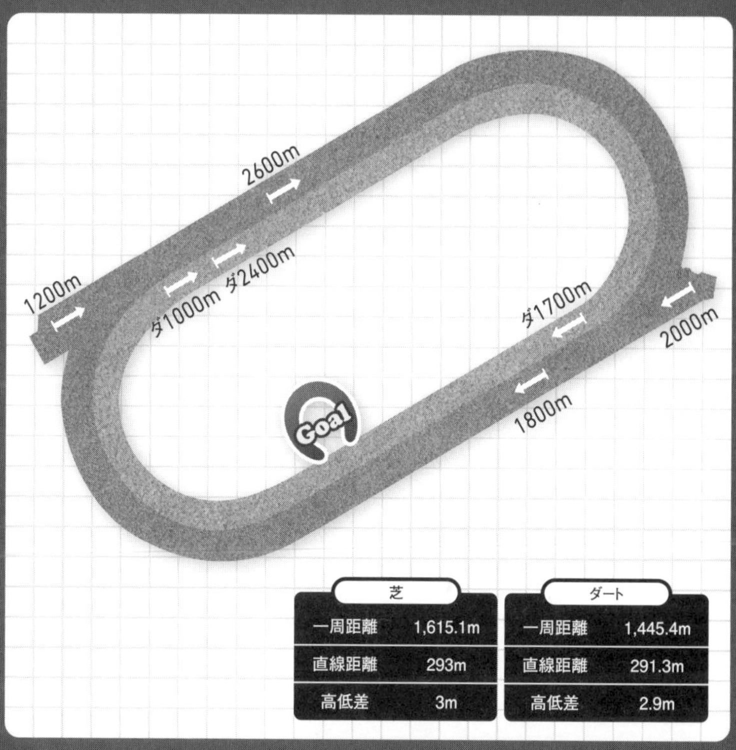

芝	
一周距離	1,615.1m
直線距離	293m
高低差	3m

ダート	
一周距離	1,445.4m
直線距離	291.3m
高低差	2.9m

過去3年レース数 245
過去1年レース数 67

小倉芝1200m

血統偏差値

要注目種牡馬

父がアメリカンペイトリオット マストバイデータあり	➡P216
父がルーラーシップ 血統偏差値68.7	3着内率 29.6% 複勝回収率 122%
父がダイワメジャー 血統偏差値59.6	3着内率 26.5% 複勝回収率 94%
父がイスラボニータ 血統偏差値55.5	3着内率 22.4% 複勝回収率 112%

ジョッキー偏差値

要注目騎手

鞍上が坂井瑠星騎手 マストバイデータあり	➡P217
鞍上が幸英明騎手 マストバイデータあり	➡P216
鞍上が丹内祐次騎手 ジョッキー偏差値59.2	3着内率 27.7% 複勝回収率 114%
鞍上が鮫島克駿騎手 ジョッキー偏差値56.8	3着内率 26.8% 複勝回収率 99%

ダイワメジャーやルーラーシップの産駒が狙い目

集計期間中の3着内数がもっとも多かった種牡馬はロードカナロア（70回）。3着内率は24・9%、複勝回収率は76%で、一見すると地味に映る数字ですが、他の主要サイアーと比べればそれほど悪くありません。ケースバイケースで取捨を判断しましょう。

より狙いやすい印象だったのは、3着内数2位（44回）のダイワメジャーと、同3位（24回）のルーラーシップ。こちらはそれぞれ複勝回収率が優秀な水準に達していました。人気薄でも激走を経過しておくべきだと思います。

ジョッキー偏差値ランキングから強調しておきたいのは、やはりトップの幸英明騎手。3着内数（35回）も藤岡康太騎手（38回）に次ぐ単独2位でしたし、積極的に狙って良さそうです。

血統偏差値ランキング

当該コース

血統偏差値	騎手	好走率偏差値	回収率偏差値	着別度数	勝率	連対率	3着内率	単勝回収率	複勝回収率
68.7	ルーラーシップ	68.7	71.8	4－8－12－57／81	4.9%	14.8%	29.6%	49%	122%
59.6	ダイワメジャー	63.0	59.6	20－13－11－122／166	12.0%	19.9%	26.5%	143%	94%
55.5	イスラボニータ	55.5	67.7	3－4－6－45／58	5.2%	12.1%	22.4%	41%	112%
52.1	ロードカナロア	60.1	52.1	32－24－14－211／281	11.4%	19.9%	24.9%	133%	76%
50.9	ミッキーアイル	56.3	50.9	6－5－10－71／92	6.5%	12.0%	22.8%	84%	73%
49.0	リオンディーズ	49.0	50.8	5－4－4－56／69	7.2%	13.0%	18.8%	88%	73%
48.8	モーリス	48.8	49.9	6－7－5－78／96	6.3%	13.5%	18.8%	79%	71%
48.1	マクフィ	48.1	53.8	4－2－3－40／49	8.2%	12.2%	18.4%	103%	80%
48.0	ビッグアーサー	63.0	48.0	8－10－4－61／83	9.6%	21.7%	26.5%	96%	67%
46.8	ディープインパクト	52.9	46.8	4－2－7－49／62	6.5%	9.7%	21.0%	53%	64%
42.4	ハービンジャー	42.4	51.0	3－3－3－50／59	5.1%	10.2%	15.3%	40%	74%
41.7	キンシャサノキセキ	41.7	55.5	1－3－7－63／74	1.4%	5.4%	14.9%	4%	84%
41.7	スクリーンヒーロー	58.7	41.7	4－5－5－44／58	6.9%	15.5%	24.1%	35%	52%
34.7	キズナ	40.1	34.7	6－3－5－86／100	6.0%	9.0%	14.0%	33%	36%
32.6	エピファネイア	32.6	52.7	3－3－2－73／81	3.7%	7.4%	9.9%	79%	78%

ジョッキー偏差値ランキング

当該コース

ジョッキー偏差値	騎手	好走率偏差値	回収率偏差値	着別度数	勝率	連対率	3着内率	単勝回収率	複勝回収率
60.5	幸英明	62.3	60.5	14－9－12－82／117	12.0%	19.7%	29.9%	186%	108%
59.2	丹内祐次	59.2	62.5	7－11－10－73／101	6.9%	17.8%	27.7%	65%	114%
56.8	鮫島克駿	57.9	56.8	11－9－6－71／97	11.3%	20.6%	26.8%	167%	99%
54.9	吉田隼人	57.9	54.9	5－10－4－52／71	7.0%	21.1%	26.8%	80%	93%
52.7	泉谷楓真	52.7	59.8	2－7－9－60／78	2.6%	11.5%	23.1%	12%	107%
52.4	岩田望来	69.7	52.4	5－8－6－35／54	9.3%	24.1%	35.2%	78%	87%
48.4	藤岡康太	60.1	48.4	11－18－9－96／134	8.2%	21.6%	28.4%	56%	76%
47.3	西村淳也	50.3	47.3	15－4－11－110／140	10.7%	13.6%	21.4%	81%	73%
47.3	浜中俊	60.4	47.3	7－6－7－50／70	10.0%	18.6%	28.6%	74%	73%
46.7	団野大成	51.3	46.7	3－7－7－60／77	3.9%	13.0%	22.1%	42%	71%
45.6	松山弘平	66.1	45.6	16－9－5－62／92	17.4%	27.2%	32.6%	94%	68%
44.1	角田大河	61.9	44.1	7－5－4－38／54	13.0%	22.2%	29.6%	88%	64%
43.0	今村聖奈	55.9	43.0	6－4－9－56／75	8.0%	13.3%	25.3%	51%	61%
42.8	松若風馬	44.1	42.8	10－1－5－78／94	10.6%	11.7%	17.0%	151%	61%
39.5	富田暁	46.8	39.5	10－11－4－107／132	7.6%	15.9%	18.9%	78%	51%

過去3年レース数 148

過去1年レース数 39

小倉芝1800m

血統偏差値

要注目種牡馬

父がアメリカンペイトリオット マストバイデータあり	➡P216
父がドゥラメンテ マストバイデータあり	➡P218
父がキタサンブラック 血統偏差値55.1	3着内率 43.3% 複勝回収率 81%
父がキズナ 血統偏差値54.4	3着内率 28.6% 複勝回収率 86%

ジョッキー偏差値

要注目騎手

鞍上が坂井瑠星騎手 マストバイデータあり	➡P217
鞍上が団野大成騎手 マストバイデータあり	➡P217
鞍上が西村淳也騎手 マストバイデータあり	➡P218
鞍上が岩田望来騎手 ジョッキー偏差値57.5	3着内率 33.3% 複勝回収率 92%

キズナ産駒やドゥラメンテ産駒は今後も要注目

血統偏差値ランキングはドゥラメンテが断然のトップ。年次ごとの成績には大きな波があったものの、集計期間中のトータルで見れば好走率も回収率も申し分のない高水準です。「マストバイデータ」の項(↓P218)で指摘した通り、前走好走馬はブレが小さかったので、参考にしてみてください。

他に強調しておきたいのはキズナ産駒の健闘ぶり。こちらは23年に限ると単勝回収率154%、複勝回収率106%でしたから、これからさらに妙味が増してくるかもしれません。

ジョッキー偏差値ランキングを見ると、優秀な数字をマークしていたのは団野大成騎手や西村淳也騎手。3着内数もそれなりに多かったので、引き続きしっかりマークしておきましょう。

血統偏差値ランキング

当該コース

血統偏差値	騎手	好走率偏差値	回収率偏差値	着別度数	勝率	連対率	3着内率	単勝回収率	複勝回収率
67.6	ドゥラメンテ	67.6	73.3	11－7－8－42／68	16.2%	26.5%	38.2%	87%	118%
55.1	キタサンブラック	74.6	55.1	10－2－1－17／30	33.3%	40.0%	43.3%	242%	81%
54.4	キズナ	54.4	57.7	7－9－8－60／84	8.3%	19.0%	28.6%	82%	86%
50.2	エピファネイア	56.7	50.2	8－11－7－60／86	9.3%	22.1%	30.2%	24%	71%
48.5	ダイワメジャー	51.8	48.5	3－4－5－33／45	6.7%	15.6%	26.7%	28%	67%
48.3	ルーラーシップ	49.1	48.3	6－6－10－67／89	6.7%	13.5%	24.7%	46%	67%
48.1	ハーツクライ	60.3	48.1	4－6－15－51／76	5.3%	13.2%	32.9%	15%	66%
47.4	キングカメハメハ	48.5	47.4	1－4－3－25／33	3.0%	15.2%	24.2%	78%	65%
47.3	ディープインパクト	60.5	47.3	16－14－9－79／118	13.6%	25.4%	33.1%	84%	65%
47.0	モーリス	55.4	47.0	10－7－5－53／75	13.3%	22.7%	29.3%	73%	64%
46.9	ハービンジャー	48.9	46.9	4－7－2－40／53	7.5%	20.8%	24.5%	50%	64%
46.6	ブラックタイド	46.6	49.6	1－1－6－27／35	2.9%	5.7%	22.9%	7%	70%
45.1	ゴールドシップ	45.1	58.5	6－2－2－36／46	13.0%	17.4%	21.7%	119%	88%
44.1	ジャスタウェイ	44.1	50.8	5－1－6－45／57	8.8%	10.5%	21.1%	131%	72%
38.2	ロードカナロア	40.7	38.2	4－3－6－57／70	5.7%	10.0%	18.6%	84%	46%

ジョッキー偏差値ランキング

当該コース

ジョッキー偏差値	騎手	好走率偏差値	回収率偏差値	着別度数	勝率	連対率	3着内率	単勝回収率	複勝回収率
65.5	団野大成	65.5	76.8	4－8－9－29／50	8.0%	24.0%	42.0%	60%	156%
62.2	西村淳也	63.0	62.2	14－12－12－59／97	14.4%	26.8%	39.2%	142%	108%
57.5	岩田望来	57.8	57.5	4－2－6－24／36	11.1%	16.7%	33.3%	175%	92%
56.1	松若風馬	56.1	57.7	6－6－5－37／54	11.1%	22.2%	31.5%	85%	92%
54.9	鮫島克駿	55.6	54.9	3－4－10－38／55	5.5%	12.7%	30.9%	236%	83%
54.8	今村聖奈	55.2	54.8	3－7－4－32／46	6.5%	21.7%	30.4%	43%	83%
53.8	丹内祐次	53.8	57.7	5－7－3－37／52	9.6%	23.1%	28.8%	128%	92%
52.2	横山和生	64.7	52.2	4－5－5－20／34	11.8%	26.5%	41.2%	35%	74%
51.3	吉田隼人	61.0	51.3	8－6－3－29／46	17.4%	30.4%	37.0%	68%	71%
51.0	和田竜二	60.3	51.0	5－4－8－30／47	10.6%	19.1%	36.2%	79%	70%
47.4	斎藤新	47.4	50.2	2－3－5－36／46	4.3%	10.9%	21.7%	23%	67%
47.1	松山弘平	63.7	47.1	6－8－6－30／50	12.0%	28.0%	40.0%	59%	57%
46.0	浜中俊	55.8	46.0	4－7－3－31／45	8.9%	24.4%	31.1%	39%	53%
44.6	藤岡康太	44.6	45.3	2－7－7－70／86	2.3%	10.5%	18.6%	12%	51%
39.4	富田暁	43.1	39.4	3－3－6－59／71	4.2%	8.5%	16.9%	15%	31%

過去3年レース数 124

過去1年レース数 34

小倉芝2000m

血統偏差値

要注目種牡馬

父がドゥラメンテ マストバイデータあり	➡P218
父がハーツクライ マストバイデータあり	➡P219
父がモーリス 血統偏差値63.7	3着内率 36.2% 複勝回収率 141%
父がオルフェーヴル 血統偏差値58.1	3着内率 32.1% 複勝回収率 112%

ジョッキー偏差値

要注目騎手

鞍上が西村淳也騎手 マストバイデータあり	➡P218
鞍上が横山和生騎手 ジョッキー偏差値68.8	3着内率 57.1% 複勝回収率 141%
鞍上が鮫島克駿騎手 ジョッキー偏差値58.6	3着内率 40.4% 複勝回収率 105%
鞍上が藤岡佑介騎手 ジョッキー偏差値52.7	3着内率 46.7% 複勝回収率 85%

ハーツクライ産駒はこれからも狙っていけそう

小倉芝1800mで優秀な成績を収めていたドゥラメンテは、この小倉芝2000mでも血統偏差値ランキングの4位にランクイン。単純に小倉芝中距離が合っていると見て良さそうです。

もちろん、このドゥラメンテを血統偏差値で上回ったオルフェーヴル、ハーツクライ、モーリスあたりも、それぞれ見逃せない存在。ハーツクライは集計期間中の3着内数(33回)がもっとも多かった種牡馬でもありますし、引き続きマークしておきましょう。

ジョッキー別成績を見ると、3着内数がもっとも多かったのは西村淳也騎手(35回)。好走率や回収率も申し分のない高水準でした。あとは、3着内数3位(19回)の鮫島克駿騎手あたりも、高く評価して良いと思います。

血統偏差値ランキング

当該コース

血統偏差値	騎手	好走率偏差値	回収率偏差値	着別度数	勝率	連対率	3着内率	単勝回収率	複勝回収率
63.7	モーリス	63.7	68.9	8－3－6－30／47	17.0%	23.4%	36.2%	245%	141%
58.1	オルフェーヴル	58.1	60.4	4－6－7－36／53	7.5%	18.9%	32.1%	52%	112%
57.1	ハーツクライ	62.8	57.1	10－12－11－60／93	10.8%	23.7%	35.5%	56%	101%
56.9	ドゥラメンテ	56.9	61.1	6－7－11－53／77	7.8%	16.9%	31.2%	33%	115%
55.9	シルバーステート	66.1	55.9	6－3－2－18／29	20.7%	31.0%	37.9%	122%	97%
50.2	ハービンジャー	59.9	50.2	8－14－9－62／93	8.6%	23.7%	33.3%	36%	78%
46.2	スクリーンヒーロー	46.2	66.7	2－2－3－23／30	6.7%	13.3%	23.3%	78%	134%
43.7	ディープインパクト	43.7	44.7	8－5－4－62／79	10.1%	16.5%	21.5%	44%	59%
43.6	エピファネイア	47.2	43.6	10－6－4－63／83	12.0%	19.3%	24.1%	139%	55%
42.0	ルーラーシップ	52.4	42.0	8－7－7－57／79	10.1%	19.0%	27.8%	62%	50%
41.6	キズナ	51.0	41.6	6－7－5－49／67	9.0%	19.4%	26.9%	34%	48%
40.7	ゴールドシップ	40.7	41.4	3－4－4－46／57	5.3%	12.3%	19.3%	44%	48%
40.5	ブラックタイド	40.5	46.2	3－4－2－38／47	6.4%	14.9%	19.1%	120%	64%
39.9	ロードカナロア	39.9	45.8	4－3－2－39／48	8.3%	14.6%	18.8%	113%	63%
36.4	キタサンブラック	36.4	39.4	2－0－3－26／31	6.5%	6.5%	16.1%	30%	41%

ジョッキー偏差値ランキング

当該コース

ジョッキー偏差値	騎手	好走率偏差値	回収率偏差値	着別度数	勝率	連対率	3着内率	単勝回収率	複勝回収率
68.8	横山和生	71.6	68.8	7－4－5－12／28	25.0%	39.3%	57.1%	155%	141%
62.2	西村淳也	62.2	66.8	9－18－8－44／79	11.4%	34.2%	44.3%	93%	134%
58.6	鮫島克駿	59.4	58.6	6－6－7－28／47	12.8%	25.5%	40.4%	107%	105%
52.7	藤岡佑介	64.0	52.7	7－5－2－16／30	23.3%	40.0%	46.7%	108%	85%
52.6	岩田望来	53.3	52.6	2－2－5－19／28	7.1%	14.3%	32.1%	18%	84%
51.2	藤岡康太	54.8	51.2	13－8－5－50／76	17.1%	27.6%	34.2%	111%	79%
50.8	浜中俊	61.9	50.8	8－5－5－23／41	19.5%	31.7%	43.9%	83%	78%
50.0	松本大輝	50.0	55.1	3－4－1－21／29	10.3%	24.1%	27.6%	132%	93%
49.6	幸英明	53.3	49.6	6－5－7－38／56	10.7%	19.6%	32.1%	64%	74%
48.2	松山弘平	60.3	48.2	9－5－1－21／36	25.0%	38.9%	41.7%	91%	69%
46.9	丹内祐次	46.9	51.9	4－6－4－46／60	6.7%	16.7%	23.3%	63%	82%
46.3	団野大成	48.1	46.3	4－3－2－27／36	11.1%	19.4%	25.0%	104%	62%
44.8	吉田隼人	55.6	44.8	5－5－2－22／34	14.7%	29.4%	35.3%	35%	57%
44.1	松若風馬	44.1	47.8	3－3－3－37／46	6.5%	13.0%	19.6%	64%	68%
42.8	富田暁	42.8	47.9	1－3－7－51／62	1.6%	6.5%	17.7%	11%	68%

過去3年 レース数 36

過去1年 レース数 9

小倉芝2600m

血統偏差値

要注目種牡馬

父がステイゴールド系種牡馬 マストバイデータあり	➡P219
父がジャスタウェイ 血統偏差値62.0	3着内率 50.0% 複勝回収率 166%
父がオルフェーヴル 血統偏差値60.8	3着内率 41.7% 複勝回収率 189%
父がゴールドシップ 血統偏差値54.7	3着内率 38.2% 複勝回収率 124%

ジョッキー偏差値

要注目騎手

鞍上が丹内祐次騎手 ジョッキー偏差値57.7	3着内率 42.9% 複勝回収率 120%
鞍上が勝浦正樹騎手 ジョッキー偏差値57.1	3着内率 40.0% 複勝回収率 117%
鞍上が和田竜二騎手 ジョッキー偏差値54.2	3着内率 37.5% 複勝回収率 100%
鞍上が吉田隼人騎手 ジョッキー偏差値51.6	3着内率 38.5% 複勝回収率 85%

とにかくステイゴールド系種牡馬が強いコース

集計期間中の3着内数がもっとも多かった種牡馬はオルフェーヴル（15回）で、2位がゴールドシップ（13回）。この2種牡馬はそれぞれ血統偏差値ランキングでも上位に食い込んでいます。同じステイゴールド系種牡馬のドリームジャーニーが穴をあけた例もありましたし、セットで覚えておきましょう。

ジョッキー別の3着内数を見ると、丹内祐次騎手（9回）が断然のトップ。好走率や回収率が非常に高く、ジョッキー偏差値ランキングでも首位に君臨していました。22年1月23日の海の中道特別（4歳以上2勝クラス）では、単勝オッズ15・8倍（7番人気）どまりだったマイネルコロンブスを優勝に導き、好配当決着を演出。騎乗馬の近走成績がいまひとつでも侮れません。

血統偏差値ランキング

当該コース

血統偏差値	騎手	好走率偏差値	回収率偏差値	着別度数	勝率	連対率	3着内率	単勝回収率	複勝回収率
62.0	ジャスタウェイ	68.6	62.0	1－4－0－5／10	10.0%	50.0%	50.0%	353%	166%
60.8	オルフェーヴル	60.8	66.2	4－6－5－21／36	11.1%	27.8%	41.7%	63%	189%
54.7	ゴールドシップ	57.6	54.7	6－3－4－21／34	17.6%	26.5%	38.2%	112%	124%
49.4	エピファネイア	49.4	66.5	3－0－2－12／17	17.6%	17.6%	29.4%	67%	191%
48.6	ドゥラメンテ	48.6	52.0	2－0－2－10／14	14.3%	14.3%	28.6%	217%	109%
48.0	キングカメハメハ	60.4	48.0	4－1－2－10／17	23.5%	29.4%	41.2%	143%	87%
47.5	ルーラーシップ	53.0	47.5	3－2－3－16／24	12.5%	20.8%	33.3%	76%	83%
44.3	ハービンジャー	44.3	44.5	1－2－3－19／25	4.0%	12.0%	24.0%	51%	66%
42.2	キズナ	42.2	42.9	1－3－1－18／23	4.3%	17.4%	21.7%	15%	57%
41.4	ハーツクライ	42.6	41.4	2－2－2－21／27	7.4%	14.8%	22.2%	38%	49%
38.3	ディープインパクト	40.2	38.3	3－4－2－37／46	6.5%	15.2%	19.6%	25%	31%
32.3	ダイワメジャー	32.3	36.2	0－0－1－8／9	0.0%	0.0%	11.1%	0%	20%

ジョッキー偏差値ランキング

当該コース

ジョッキー偏差値	騎手	好走率偏差値	回収率偏差値	着別度数	勝率	連対率	3着内率	単勝回収率	複勝回収率
57.7	丹内祐次	62.6	57.7	2－4－3－12／21	9.5%	28.6%	42.9%	89%	120%
57.1	勝浦正樹	60.3	57.1	1－0－3－6／10	10.0%	10.0%	40.0%	85%	117%
54.2	和田竜二	58.3	54.2	1－1－1－5／8	12.5%	25.0%	37.5%	156%	100%
51.6	吉田隼人	59.1	51.6	1－4－0－8／13	7.7%	38.5%	38.5%	91%	85%
48.7	松本大輝	50.1	48.7	2－1－0－8／11	18.2%	27.3%	27.3%	358%	68%
48.3	菱田裕二	58.3	48.3	1－1－1－5／8	12.5%	25.0%	37.5%	52%	66%
48.2	泉谷楓真	54.9	48.2	0－2－1－6／9	0.0%	22.2%	33.3%	0%	65%
48.2	川又賢治	48.2	48.5	1－1－0－6／8	12.5%	25.0%	25.0%	107%	67%
48.2	角田大和	48.2	57.7	1－0－1－6／8	12.5%	12.5%	25.0%	225%	120%
48.1	松山弘平	60.3	48.1	1－1－2－6／10	10.0%	20.0%	40.0%	43%	65%
47.4	鮫島克駿	51.8	47.4	0－2－3－12／17	0.0%	11.8%	29.4%	0%	61%
44.1	松若風馬	44.2	44.1	1－1－0－8／10	10.0%	20.0%	20.0%	77%	42%
41.5	富田暁	41.5	47.4	0－1－2－15／18	0.0%	5.6%	16.7%	0%	61%
41.4	浜中俊	45.4	41.4	1－1－1－11／14	7.1%	14.3%	21.4%	12%	26%
40.8	藤岡康太	40.8	41.2	0－0－3－16／19	0.0%	0.0%	15.8%	0%	25%

小倉芝1200m

鞍上が幸英明騎手

×

前走の着順が12着以内、かつ、馬番が6～18番

3着内率	複勝回収率
42.1%	167%

着別度数	勝率	連対率	単勝回収率
10－6－8－33/57	17.5%	28.1%	257%

	着別度数	勝率	連対率	3着内率	単勝回収率	複勝回収率
直近1年	7－2－2－17/28	25.0%	32.1%	39.3%	232%	142%

伊吹メモ　小倉芝1200mの幸英明騎手は、集計期間中のトータルでも単勝回収率186%、複勝回収率108%。大敗直後の馬に騎乗したレースや内寄りの枠に入ってしまったレースが足を引っ張っていたものの、それらを除けば好走率も非常に優秀です。

小倉芝1200m・芝1800m

父がアメリカンペイトリオット

×

調教師の所属が栗東、かつ、馬齢が3歳以下

3着内率	複勝回収率
60.0%	199%

着別度数	勝率	連対率	単勝回収率
6－8－4－12/30	20.0%	46.7%	296%

	着別度数	勝率	連対率	3着内率	単勝回収率	複勝回収率
直近1年	3－4－0－3/10	30.0%	70.0%	70.0%	320%	225%

伊吹メモ　アメリカンペイトリオットは2021年に初年度産駒がデビューしたばかりの若い種牡馬。小倉芝は合っていると見て良さそうですし、関東馬や高齢馬の好走例もこれから増えてきそうなので、当面はすべての出走馬を狙ってみましょう。

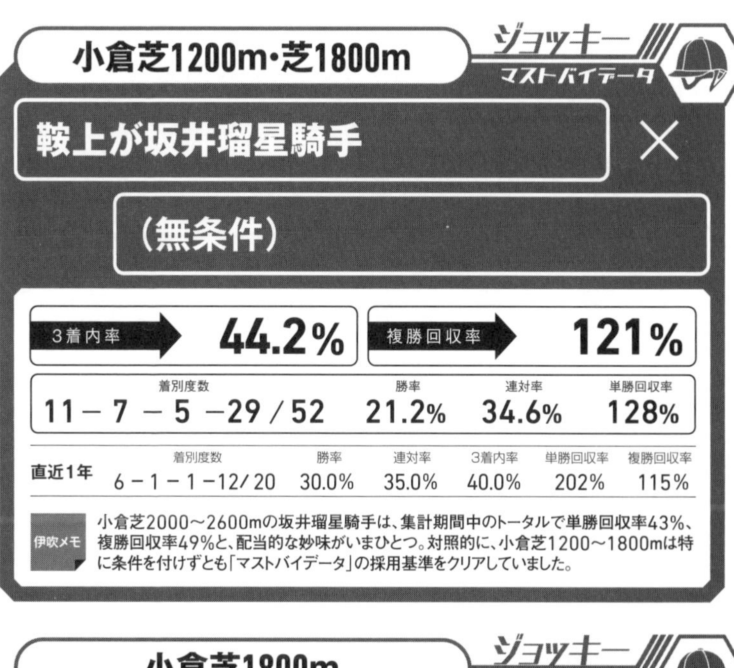

小倉芝1200m・芝1800m

ジョッキー マストバイデータ

鞍上が坂井瑠星騎手 ×

（無条件）

3着内率	複勝回収率
44.2%	121%

着別度数	勝率	連対率	単勝回収率
11－7－5－29/52	21.2%	34.6%	128%

	着別度数	勝率	連対率	3着内率	単勝回収率	複勝回収率
直近1年	6－1－1－12/20	30.0%	35.0%	40.0%	202%	115%

伊吹メモ　小倉芝2000～2600mの坂井瑠星騎手は、集計期間中のトータルで単勝回収率43%、複勝回収率49%と、配当的な妙味がいまひとつ。対照的に、小倉芝1200～1800mは特に条件を付けずとも「マストバイデータ」の採用基準をクリアしていました。

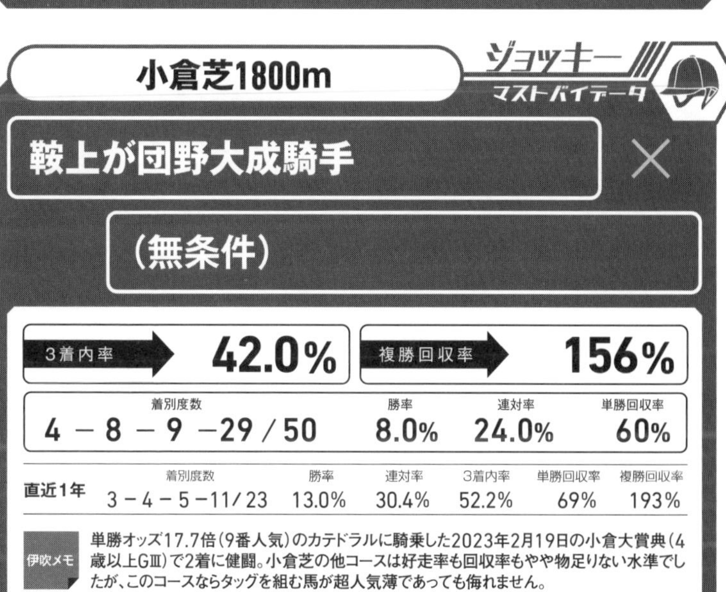

小倉芝1800m

ジョッキー マストバイデータ

鞍上が団野大成騎手 ×

（無条件）

3着内率	複勝回収率
42.0%	156%

着別度数	勝率	連対率	単勝回収率
4－8－9－29/50	8.0%	24.0%	60%

	着別度数	勝率	連対率	3着内率	単勝回収率	複勝回収率
直近1年	3－4－5－11/23	13.0%	30.4%	52.2%	69%	193%

伊吹メモ　単勝オッズ17.7倍（9番人気）のカテドラルに騎乗した2023年2月19日の小倉大賞典（4歳以上GⅢ）で2着に健闘。小倉芝の他コースは好走率も回収率もやや物足りない水準でしたが、このコースならタッグを組む馬が超人気薄であっても侮れません。

小倉芝1800m・芝2000m

父がドゥラメンテ ×

前走の着順が4着以内

3着内率	複勝回収率
62.0%	126%

着別度数	勝率	連対率	単勝回収率
12－9－10－19／50	24.0%	42.0%	105%

	着別度数	勝率	連対率	3着内率	単勝回収率	複勝回収率
直近1年	2－4－2－9／17	11.8%	35.3%	47.1%	48%	138%

伊吹メモ　ドゥラメンテ産駒は、小倉芝の全コースを対象とした集計期間中のトータルでも3着内率30.4%、複勝回収率113%。基本的に馬場やコース形態が合っていると考えて良さそうですし、小倉芝1800～2000mの2コースは前走好走馬が非常に堅実です。

小倉芝1800m・芝2000m

鞍上が西村淳也騎手 ×

馬齢が5歳以下

3着内率	複勝回収率
43.5%	123%

着別度数	勝率	連対率	単勝回収率
22－29－19－91／161	13.7%	31.7%	120%

	着別度数	勝率	連対率	3着内率	単勝回収率	複勝回収率
直近1年	6－9－9－20／44	13.6%	34.1%	54.5%	127%	125%

伊吹メモ　昨年度版でもほぼ同様の条件を「マストバイデータ」とした通り、小倉芝1800～2000mの西村淳也騎手は、好走率も回収率も申し分のない存在。中央場所に主戦場を移しつつあるとはいえ、まだまだ今後も狙える機会はあると思います。

小倉芝2000m

血統 マストバイデータ

父がハーツクライ ×

生産者がノーザンファーム以外、かつ、調教師の所属が栗東

3着内率	複勝回収率
42.9%	138%

着別度数	勝率	連対率	単勝回収率
4－9－11－32/56	7.1%	23.2%	36%

	着別度数	勝率	連対率	3着内率	単勝回収率	複勝回収率
直近1年	1－1－4－5/11	9.1%	18.2%	54.5%	70%	226%

伊吹メモ　ノーザンファーム生産馬のハーツクライ産駒も好走例自体はそれなりにあるのですが、このコースで妙味ある配当を演出した産駒の大半は、他のブリーダーが生産した馬。とにかく人気の盲点になりやすいので、マークしておきましょう。

小倉芝2600m

血統 マストバイデータ

父がステイゴールド系種牡馬 ×

前走の着順が8着以内

3着内率	複勝回収率
41.3%	161%

着別度数	勝率	連対率	単勝回収率
8－9－9－37/63	12.7%	27.0%	62%

	着別度数	勝率	連対率	3着内率	単勝回収率	複勝回収率
直近1年	2－2－3－11/18	11.1%	22.2%	38.9%	55%	135%

伊吹メモ　小倉芝2600mのレースを使ったステイゴールド系種牡馬の産駒は、集計期間中のトータルでも3着内率38.2%、複勝回収率161%。たとえ前走の着順が9着以下であっても、多少なりとも強調材料のある馬は、押さえておいた方が良いかもしれません。

過去3年レース数 105

過去1年レース数 26

小倉ダ1000m

血統偏差値

要注目種牡馬

父がキンシャサノキセキ マストバイデータあり	➡P225
父がミッキーアイル マストバイデータあり	➡P225
父がザファクター 血統偏差値57.0	3着内率 40.9% 複勝回収率 110%
父がシニスターミニスター 血統偏差値56.4	3着内率 33.9% 複勝回収率 150%

ジョッキー偏差値

要注目騎手

鞍上が泉谷楓真騎手 マストバイデータあり	➡P226
鞍上が丹内祐次騎手 マストバイデータあり	➡P226
鞍上が松本大輝騎手 ジョッキー偏差値62.4	3着内率 32.7% 複勝回収率 134%
鞍上が松若風馬騎手 ジョッキー偏差値60.7	3着内率 31.4% 複勝回収率 174%

キンシャサノキセキらを素直に評価したい

集計期間中の3着内数が比較的多かった種牡馬は、キンシャサノキセキ(22回)、シニスターミニスター(20回)、ロードカナロア(17回)、ミッキーアイル(15回)あたり。このうちロードカナロアだけは好走率や回収率がいまひとつだったものの、他の3種牡馬はアベレージの面でも優秀な数字をマークしており、血統偏差値ランキングで上位に食い込んでいます。たとえ近走成績からは強調しづらい馬であっても、一変を警戒しておきましょう。

ジョッキー偏差値ランキングからピックアップしておきたいのは松本大輝騎手。23年に騎乗機会が激減してしまったものの、本書の集計対象外とした24年の1~2回小倉では、及第点と言えるくらいの成績を収めていました。

血統偏差値ランキング

当該コース

血統偏差値	騎手	好走率偏差値	回収率偏差値	着別度数	勝率	連対率	3着内率	単勝回収率	複勝回収率
58.7	ミッキーアイル	69.5	58.7	6－6－3－18／33	18.2%	36.4%	45.5%	404%	116%
57.8	キンシャサノキセキ	58.2	57.8	6－9－7－40／62	9.7%	24.2%	35.5%	49%	113%
57.0	ザファクター	64.3	57.0	1－4－4－13／22	4.5%	22.7%	40.9%	16%	110%
56.4	シニスターミニスター	56.4	67.9	8－6－6－39／59	13.6%	23.7%	33.9%	106%	150%
52.4	モーリス	55.8	52.4	4－1－4－18／27	14.8%	18.5%	33.3%	148%	93%
51.1	オルフェーヴル	51.1	53.3	4－1－2－17／24	16.7%	20.8%	29.2%	111%	96%
47.8	アイルハヴアナザー	48.5	47.8	2－4－1－19／26	7.7%	23.1%	26.9%	34%	76%
46.1	ヘニーヒューズ	53.8	46.1	4－4－4－26／38	10.5%	21.1%	31.6%	38%	70%
44.5	マジェスティックウォリアー	53.4	44.5	1－7－2－22／32	3.1%	25.0%	31.3%	5%	64%
40.9	ロードカナロア	47.2	40.9	8－5－4－49／66	12.1%	19.7%	25.8%	56%	50%
39.0	サウスヴィグラス	39.6	39.0	4－1－3－34／42	9.5%	11.9%	19.0%	38%	44%
39.0	スクリーンヒーロー	39.0	67.7	1－2－2－22／27	3.7%	11.1%	18.5%	22%	150%
38.5	コパノリッキー	43.2	38.5	4－2－2－28／36	11.1%	16.7%	22.2%	112%	42%
34.3	マクフィ	37.0	34.3	1－1－2－20／24	4.2%	8.3%	16.7%	15%	26%
32.9	メイショウボーラー	32.9	44.2	1－1－1－20／23	4.3%	8.7%	13.0%	20%	63%

ジョッキー偏差値ランキング

当該コース

ジョッキー偏差値	騎手	好走率偏差値	回収率偏差値	着別度数	勝率	連対率	3着内率	単勝回収率	複勝回収率
67.1	丹内祐次	67.1	83.5	4－3－5－21／33	12.1%	21.2%	36.4%	157%	220%
62.4	松本大輝	62.4	64.2	4－5－8－35／52	7.7%	17.3%	32.7%	109%	134%
60.7	松若風馬	60.7	73.3	6－3－2－24／35	17.1%	25.7%	31.4%	174%	174%
55.0	田中健	64.9	55.0	5－1－3－17／26	19.2%	23.1%	34.6%	134%	93%
49.8	藤岡康太	64.2	49.8	2－4－9－29／44	4.5%	13.6%	34.1%	22%	70%
49.6	角田大河	57.0	49.6	2－3－1－15／21	9.5%	23.8%	28.6%	35%	69%
49.0	西村淳也	63.2	49.0	5－8－5－36／54	9.3%	24.1%	33.3%	37%	66%
48.8	松山弘平	64.4	48.8	5－5－2－23／35	14.3%	28.6%	34.3%	58%	65%
47.8	幸英明	47.8	53.4	2－6－1－33／42	4.8%	19.0%	21.4%	38%	85%
46.6	小沢大仁	50.2	46.6	2－0－5－23／30	6.7%	6.7%	23.3%	99%	55%
45.3	角田大和	52.4	45.3	0－7－1－24／32	0.0%	21.9%	25.0%	0%	49%
44.4	吉田隼人	54.9	44.4	1－1－5－19／26	3.8%	7.7%	26.9%	6%	45%
42.8	秋山稔樹	42.9	42.8	2－1－3－28／34	5.9%	8.8%	17.6%	57%	38%
41.5	今村聖奈	45.9	41.5	3－3－1－28／35	8.6%	17.1%	20.0%	25%	32%
41.1	永島まなみ	41.1	44.9	1－4－2－36／43	2.3%	11.6%	16.3%	4%	47%

過去3年レース数 228

過去1年レース数 61

小倉ダ1700m

血統偏差値

要注目種牡馬

父がストームキャット系種牡馬 マストバイデータあり	➡P227
父がマクフィ 血統偏差値58.7	3着内率 28.1% 複勝回収率 93%
父がヘニーヒューズ 血統偏差値55.1	3着内率 29.7% 複勝回収率 84%
父がキングカメハメハ 血統偏差値53.7	3着内率 30.6% 複勝回収率 80%

ジョッキー偏差値

要注目騎手

鞍上が泉谷楓真騎手 マストバイデータあり	➡P226
鞍上が団野大成騎手 マストバイデータあり	➡P227
鞍上が角田大和騎手 マストバイデータあり	➡P228
鞍上が富田暁騎手 マストバイデータあり	➡P228

ヘニーヒューズ産駒はそれなりに信頼できる存在

真っ先にチェックしておくべき種牡馬はヘニーヒューズ。集計期間中の3着内数（33回）が単独トップでしたし、3着内率や複勝回収率も、他の主要サイアーと比べればかなり高めでした。勝率や単勝回収率がやや低かったとはいえ、無理に嫌う必要はありません。

なお、3着内数2位のルーラーシップ（30回）と同3位のロードカナロア（24回）は、単複の回収率が非常に優秀だったものの、3着内率はいまひとつ。それぞれ扱いに注意しましょう。

もっとも3着内数が多かったジョッキーである藤岡康太騎手は、好走率や回収率も及第点と言える水準。頼りになる存在と見て良いと思います。ジョッキー偏差値ランキングで首位となった角田大和騎手も、今後が楽しみです。

血統偏差値ランキング

当該コース

血統偏差値	騎手	好走率偏差値	回収率偏差値	着別度数	勝率	連対率	3着内率	単勝回収率	複勝回収率
58.7	マクフィ	61.0	58.7	5－8－3－41／57	8.8%	22.8%	28.1%	69%	93%
55.1	ヘニーヒューズ	64.0	55.1	8－13－12－78／111	7.2%	18.9%	29.7%	25%	84%
53.7	キングカメハメハ	65.6	53.7	7－9－3－43／62	11.3%	25.8%	30.6%	95%	80%
53.5	ホッコータルマエ	53.5	69.1	3－8－4－48／63	4.8%	17.5%	23.8%	33%	121%
53.4	ロードカナロア	53.4	70.2	9－6－9－77／101	8.9%	14.9%	23.8%	221%	124%
52.7	パイロ	64.0	52.7	10－9－3－52／74	13.5%	25.7%	29.7%	103%	77%
49.3	ルーラーシップ	49.3	67.8	13－6－11－110／140	9.3%	13.6%	21.4%	121%	117%
48.6	マジェスティックウォリアー	50.9	48.6	5－7－9－73／94	5.3%	12.8%	22.3%	60%	67%
47.0	ドレフォン	62.3	47.0	8－4－7－47／66	12.1%	18.2%	28.8%	60%	62%
46.9	オルフェーヴル	49.5	46.9	6－4－4－51／65	9.2%	15.4%	21.5%	121%	62%
45.6	ドゥラメンテ	51.0	45.6	6－3－4－45／58	10.3%	15.5%	22.4%	102%	58%
45.4	リオンディーズ	45.4	47.0	0－4－6－42／52	0.0%	7.7%	19.2%	0%	62%
44.8	キズナ	47.2	44.8	8－4－6－71／89	9.0%	13.5%	20.2%	61%	56%
43.8	シニスターミニスター	43.8	43.9	10－1－4－67／82	12.2%	13.4%	18.3%	96%	54%
37.2	ダイワメジャー	45.6	37.2	3－7－2－50／62	4.8%	16.1%	19.4%	42%	36%

ジョッキー偏差値ランキング

当該コース

ジョッキー偏差値	騎手	好走率偏差値	回収率偏差値	着別度数	勝率	連対率	3着内率	単勝回収率	複勝回収率
56.3	角田大和	56.3	62.6	3－8－10－52／73	4.1%	15.1%	28.8%	34%	128%
55.1	浜中俊	74.7	55.1	13－8－6－36／63	20.6%	33.3%	42.9%	138%	102%
53.8	藤岡康太	61.0	53.8	14－10－18－88／130	10.8%	18.5%	32.3%	97%	97%
51.6	泉谷楓真	60.1	51.6	6－8－5－41／60	10.0%	23.3%	31.7%	104%	90%
50.1	幸英明	57.7	50.1	11－8－12－73／104	10.6%	18.3%	29.8%	79%	84%
49.5	団野大成	49.5	55.3	3－6－7－52／68	4.4%	13.2%	23.5%	50%	102%
48.7	小沢大仁	48.7	49.1	7－6－3－54／70	10.0%	18.6%	22.9%	76%	81%
47.4	吉田隼人	70.2	47.4	11－13－4－43／71	15.5%	33.8%	39.4%	48%	75%
46.8	鮫島克駿	54.8	46.8	7－10－10－71／98	7.1%	17.3%	27.6%	30%	73%
46.7	松山弘平	61.2	46.7	14－5－8－56／83	16.9%	22.9%	32.5%	87%	73%
45.6	富田暁	45.6	59.0	9－6－9－93／117	7.7%	12.8%	20.5%	119%	115%
45.1	西村淳也	52.7	45.1	13－12－10－100／135	9.6%	18.5%	25.9%	55%	67%
44.0	松若風馬	44.7	44.0	3－10－6－77／96	3.1%	13.5%	19.8%	21%	63%
41.9	今村聖奈	48.7	41.9	5－7－4－54／70	7.1%	17.1%	22.9%	17%	56%
39.1	松本大輝	46.2	39.1	7－5－5－64／81	8.6%	14.8%	21.0%	55%	46%

過去3年 レース数	6	過去1年 レース数	2

小倉ダ2400m

当該コース 血統偏差値ランキング

血統偏差値	種牡馬	好走率偏差値	回収率偏差値	着別度数	勝率	連対率	3着内率	単勝回収率	複勝回収率
69.6	キズナ	69.6	80.2	1－0－1－0／2	50.0%	50.0%	100.0%	110%	655%
55.7	フリオーソ	69.6	55.7	1－0－1－0／2	50.0%	50.0%	100.0%	190%	250%
53.4	クリエイター2	53.4	55.4	0－0－1－1／2	0.0%	0.0%	50.0%	0%	245%
53.4	ハーツクライ	53.4	55.4	2－0－0－2／4	50.0%	50.0%	50.0%	990%	245%
48.0	ロージズインメイ	48.0	54.5	0－1－0－2／3	0.0%	33.3%	33.3%	0%	230%
47.3	ジャスタウェイ	53.4	47.3	0－1－0－1／2	0.0%	50.0%	50.0%	0%	110%
47.3	ホッコータルマエ	53.4	47.3	1－0－0－1／2	50.0%	50.0%	50.0%	290%	110%
46.1	コパノリッキー	53.4	46.1	0－1－0－1／2	0.0%	50.0%	50.0%	0%	90%
45.3	マジェスティックウォリアー	45.3	48.6	0－0－1－3／4	0.0%	0.0%	25.0%	0%	132%
44.7	ルーラーシップ	45.3	44.7	0－0－1－3／4	0.0%	0.0%	25.0%	0%	67%

当該コース ジョッキー偏差値ランキング

ジョッキー偏差値	騎手	好走率偏差値	回収率偏差値	着別度数	勝率	連対率	3着内率	単勝回収率	複勝回収率
72.2	勝浦正樹	72.9	72.2	1－1－0－0／2	50.0%	100.0%	100.0%	190%	490%
61.3	斎藤新	61.3	70.1	0－1－1－1／3	0.0%	33.3%	66.7%	0%	456%
58.7	角田大和	61.3	58.7	0－1－1－1／3	0.0%	33.3%	66.7%	0%	283%
55.5	藤田菜七子	55.5	57.5	0－0－1－1／2	0.0%	0.0%	50.0%	0%	265%
55.5	幸英明	55.5	56.2	0－0－1－1／2	0.0%	0.0%	50.0%	0%	245%
51.0	横山和生	55.5	51.0	0－0－1－1／2	0.0%	0.0%	50.0%	0%	165%
49.7	富田暁	49.7	58.5	1－0－0－2／3	33.3%	33.3%	33.3%	1243%	280%
47.4	今村聖奈	55.5	47.4	1－0－0－1／2	50.0%	50.0%	50.0%	290%	110%
46.8	鮫島克駿	46.8	51.5	0－1－0－3／4	0.0%	25.0%	25.0%	0%	172%
46.1	吉田隼人	55.5	46.1	1－0－0－1／2	50.0%	50.0%	50.0%	155%	90%

キズナ産駒やハーツクライ産駒は今後も要注目

馬券に絡んだ例が複数回あった種牡馬は、キズナ、ハーツクライ、フリオーソ。このうちキズナとハーツクライは、それぞれ異なる2頭の産駒が3着以内に好走していました。コース適性の高い血統とみなして良いでしょう。

また、エーピーインディ系種牡馬の産駒も、3着内数こそ3回だけでしたが、3着内率37.5%、複勝回収率180%とまずまずの成績をマーク。これから出走例が増えてくるようだと、見逃せない存在になっていくかもしれません。

ジョッキー部門では角田大和騎手あたりに注目しておくべきだと思います。

※「鞍上が角田大和騎手」の馬（→P228）、「鞍上が富田暁騎手」の馬（→P228）は、このコースで適用可能な「マストバイデータ」あり

父がキンシャサノキセキ × 前走の4コーナー通過順が9番手以内

3着内率	複勝回収率
42.2%	139%

着別度数	勝率	連対率	単勝回収率
5－8－6－26／45	11.1%	28.9%	54%

	着別度数	勝率	連対率	3着内率	単勝回収率	複勝回収率
直近1年	2－3－2－7／14	14.3%	35.7%	50.0%	112%	146%

伊吹メモ　2023年2月4日の有田特別（4歳以上2勝クラス）では、単勝オッズ26.0倍（8番人気）のハギノオーロが2着に、単勝オッズ15.2倍（7番人気）のプリティインピンクが3着に食い込み、好配当決着を演出。もうしばらくは追いかけた方が良さそうな血統です。

小倉ダ1000m

血統 マストバイデータ

父がミッキーアイル × 前走の4コーナー通過順が8番手以内

3着内率	複勝回収率
57.7%	148%

着別度数	勝率	連対率	単勝回収率
6－6－3－11／26	23.1%	46.2%	513%

	着別度数	勝率	連対率	3着内率	単勝回収率	複勝回収率
直近1年	5－3－2－7／17	29.4%	47.1%	58.8%	722%	163%

伊吹メモ　2023年8月27日の小倉12R（3歳以上1勝クラス）で単勝オッズ89.6倍（13番人気）のフォルティーナが優勝を果たすなど、最近になって小倉ダ1000mでの好走例が急増している種牡馬。極端に先行力の低い馬でなければ押さえておくべきだと思います。

小倉ダ1000m

鞍上が丹内祐次騎手

×

前走の着順が14着以内、かつ、
調教師の所属が美浦

3着内率	複勝回収率
41.4%	251%

着別度数	勝率	連対率	単勝回収率
4－3－5－17/29	13.8%	24.1%	179%

	着別度数	勝率	連対率	3着内率	単勝回収率	複勝回収率
直近1年	2－1－3－6/12	16.7%	25.0%	50.0%	250%	230%

伊吹メモ 小倉ダ1000mの丹内祐次騎手は、集計期間中のトータルでも3着内率36.4%、複勝回収率220%。大敗直後の馬や関西馬とタッグを組んだレースはそもそも数があまり多くなかったので、よほどのことがなければ積極的に狙っていきましょう。

小倉ダ1000m・ダ1700m

鞍上が泉谷楓真騎手

前走の出走頭数が今回と同じ頭数か
今回より多い頭数

3着内率	複勝回収率
45.7%	156%

着別度数	勝率	連対率	単勝回収率
9－4－8－25/46	19.6%	28.3%	150%

	着別度数	勝率	連対率	3着内率	単勝回収率	複勝回収率
直近1年	1－1－2－5/9	11.1%	22.2%	44.4%	26%	290%

伊吹メモ 少頭数のレースを経由してきた馬に騎乗したレースがやや足を引っ張っていたものの、小倉ダ1000mや小倉ダ1700mでは常にマークしておきたいジョッキーのひとり。騎乗馬の近走成績が悪くても、押さえておくに越したことはありません。

小倉ダ1700m

父がストームキャット系種牡馬 ×

前走の着順が4着以内、かつ、前走の上がり3ハロンタイム順位が3位以内

3着内率	複勝回収率
54.5%	130%

着別度数	勝率	連対率	単勝回収率
16－5－9－25／55	29.1%	38.2%	155%

	着別度数	勝率	連対率	3着内率	単勝回収率	複勝回収率
直近1年	5－1－1－5／12	41.7%	50.0%	58.3%	348%	140%

伊吹メモ　父にストームキャット系種牡馬を持つ前走好走馬が優秀な成績を収めているコース。ヘニーヒューズ産駒が好走例の大半を占めているとはいえ、アジアエクスプレス・ディスクリートキャット・ドレフォンらの産駒も信頼できる印象でした。

小倉ダ1700m

鞍上が団野大成騎手 ×

枠番が1～4枠、かつ、出走頭数が16頭

3着内率	複勝回収率
42.9%	184%

着別度数	勝率	連対率	単勝回収率
1－5－6－16／28	3.6%	21.4%	48%

	着別度数	勝率	連対率	3着内率	単勝回収率	複勝回収率
直近1年	0－4－3－8／15	0.0%	26.7%	46.7%	0%	246%

伊吹メモ　小倉ダ1700mの団野大成騎手は、集計期間中のトータルだと3着内率が23.5%どまり。もっとも、5～8枠に入ってしまったレースが3着内率8.8%、複勝回収率27%だった一方で、1～4枠に入ったレースは3着内率38.2%、複勝回収率177%と大変堅実です。

小倉ダ1700m・ダ2400m

鞍上が角田大和騎手 ×

前走の4コーナー通過順が9番手以内、かつ、調教師の所属が栗東

3着内率	複勝回収率
40.0%	171%

着別度数	勝率	連対率	単勝回収率
3－9－8－30／50	6.0%	24.0%	50%

	着別度数	勝率	連対率	3着内率	単勝回収率	複勝回収率
直近1年	2－4－5－9／20	10.0%	30.0%	55.0%	41%	195%

伊吹メモ　勝ち切った例はまだ少ないのですが、小倉ダ1700～2400mの角田大和騎手は、集計期間中のトータルでも3着内率30.3%、複勝回収率134%。騎乗しているのが序盤から置かれてしまうような馬でない限り、高く評価して良いと思います。

小倉ダ1700m・ダ2400m

鞍上が富田暁騎手 ×

前走の着順が7着以内

3着内率	複勝回収率
41.8%	223%

着別度数	勝率	連対率	単勝回収率
10－4－9－32／55	18.2%	25.5%	321%

	着別度数	勝率	連対率	3着内率	単勝回収率	複勝回収率
直近1年	3－1－3－6／13	23.1%	30.8%	53.8%	444%	212%

伊吹メモ　小倉ダ1700～2400mの富田暁騎手は、集計期間中のトータルだと3着内率が20.8%にとどまっていました。ただし、これは近走成績の悪い馬とタッグを組むケースが多いため。多少なりとも強調材料のある馬なら、積極的に狙っていきましょう。

札幌競馬場
SAPPORO RACE COURSE

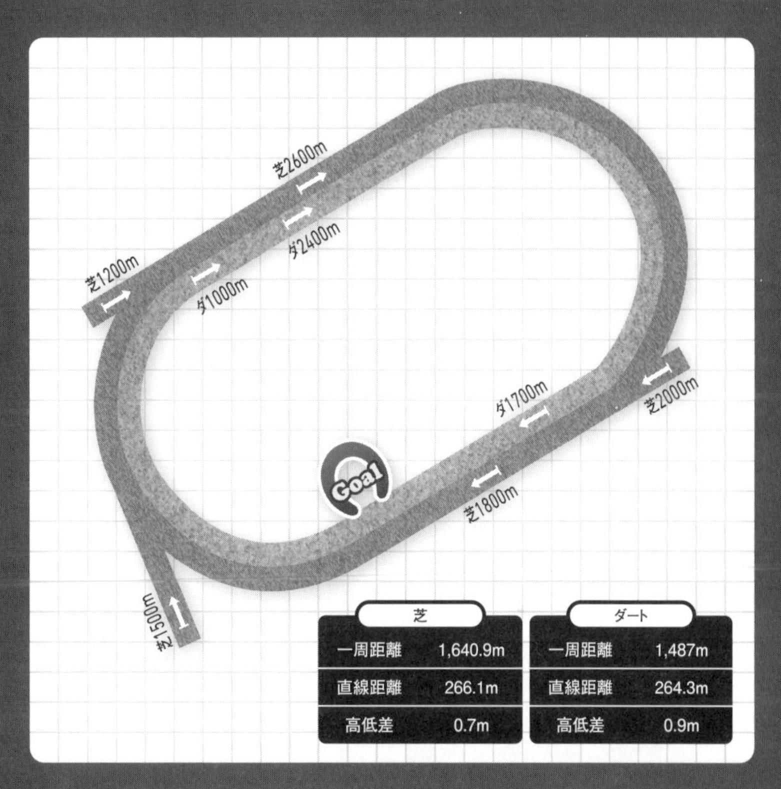

芝	
一周距離	1,640.9m
直線距離	266.1m
高低差	0.7m

ダート	
一周距離	1,487m
直線距離	264.3m
高低差	0.9m

過去3年レース数 82
過去1年レース数 25

札幌芝1200m

血統偏差値

要注目種牡馬

	3着内率	複勝回収率
父がハーツクライ 血統偏差値57.1	28.6%	176%
父がジョーカプチーノ 血統偏差値56.5	41.2%	170%
父がミッキーアイル 血統偏差値53.8	33.3%	140%
父がモーリス 血統偏差値49.4	25.8%	92%

ジョッキー偏差値

要注目騎手

	3着内率	複勝回収率
鞍上が藤岡佑介騎手 マストバイデータあり	➡P240	
鞍上が亀田温心騎手 ジョッキー偏差値59.9	36.0%	219%
鞍上が丹内祐次騎手 ジョッキー偏差値55.6	30.6%	118%
鞍上がC.ルメール騎手 ジョッキー偏差値54.1	52.0%	110%

横山武史騎手の騎乗馬は常にマークしておきたい

出走数が比較的少ないため、血統偏差値ランキングの収録対象とはならなかったものの、ドレフォン産駒は3着内数9回、3着内率64・3%、複勝回収率183%、Frankel産駒は3着内数8回、3着内率57・1%、複勝回収率152%と、それぞれ非常に優秀な成績を収めていました。この2種牡馬もしっかりチェックしておきましょう。

出走数がそれなりに多かった種牡馬の中では、ミッキーアイルが面白い存在。人気薄の産駒も侮れません。

ジョッキー別の3着内数を見ると、トップは横山武史騎手(25回)。好走率や回収率も申し分のない高水準でしたし、素直に信頼して良いと思います。あとは丹内祐次騎手や藤岡佑介騎手あたりも絶好の狙い目と言えそうです。

血統偏差値ランキング

当該コース

血統偏差値	騎手	好走率偏差値	回収率偏差値	着別度数	勝率	連対率	3着内率	単勝回収率	複勝回収率
57.1	ハーツクライ	58.8	57.1	0－2－4－15／21	0.0%	9.5%	28.6%	0%	176%
56.5	ジョーカプチーノ	74.1	56.5	3－3－1－10／17	17.6%	35.3%	41.2%	320%	170%
53.8	ミッキーアイル	64.6	53.8	2－4－2－16／24	8.3%	25.0%	33.3%	30%	140%
49.4	モーリス	55.4	49.4	3－2－3－23／31	9.7%	16.1%	25.8%	171%	92%
48.4	アドマイヤムーン	48.4	48.6	1－3－1－20／25	4.0%	16.0%	20.0%	19%	84%
48.4	キンシャサノキセキ	49.8	48.4	1－2－4－26／33	3.0%	9.1%	21.2%	9%	81%
47.5	ロードカナロア	62.1	47.5	7－9－4－44／64	10.9%	25.0%	31.3%	127%	71%
46.7	ディープインパクト	49.2	46.7	1－3－2－23／29	3.4%	13.8%	20.7%	23%	63%
46.6	キズナ	55.6	46.6	4－0－3－20／27	14.8%	14.8%	25.9%	92%	61%
45.3	シルバーステート	49.6	45.3	1－0－3－15／19	5.3%	5.3%	21.1%	17%	47%
44.9	スクリーンヒーロー	45.2	44.9	2－0－2－19／23	8.7%	8.7%	17.4%	29%	43%
44.3	リアルインパクト	44.3	46.3	0－1－2－15／18	0.0%	5.6%	16.7%	0%	58%
43.9	リオンディーズ	48.4	43.9	1－2－1－16／20	5.0%	15.0%	20.0%	9%	32%
43.0	ビッグアーサー	43.0	44.4	2－1－2－27／32	6.3%	9.4%	15.6%	51%	37%
41.0	ダイワメジャー	41.0	44.6	4－0－3－43／50	8.0%	8.0%	14.0%	79%	40%

ジョッキー偏差値ランキング

当該コース

ジョッキー偏差値	騎手	好走率偏差値	回収率偏差値	着別度数	勝率	連対率	3着内率	単勝回収率	複勝回収率
59.9	亀田温心	59.9	73.5	4－3－2－16／25	16.0%	28.0%	36.0%	214%	219%
55.6	丹内祐次	55.6	55.7	8－3－8－43／62	12.9%	17.7%	30.6%	208%	118%
54.4	藤岡佑介	68.8	54.4	4－7－6－19／36	11.1%	30.6%	47.2%	60%	111%
54.1	C.ルメール	72.6	54.1	6－5－2－12／25	24.0%	44.0%	52.0%	130%	110%
53.9	大野拓弥	53.9	75.3	0－3－3－15／21	0.0%	14.3%	28.6%	0%	229%
52.2	横山武史	67.4	52.2	9－9－7－30／55	16.4%	32.7%	45.5%	138%	99%
49.9	武豊	67.0	49.9	7－9－2－22／40	17.5%	40.0%	45.0%	111%	86%
49.2	勝浦正樹	49.2	52.9	0－4－3－24／31	0.0%	12.9%	22.6%	0%	102%
47.8	団野大成	47.8	71.3	2－1－2－19／24	8.3%	12.5%	20.8%	213%	206%
46.7	黛弘人	46.7	54.2	3－2－2－29／36	8.3%	13.9%	19.4%	265%	110%
46.3	池添謙一	51.1	46.3	2－3－2－21／28	7.1%	17.9%	25.0%	40%	66%
45.2	菱田裕二	45.2	58.7	1－1－4－28／34	2.9%	5.9%	17.6%	15%	135%
44.7	鮫島克駿	52.1	44.7	4－1－5－28／38	10.5%	13.2%	26.3%	65%	57%
44.7	横山和生	52.9	44.7	3－5－1－24／33	9.1%	24.2%	27.3%	38%	56%
43.9	吉田隼人	48.5	43.9	1－3－6－36／46	2.2%	8.7%	21.7%	5%	52%

過去3年レース数 61
過去1年レース数 21

札幌芝1500m

血統偏差値

要注目種牡馬

父がディープインパクト系種牡馬 マストバイデータあり	➡P240
父がハービンジャー 血統偏差値55.7	3着内率 27.6% 複勝回収率 104%
父がハーツクライ 血統偏差値53.6	3着内率 30.0% 複勝回収率 79%
父がスクリーンヒーロー 血統偏差値50.9	3着内率 25.0% 複勝回収率 129%

ジョッキー偏差値

要注目騎手

鞍上が丹内祐次騎手 マストバイデータあり	➡P241
鞍上が斎藤新騎手 ジョッキー偏差値63.9	3着内率 40.0% 複勝回収率 482%
鞍上が浜中俊騎手 ジョッキー偏差値54.7	3着内率 31.3% 複勝回収率 135%

ハービンジャー産駒や丹内祐次騎手あたりに注目

種牡馬別成績を見ると、集計期間中の3着内数はエピファネイアとモーリス（各11回）がトップタイ。もっとも、複勝回収率はエピファネイアが63%、モーリスが60%です。コース適性が低いとは言えないものの、配当的な妙味は期待できないと見るべきでしょう。

血統偏差値ランキングで首位に立っていたのはハービンジャー。23年7月23日の函館12R（3歳以上1勝クラス）で単勝オッズ10・7倍（7番人気）のステラバルセロナが2着となるなど、コンスタントに好走していました。

ジョッキー偏差値ランキングは、斎藤新騎手が飛び抜けて高い複勝回収率を記録したため、全体的に数値が低く出ています。丹内祐次騎手あたりは相当に高く評価して良いはずです。

血統偏差値ランキング

当該コース

血統偏差値	騎手	好走率偏差値	回収率偏差値	着別度数	勝率	連対率	3着内率	単勝回収率	複勝回収率
55.7	ハービンジャー	55.7	62.4	1－5－2－21／29	3.4%	20.7%	27.6%	6%	104%
53.6	ハーツクライ	60.1	53.6	3－2－1－14／20	15.0%	25.0%	30.0%	119%	79%
50.9	スクリーンヒーロー	50.9	71.3	0－3－1－12／16	0.0%	18.8%	25.0%	0%	129%
50.9	ロードカナロア	50.9	55.1	1－5－3－27／36	2.8%	16.7%	25.0%	8%	83%
48.2	エピファネイア	68.1	48.2	4－3－4－21／32	12.5%	21.9%	34.4%	70%	63%
48.2	キズナ	48.2	60.8	3－1－0－13／17	17.6%	23.5%	23.5%	397%	99%
48.2	ドレフォン	48.2	57.4	2－0－2－13／17	11.8%	11.8%	23.5%	337%	90%
46.8	モーリス	61.1	46.8	2－6－3－25／36	5.6%	22.2%	30.6%	28%	60%
43.2	ダイワメジャー	49.3	43.2	1－3－3－22／29	3.4%	13.8%	24.1%	12%	49%
43.0	ディープインパクト	58.6	43.0	1－3－3－17／24	4.2%	16.7%	29.2%	11%	49%
41.8	ブラックタイド	41.8	43.8	1－1－1－12／15	6.7%	13.3%	20.0%	76%	51%
39.5	リオンディーズ	39.5	40.2	2－1－0－13／16	12.5%	18.8%	18.8%	98%	41%
35.8	ルーラーシップ	37.4	35.8	2－1－0－14／17	11.8%	17.6%	17.6%	50%	28%
30.1	ドゥラメンテ	30.1	38.3	1－0－2－19／22	4.5%	4.5%	13.6%	6%	35%

ジョッキー偏差値ランキング

当該コース

ジョッキー偏差値	騎手	好走率偏差値	回収率偏差値	着別度数	勝率	連対率	3着内率	単勝回収率	複勝回収率
63.9	斎藤新	63.9	90.3	2－0－4－9／15	13.3%	13.3%	40.0%	580%	482%
54.7	浜中俊	57.4	54.7	0－4－1－11／16	0.0%	25.0%	31.3%	0%	135%
52.2	丹内祐次	62.2	52.2	6－6－5－28／45	13.3%	26.7%	37.8%	239%	111%
49.4	菱田裕二	52.7	49.4	3－2－1－18／24	12.5%	20.8%	25.0%	318%	84%
49.0	秋山稔樹	49.0	52.5	1－3－0－16／20	5.0%	20.0%	20.0%	8%	114%
49.0	横山和生	65.4	49.0	6－3－4－18／31	19.4%	29.0%	41.9%	124%	80%
48.4	横山武史	69.6	48.4	10－5－5－22／42	23.8%	35.7%	47.6%	59%	74%
48.3	C.ルメール	68.5	48.3	3－5－4－14／26	11.5%	30.8%	46.2%	65%	73%
47.9	藤岡佑介	59.8	47.9	2－5－3－19／29	6.9%	24.1%	34.5%	57%	70%
47.8	団野大成	56.0	47.8	1－1－3－12／17	5.9%	11.8%	29.4%	58%	68%
47.2	亀田温心	47.2	49.5	3－0－0－14／17	17.6%	17.6%	17.6%	371%	85%
46.2	池添謙一	50.9	46.2	2－3－2－24／31	6.5%	16.1%	22.6%	14%	52%
44.7	吉田隼人	44.7	44.7	2－2－1－30／35	5.7%	11.4%	14.3%	58%	38%
44.6	武豊	52.7	44.6	3－2－2－21／28	10.7%	17.9%	25.0%	37%	37%
42.0	鮫島克駿	42.0	43.6	1－2－0－25／28	3.6%	10.7%	10.7%	44%	27%

過去3年 レース数 61

過去1年 レース数 21

札幌芝1800m

血統偏差値

要注目種牡馬

父がジャスタウェイ マストバイデータあり	➡P242
父がドゥラメンテ マストバイデータあり	➡P241
父がダンジグ系種牡馬 マストバイデータあり	➡P242
父がディープインパクト 血統偏差値57.7	3着内率 40.6% 複勝回収率 109%

ジョッキー偏差値

要注目騎手

鞍上が丹内祐次騎手 マストバイデータあり	➡P243
鞍上が藤岡佑介騎手 ジョッキー偏差値58.3	3着内率 43.5% 複勝回収率 214%
鞍上が吉田隼人騎手 ジョッキー偏差値55.7	3着内率 53.3% 複勝回収率 110%

ドゥラメンテやディープインパクトの産駒が中心

集計期間中の3着内数がもっとも多かった種牡馬はドゥラメンテ(14回)で、2位がディープインパクト(13回)。それぞれ好走率や回収率が非常に高く、血統偏差値ランキングでも1～2位を占めています。直仔がいなくなるまではしっかりチェックしておきましょう。

ジョッキー別の3着内数を見ると、横山武史騎手(24回)が頭ひとつ抜けたトップ。好走率が非常に高いうえ、複勝回収率もまずまずでしたから、無理に嫌う必要はありません。ただ、より複勝回収率が高い丹内祐次騎手、藤岡佑介騎手、吉田隼人騎手あたりは、当然ながら絶好の狙い目。横山武史騎手に比べると人気の盲点となってしまいがちなので、配当的な妙味をレースごとにじっくり見極めたいところです。

血統偏差値ランキング

当該コース

血統偏差値	騎手	好走率偏差値	回収率偏差値	着別度数	勝率	連対率	3着内率	単勝回収率	複勝回収率
57.7	ディープインパクト	59.6	57.7	5－5－3－19/32	15.6%	31.3%	40.6%	62%	109%
57.2	ドゥラメンテ	69.1	57.2	7－3－4－13/27	25.9%	37.0%	51.9%	190%	107%
52.1	ゴールドシップ	52.1	70.9	1－3－3－15/22	4.5%	18.2%	31.8%	100%	170%
51.3	ジャスタウェイ	62.2	51.3	1－4－2－9/16	6.3%	31.3%	43.8%	25%	80%
51.1	キズナ	51.9	51.1	3－1－2－13/19	15.8%	21.1%	31.6%	148%	79%
49.3	ルーラーシップ	49.3	63.0	3－3－0－15/21	14.3%	28.6%	28.6%	154%	133%
46.8	ハービンジャー	46.8	50.8	5－3－2－29/39	12.8%	20.5%	25.6%	232%	78%
45.5	ロードカナロア	51.6	45.5	3－2－0－11/16	18.8%	31.3%	31.3%	44%	54%
44.9	モーリス	44.9	48.0	1－2－4－23/30	3.3%	10.0%	23.3%	4%	65%
43.6	キングカメハメハ	51.6	43.6	4－1－0－11/16	25.0%	31.3%	31.3%	120%	45%
39.0	エピファネイア	46.3	39.0	2－1－4－21/28	7.1%	10.7%	25.0%	17%	24%
34.0	ハーツクライ	34.0	36.6	1－0－1－17/19	5.3%	5.3%	10.5%	19%	13%
30.7	ブラックタイド	30.7	35.2	1－0－0－14/15	6.7%	6.7%	6.7%	14%	7%

ジョッキー偏差値ランキング

当該コース

ジョッキー偏差値	騎手	好走率偏差値	回収率偏差値	着別度数	勝率	連対率	3着内率	単勝回収率	複勝回収率
58.3	藤岡佑介	58.3	79.8	0－5－5－13/23	0.0%	21.7%	43.5%	0%	214%
55.7	吉田隼人	65.1	55.7	6－6－4－14/30	20.0%	40.0%	53.3%	171%	110%
53.1	丹内祐次	53.1	57.3	1－8－5－25/39	2.6%	23.1%	35.9%	33%	116%
49.9	横山武史	65.9	49.9	17－4－3－20/44	38.6%	47.7%	54.5%	119%	84%
48.3	C.ルメール	71.0	48.3	5－5－3－8/21	23.8%	47.6%	61.9%	41%	77%
46.5	武豊	54.2	46.5	4－6－2－20/32	12.5%	31.3%	37.5%	26%	70%
45.8	鮫島克駿	49.7	45.8	1－4－4－20/29	3.4%	17.2%	31.0%	20%	66%
43.7	古川吉洋	43.7	49.0	0－2－2－14/18	0.0%	11.1%	22.2%	0%	80%
43.1	佐々木大輔	43.1	51.3	1－1－1－11/14	7.1%	14.3%	21.4%	155%	90%
42.1	角田大和	42.1	48.5	2－0－1－12/15	13.3%	13.3%	20.0%	450%	78%
41.8	池添謙一	47.5	41.8	2－0－3－13/18	11.1%	11.1%	27.8%	53%	49%
41.3	秋山稔樹	41.3	61.5	0－2－1－13/16	0.0%	12.5%	18.8%	0%	135%
41.0	斎藤新	48.6	41.0	3－1－1－12/17	17.6%	23.5%	29.4%	137%	45%
40.3	浜中俊	43.7	40.3	1－1－2－14/18	5.6%	11.1%	22.2%	25%	42%
39.6	横山和生	51.3	39.6	3－2－5－20/30	10.0%	16.7%	33.3%	65%	39%

過去3年レース数	66
過去1年レース数	23

札幌芝2000m

血統偏差値

要注目種牡馬

父がジャスタウェイ マストバイデータあり	➡P242
父がステイゴールド系種牡馬 マストバイデータあり	➡P243
父がダンジグ系種牡馬 マストバイデータあり	➡P242
父がオルフェーヴル 血統偏差値64.5	3着内率 42.4% 複勝回収率 189%

ジョッキー偏差値

要注目騎手

鞍上が丹内祐次騎手 マストバイデータあり	➡P243
鞍上が佐々木大輔騎手 ジョッキー偏差値63.7	3着内率 52.9% 複勝回収率 189%
鞍上が浜中俊騎手 ジョッキー偏差値56.1	3着内率 33.3% 複勝回収率 141%
鞍上が斎藤新騎手 ジョッキー偏差値55.3	3着内率 31.3% 複勝回収率 265%

ドゥラメンテやハービンジャーの産駒も狙い目

血統偏差値ランキングでトップに立っていたのはオルフェーヴル。3着内率や複勝回収率が申し分のない高水準に達していますし、集計期間中の3着内数(14回)も、種牡馬の中では単独2位でした。ちなみに、3着内数トップのハービンジャー(16回)や同3位のドゥラメンテ(12回)も、好走率や回収率は及第点と言って良さそうなレベル。波乱の決着が多かったコースということもあり、それぞれ血統偏差値はわずかに50を割ってしまいましたが、評価を下げる必要はありません。

ジョッキー偏差値ランキングからピックアップしておきたいのは横山和生騎手。より優秀な成績をマークしたジョッキーがいるとはいえ、こちらは3着内数も多く、狙いやすい存在です。

血統偏差値ランキング

当該コース

血統偏差値	騎手	好走率偏差値	回収率偏差値	着別度数	勝率	連対率	3着内率	単勝回収率	複勝回収率
64.5	オルフェーヴル	73.5	64.5	7－5－2－19／33	21.2%	36.4%	42.4%	197%	189%
64.3	キタサンブラック	64.3	71.9	3－1－1－9／14	21.4%	28.6%	35.7%	776%	230%
57.7	ジャスタウェイ	61.0	57.7	1－3－2－12／18	5.6%	22.2%	33.3%	19%	152%
55.7	エイシンフラッシュ	55.7	60.2	1－2－2－12／17	5.9%	17.6%	29.4%	58%	165%
49.7	ハービンジャー	58.3	49.7	3－4－9－35／51	5.9%	13.7%	31.4%	39%	108%
49.6	キングカメハメハ	49.6	58.7	3－2－2－21／28	10.7%	17.9%	25.0%	186%	157%
47.8	ドゥラメンテ	52.7	47.8	6－2－4－32／44	13.6%	18.2%	27.3%	92%	97%
46.4	キズナ	53.2	46.4	3－0－5－21／29	10.3%	10.3%	27.6%	152%	89%
46.1	ゴールドシップ	46.1	58.4	4－2－5－38／49	8.2%	12.2%	22.4%	27%	155%
42.0	ルーラーシップ	47.0	42.0	2－0－4－20／26	7.7%	7.7%	23.1%	44%	65%
40.7	スクリーンヒーロー	41.5	40.7	1－2－1－17／21	4.8%	14.3%	19.0%	40%	58%
40.3	ディープインパクト	40.3	44.2	2－4－2－36／44	4.5%	13.6%	18.2%	50%	77%
38.5	モーリス	50.7	38.5	4－2－2－23／31	12.9%	19.4%	25.8%	54%	45%
37.8	ハーツクライ	37.8	51.4	5－2－2－46／55	9.1%	12.7%	16.4%	132%	117%
35.9	エピファネイア	43.6	35.9	3－3－1－27／34	8.8%	17.6%	20.6%	57%	31%

ジョッキー偏差値ランキング

当該コース

ジョッキー偏差値	騎手	好走率偏差値	回収率偏差値	着別度数	勝率	連対率	3着内率	単勝回収率	複勝回収率
63.7	佐々木大輔	74.6	63.7	1－4－4－8／17	5.9%	29.4%	52.9%	25%	189%
56.1	浜中俊	57.1	56.1	3－1－3－14／21	14.3%	19.0%	33.3%	214%	141%
55.3	斎藤新	55.3	75.7	2－1－2－11／16	12.5%	18.8%	31.3%	176%	265%
54.8	鮫島克駿	55.1	54.8	2－3－4－20／29	6.9%	17.2%	31.0%	46%	133%
52.4	小沢大仁	53.6	52.4	0－3－2－12／17	0.0%	17.6%	29.4%	0%	118%
51.5	横山和生	59.6	51.5	7－3－3－23／36	19.4%	27.8%	36.1%	165%	112%
49.7	吉田隼人	53.5	49.7	3－5－4－29／41	7.3%	19.5%	29.3%	34%	101%
47.2	団野大成	47.2	48.3	0－1－3－14／18	0.0%	5.6%	22.2%	0%	92%
45.8	菱田裕二	51.4	45.8	2－3－2－19／26	7.7%	19.2%	26.9%	116%	76%
45.1	藤岡佑介	50.3	45.1	3－3－3－26／35	8.6%	17.1%	25.7%	39%	72%
44.9	横山武史	65.9	44.9	7－7－5－25／44	15.9%	31.8%	43.2%	45%	71%
44.5	武豊	54.2	44.5	4－1－4－21／30	13.3%	16.7%	30.0%	108%	68%
43.9	池添謙一	43.9	54.0	1－3－1－22／27	3.7%	14.8%	18.5%	42%	128%
43.2	丹内祐次	51.0	43.2	4－6－4－39／53	7.5%	18.9%	26.4%	23%	60%
40.6	C.ルメール	56.2	40.6	6－2－2－21／31	19.4%	25.8%	32.3%	50%	43%

過去3年レース数	26
過去1年レース数	9

札幌芝2600m

血統偏差値

要注目種牡馬

種牡馬	データ
父がジャスタウェイ マストバイデータあり	➡P242
父がドゥラメンテ 血統偏差値65.0	3着内率 64.7% 複勝回収率 139%
父がディープブリランテ 血統偏差値58.2	3着内率 37.5% 複勝回収率 166%
父がキズナ 血統偏差値55.8	3着内率 33.3% 複勝回収率 118%

ジョッキー偏差値

要注目騎手

鞍上が丹内祐次騎手 マストバイデータあり	➡P243
鞍上が菱田裕二騎手 ジョッキー偏差値60.2	3着内率 40.0% 複勝回収率 282%
鞍上が横山和生騎手 ジョッキー偏差値59.9	3着内率 50.0% 複勝回収率 126%
鞍上が富田暁騎手 ジョッキー偏差値57.0	3着内率 42.9% 複勝回収率 108%

ドゥラメンテはこのコースでも好成績をマーク

札幌芝1800mや札幌芝2000mで優秀な成績を収めていたドゥラメンテ産駒は、この札幌芝2600mでも3着内率が64・7%に、複勝回収率が139%に達しています。23年8月12日の札幌8R（3歳以上1勝クラス）では、単勝オッズ9・1倍（5番人気）のヴィルトブリーゼが1着、同7・1倍（3番人気）のベッラアルバが3着となり、高額配当決着に貢献しました。

ちなみに、父系別の成績を集計してみたところ、ディープインパクト系種牡馬の産駒は3着内率33・8%、複勝回収率85%と比較的堅実です。血統偏差値ランキングで上位に来たキズナやディープブリランテはもちろん、他の種牡馬も状況次第ではそれなりに高く評価して良いのではないでしょうか。

血統偏差値ランキング

当該コース

血統偏差値	騎手	好走率偏差値	回収率偏差値	着別度数	勝率	連対率	3着内率	単勝回収率	複勝回収率
65.0	ドゥラメンテ	73.7	65.0	6－2－3－6／17	35.3%	47.1%	64.7%	220%	139%
58.2	ディープブリランテ	58.2	70.5	0－2－1－5／8	0.0%	25.0%	37.5%	0%	166%
55.8	キズナ	55.8	60.6	2－1－1－8／12	16.7%	25.0%	33.3%	53%	118%
49.4	ロードカナロア	49.4	50.0	1－1－0－7／9	11.1%	22.2%	22.2%	135%	66%
48.9	ディープインパクト	55.8	48.9	2－3－5－20／30	6.7%	16.7%	33.3%	31%	61%
46.9	キングカメハメハ	51.0	46.9	2－1－0－9／12	16.7%	25.0%	25.0%	55%	51%
45.6	ハーツクライ	52.8	45.6	3－1－5－23／32	9.4%	12.5%	28.1%	29%	45%
44.7	ゴールドシップ	44.7	47.0	1－3－1－31／36	2.8%	11.1%	13.9%	16%	51%
43.9	ヴィクトワールピサ	43.9	46.1	0－1－0－7／8	0.0%	12.5%	12.5%	0%	47%
41.3	ハービンジャー	41.3	46.9	1－0－1－23／25	4.0%	4.0%	8.0%	172%	51%
36.3	モーリス	36.7	36.3	0－0－0－7／7	0.0%	0.0%	0.0%	0%	0%
36.3	ルーラーシップ	36.7	36.3	0－0－0－16／16	0.0%	0.0%	0.0%	0%	0%

ジョッキー偏差値ランキング

当該コース

ジョッキー偏差値	騎手	好走率偏差値	回収率偏差値	着別度数	勝率	連対率	3着内率	単勝回収率	複勝回収率
60.2	菱田裕二	60.2	86.2	0－2－2－6／10	0.0%	20.0%	40.0%	0%	282%
59.9	横山和生	66.7	59.9	2－2－0－4／8	25.0%	50.0%	50.0%	80%	126%
57.0	富田暁	62.1	57.0	0－2－1－4／7	0.0%	28.6%	42.9%	0%	108%
54.4	角田大和	55.9	54.4	1－0－1－4／6	16.7%	16.7%	33.3%	95%	93%
52.6	池添謙一	57.9	52.6	3－1－0－7／11	27.3%	36.4%	36.4%	124%	82%
52.4	武豊	64.2	52.4	1－4－1－7／13	7.7%	38.5%	46.2%	25%	81%
51.4	C.ルメール	66.7	51.4	2－1－3－6／12	16.7%	25.0%	50.0%	65%	75%
50.2	鮫島克駿	50.6	50.2	0－1－2－9／12	0.0%	8.3%	25.0%	0%	68%
49.1	藤岡佑介	57.9	49.1	1－1－2－7／11	9.1%	18.2%	36.4%	110%	61%
46.2	浜中俊	53.8	46.2	1－1－1－7／10	10.0%	20.0%	30.0%	58%	45%
45.2	丹内祐次	45.2	45.6	0－1－2－15／18	0.0%	5.6%	16.7%	0%	41%
45.2	吉田隼人	46.7	45.2	1－1－2－17／21	4.8%	9.5%	19.0%	26%	38%
43.7	泉谷楓真	43.7	46.4	0－1－0－6／7	0.0%	14.3%	14.3%	0%	45%
43.6	横山武史	45.2	43.6	1－0－1－10／12	8.3%	8.3%	16.7%	46%	29%
43.0	団野大成	43.7	43.0	1－0－0－6／7	14.3%	14.3%	14.3%	55%	25%

札幌芝1200m

鞍上が藤岡佑介騎手 × 馬齢が3歳以下

3着内率	複勝回収率
68.4%	137%

着別度数	勝率	連対率	単勝回収率
3－6－4－6／19	15.8%	47.4%	72%

	着別度数	勝率	連対率	3着内率	単勝回収率	複勝回収率
直近1年	0－1－2－4／7	0.0%	14.3%	42.9%	0%	127%

伊吹メモ　藤岡佑介騎手は、札幌芝の全コースを対象とした集計期間中のトータルでも3着内率37.0%、複勝回収率105%。札幌芝1200mは好走率が特に高いうえ、4歳以上の馬に騎乗したレースでもたびたび穴をあけていましたから、今後も目が離せません。

札幌芝1500m

父がディープインパクト系種牡馬 × 前走の4コーナー通過順が5番手以内

3着内率	複勝回収率
41.3%	203%

着別度数	勝率	連対率	単勝回収率
8－7－4－27／46	17.4%	32.6%	354%

	着別度数	勝率	連対率	3着内率	単勝回収率	複勝回収率
直近1年	6－1－1－13／21	28.6%	33.3%	38.1%	467%	130%

伊吹メモ　札幌芝1500mは、ディープインパクト系種牡馬の産駒に注目したいコース。集計期間中のトータルだと3着内率は25.6%どまりでしたが、前走で先行していた馬は好走率も回収率も高水準なので、引き続きマークしておくべきだと思います。

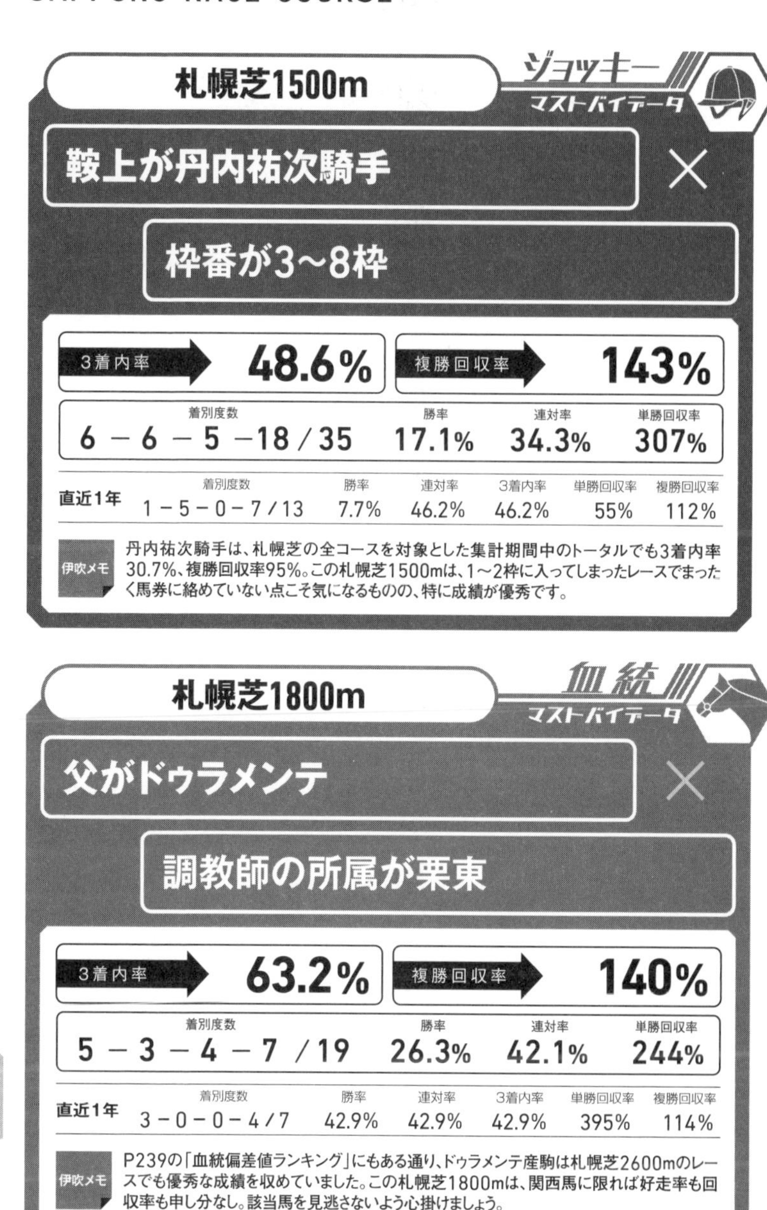

札幌芝1500m

ジョッキー マストバイデータ

鞍上が丹内祐次騎手

×

枠番が3〜8枠

3着内率	複勝回収率
48.6%	143%

着別度数	勝率	連対率	単勝回収率
6－6－5－18／35	17.1%	34.3%	307%

	着別度数	勝率	連対率	3着内率	単勝回収率	複勝回収率
直近1年	1－5－0－7／13	7.7%	46.2%	46.2%	55%	112%

伊吹メモ　丹内祐次騎手は、札幌芝の全コースを対象とした集計期間中のトータルでも3着内率30.7%、複勝回収率95%。この札幌芝1500mは、1〜2枠に入ってしまったレースでまったく馬券に絡めていない点こそ気になるものの、特に成績が優秀です。

札幌芝1800m

血統 マストバイデータ

父がドゥラメンテ

×

調教師の所属が栗東

3着内率	複勝回収率
63.2%	140%

着別度数	勝率	連対率	単勝回収率
5－3－4－7／19	26.3%	42.1%	244%

	着別度数	勝率	連対率	3着内率	単勝回収率	複勝回収率
直近1年	3－0－0－4／7	42.9%	42.9%	42.9%	395%	114%

伊吹メモ　P239の「血統偏差値ランキング」にもある通り、ドゥラメンテ産駒は札幌芝2600mのレースでも優秀な成績を収めていました。この札幌芝1800mは、関西馬に限れば好走率も回収率も申し分なし。該当馬を見逃さないよう心掛けましょう。

札幌芝1800m・芝2000m

父がダンジグ系種牡馬 ×

前走のコースが今回と同じ距離か今回より長い距離、かつ、前走の馬体重が470kg以上

3着内率	複勝回収率
50.0%	185%

着別度数	勝率	連対率	単勝回収率
7－6－10－23／46	15.2%	28.3%	70%

	着別度数	勝率	連対率	3着内率	単勝回収率	複勝回収率
直近1年	5－2－5－3／15	33.3%	46.7%	80.0%	112%	344%

伊吹メモ　この条件に該当していた3着以内馬23頭のうち13頭はハービンジャー産駒ですが、アメリカンペイトリオット産駒やデクラレーションオブウォー産駒も好走例多数。近走成績が極端に悪い馬であっても、押さえておくに越したことはありません。

札幌芝1800m・芝2000m・芝2600m

父がジャスタウェイ ×

調教師の所属が栗東、かつ、枠番が1～5枠

3着内率	複勝回収率
82.4%	214%

着別度数	勝率	連対率	単勝回収率
4－5－5－3／17	23.5%	52.9%	98%

	着別度数	勝率	連対率	3着内率	単勝回収率	複勝回収率
直近1年	1－1－2－0／4	25.0%	50.0%	100.0%	137%	322%

伊吹メモ　関東馬や外寄りの枠に入った馬の成績こそいまひとつだったものの、ジャスタウェイは札幌芝1800～2600mの3コースで満遍なく好成績をマークしている種牡馬。2023年は上記の条件をクリアしていた4頭すべてが3着以内に好走しました。

鞍上が丹内祐次騎手 ×

出走頭数が13頭以下、かつ、負担重量が55kg以下

3着内率	複勝回収率
50.0%	149%

着別度数	勝率	連対率	単勝回収率
5－7－8－20／40	12.5%	30.0%	62%

	着別度数	勝率	連対率	3着内率	単勝回収率	複勝回収率
直近1年	3－3－1－2／9	33.3%	66.7%	77.8%	220%	337%

伊吹メモ　各コースの「血統偏差値ランキング」をご覧いただければわかる通り、集計期間中のトータルであれば札幌芝1200mや札幌芝1500mの成績も良いジョッキー。札幌芝1800～2600mの3コースは、少頭数のレースに限ると好走率や回収率が優秀です。

札幌芝2000m

父がステイゴールド系種牡馬 ×

馬齢が3歳以下、かつ、前走との間隔が中2週以上

3着内率	複勝回収率
45.2%	310%

着別度数	勝率	連対率	単勝回収率
7－4－3－17／31	22.6%	35.5%	133%

	着別度数	勝率	連対率	3着内率	単勝回収率	複勝回収率
直近1年	2－1－2－7／12	16.7%	25.0%	41.7%	36%	555%

伊吹メモ　4歳以上の馬は安定感を欠いていましたが、父にステイゴールド系種牡馬を持つ3歳以下の馬は、札幌芝2000mだと好走率も回収率も申し分のない高水準。たとえ近走成績が良くない馬であっても、一変する可能性が高いと見ておきましょう。

過去3年レース数 53

過去1年レース数 17

札幌ダ1000m

血統偏差値

要注目種牡馬

父がドレフォン マストバイデータあり	➡P249
父がマジェスティックウォリアー マストバイデータあり	➡P249
父がアジアエクスプレス 血統偏差値55.2	3着内率 40.0% 複勝回収率 135%
父がアイルハヴアナザー 血統偏差値54.8	3着内率 00% 複勝回収率 104%

ジョッキー偏差値

要注目騎手

鞍上が菱田裕二騎手 ジョッキー偏差値54.3	3着内率 35.3% 複勝回収率 105%
鞍上が横山琉人騎手 ジョッキー偏差値52.9	3着内率 36.0% 複勝回収率 98%
鞍上が勝浦正樹騎手 ジョッキー偏差値52.7	3着内率 36.4% 複勝回収率 97%
鞍上が横山武史騎手 ジョッキー偏差値52.1	3着内率 52.0% 複勝回収率 94%

ロードカナロア産駒の成績は高く評価できない

集計期間中の3着内数がもっとも多かった種牡馬はロードカナロア（8回）。ただし、複勝回収率が100%に達していた一方で、3着内率は27・6%にとどまっています。出走可能頭数、いわゆる「フルゲート頭数」が12頭で、出走馬のうち1／4以上が3着以内になることを考えると、この好走率は物足りない水準。基本的に過信禁物と見ておいた方が良いのかもしれません。

ジョッキー別成績を見ると、3着内数がもっとも多かったのは横山武史騎手（13回）。こちらは複勝回収率こそ94%どまりでしたが、3着内率は52・0%に達していました。ロードカナロア産駒よりもかなり堅実で、配当的な妙味はほぼ同じくらい。信頼できるジョッキーとみなして良いでしょう。

血統偏差値ランキング

当該コース

血統偏差値	騎手	好走率偏差値	回収率偏差値	着別度数	勝率	連対率	3着内率	単勝回収率	複勝回収率
55.2	アジアエクスプレス	55.2	72.9	1－3－1－8／13	7.7%	30.8%	38.5%	101%	195%
54.8	アイルハヴアナザー	66.7	54.8	2－4－1－6／13	15.4%	46.2%	53.8%	43%	110%
54.2	ドレフォン	58.5	54.2	0－1－5－8／14	0.0%	7.1%	42.9%	0%	107%
49.7	モーリス	49.7	66.7	2－1－2－11／16	12.5%	18.8%	31.3%	120%	166%
49.7	リオンディーズ	60.9	49.7	2－2－2－7／13	15.4%	30.8%	46.2%	52%	86%
49.1	シニスターミニスター	55.2	49.1	3－2－0－8／13	23.1%	38.5%	38.5%	210%	83%
48.4	ストロングリターン	60.9	48.4	1－2－3－7／13	7.7%	23.1%	46.2%	23%	80%
47.2	キンシャサノキセキ	48.2	47.2	3－3－1－17／24	12.5%	25.0%	29.2%	75%	75%
47.1	ヘニーヒューズ	50.2	47.1	4－3－0－15／22	18.2%	31.8%	31.8%	153%	74%
47.0	ロードカナロア	47.0	52.7	2－2－4－21／29	6.9%	13.8%	27.6%	23%	100%
41.8	ディスクリートキャット	42.4	41.8	0－1－2－11／14	0.0%	7.1%	21.4%	0%	50%
37.8	アドマイヤムーン	37.8	44.9	0－1－1－11／13	0.0%	7.7%	15.4%	0%	64%
34.2	サウスヴィグラス	34.2	34.4	0－0－2－17／19	0.0%	0.0%	10.5%	0%	15%
33.1	ドゥラメンテ	33.1	36.2	1－0－0－10／11	9.1%	9.1%	9.1%	100%	23%

ジョッキー偏差値ランキング

当該コース

ジョッキー偏差値	騎手	好走率偏差値	回収率偏差値	着別度数	勝率	連対率	3着内率	単勝回収率	複勝回収率
54.3	菱田裕二	55.0	54.3	0－3－3－11／17	0.0%	17.6%	35.3%	0%	105%
52.9	横山琉人	55.6	52.9	3－3－3－16／25	12.0%	24.0%	36.0%	92%	98%
52.7	勝浦正樹	55.9	52.7	1－1－2－7／11	9.1%	18.2%	36.4%	67%	97%
52.1	横山武史	68.0	52.1	2－4－7－12／25	8.0%	24.0%	52.0%	26%	94%
51.5	小沢大仁	53.5	51.5	2－3－4－18／27	7.4%	18.5%	33.3%	176%	90%
51.2	池添謙一	66.4	51.2	3－0－3－6／12	25.0%	25.0%	50.0%	56%	89%
50.1	角田大和	66.4	50.1	4－1－1－6／12	33.3%	41.7%	50.0%	175%	83%
49.6	横山和生	62.9	49.6	3－1－1－6／11	27.3%	36.4%	45.5%	159%	80%
48.1	鮫島克駿	48.1	86.6	2－2－1－14／19	10.5%	21.1%	26.3%	381%	278%
47.8	武豊	60.9	47.8	4－1－1－8／14	28.6%	35.7%	42.9%	132%	71%
46.5	秋山稔樹	47.1	46.5	1－4－1－18／24	4.2%	20.8%	25.0%	8%	64%
45.3	泉谷楓真	45.3	57.4	1－3－1－17／22	4.5%	18.2%	22.7%	12%	122%
44.9	小林凌大	44.9	50.6	3－3－2－28／36	8.3%	16.7%	22.2%	70%	86%
44.0	鷲頭虎太	49.2	44.0	1－2－2－13／18	5.6%	16.7%	27.8%	36%	51%
40.3	丹内祐次	40.3	50.3	3－0－3－31／37	8.1%	8.1%	16.2%	177%	84%

過去3年 レース数 148

過去1年 レース数 50

札幌ダ1700m

血統偏差値

要注目種牡馬

父がドレフォン マストバイデータあり	➡P249
父がホッコータルマエ マストバイデータあり	➡P250
父がマジェスティックウォリアー マストバイデータあり	➡P249
父がヘニーヒューズ 血統偏差値54.0	3着内率 30.2% 複勝回収率 173%

ジョッキー偏差値

要注目騎手

鞍上が武豊騎手 マストバイデータあり	➡P250
鞍上が丹内祐次騎手 ジョッキー偏差値58.9	3着内率 32.5% 複勝回収率 124%
鞍上が富田暁騎手 ジョッキー偏差値56.0	3着内率 29.0% 複勝回収率 140%
鞍上が池添謙一騎手 ジョッキー偏差値54.2	3着内率 39.3% 複勝回収率 92%

マジェスティックウォリアー産駒は今後も楽しみ

血統偏差値ランキングで首位に立っていたうえ、集計期間中の3着内数(20回)も単独トップだったのがマジェスティックウォリアー。3着内率は37・7%に、複勝回収率は118%に達していました。また、3着内数2位(19回)のヘニーヒューズも、3着内率30・2%、複勝回収率173%と、非常に優秀な成績をマーク。好走例が多い種牡馬を素直に狙うべきコースと言って良いのではないでしょうか。

ジョッキー別の3着内数を見ると、丹内祐次騎手と横山武史騎手(各39回)がトップタイ。3着内率は横山武史騎手の方が上だったものの、丹内祐次騎手の複勝回収率124%は他の主要ジョッキーと比較しても高いので、こちらの方が価値のある数字と言えます。

血統偏差値ランキング

当該コース

血統偏差値	騎手	好走率偏差値	回収率偏差値	着別度数	勝率	連対率	3着内率	単勝回収率	複勝回収率
59.6	マジェスティックウォリアー	64.9	59.6	6－7－7－33／53	11.3%	24.5%	37.7%	169%	118%
57.4	ホッコータルマエ	57.4	70.6	1－6－7－29／43	2.3%	16.3%	32.6%	62%	160%
54.0	ヘニーヒューズ	54.0	74.1	10－5－4－44／63	15.9%	23.8%	30.2%	96%	173%
53.0	ハーツクライ	53.7	53.0	3－5－4－28／40	7.5%	20.0%	30.0%	29%	93%
52.8	キングカメハメハ	57.0	52.8	1－5－4－21／31	3.2%	19.4%	32.3%	8%	92%
51.0	ドレフォン	60.5	51.0	6－7－4－32／49	12.2%	26.5%	34.7%	60%	86%
50.7	マクフィ	66.3	50.7	4－4－4－19／31	12.9%	25.8%	38.7%	50%	84%
49.8	ルーラーシップ	50.3	49.8	6－5－5－42／58	10.3%	19.0%	27.6%	49%	81%
47.8	シニスターミニスター	50.3	47.8	6－8－2－42／58	10.3%	24.1%	27.6%	88%	73%
45.3	ロードカナロア	45.3	52.5	4－5－5－44／58	6.9%	15.5%	24.1%	46%	91%
44.0	ドゥラメンテ	56.0	44.0	6－3－3－26／38	15.8%	23.7%	31.6%	64%	59%
43.4	エピファネイア	46.5	43.4	2－3－3－24／32	6.3%	15.6%	25.0%	68%	57%
42.0	リオンディーズ	45.4	42.0	4－4－0－25／33	12.1%	24.2%	24.2%	27%	51%
37.8	キンシャサノキセキ	37.8	38.8	1－2－4－30／37	2.7%	8.1%	18.9%	31%	40%
35.6	ジャスタウェイ	35.6	40.4	3－4－1－38／46	6.5%	15.2%	17.4%	58%	46%

ジョッキー偏差値ランキング

当該コース

ジョッキー偏差値	騎手	好走率偏差値	回収率偏差値	着別度数	勝率	連対率	3着内率	単勝回収率	複勝回収率
64.8	武豊	75.3	64.8	13－5－6－22／46	28.3%	39.1%	52.2%	227%	135%
58.9	丹内祐次	58.9	62.0	10－17－12－81／120	8.3%	22.5%	32.5%	148%	124%
56.0	富田暁	56.0	66.1	4－2－3－22／31	12.9%	19.4%	29.0%	145%	140%
54.2	池添謙一	64.5	54.2	8－5－9－34／56	14.3%	23.2%	39.3%	110%	92%
52.6	横山和生	68.5	52.6	7－9－10－33／59	11.9%	27.1%	44.1%	102%	86%
49.4	秋山稔樹	52.2	49.4	6－1－5－37／49	12.2%	14.3%	24.5%	129%	73%
49.0	横山武史	65.3	49.0	17－15－7－58／97	17.5%	33.0%	40.2%	81%	72%
48.4	菱田裕二	57.1	48.4	4－4－9－39／56	7.1%	14.3%	30.4%	63%	69%
47.4	鮫島克駿	53.6	47.4	6－4－7－48／65	9.2%	15.4%	26.2%	36%	65%
46.5	小林凌大	47.4	46.5	3－6－3－52／64	4.7%	14.1%	18.8%	46%	61%
44.8	吉田隼人	49.6	44.8	8－5－3－59／75	10.7%	17.3%	21.3%	77%	55%
44.7	小沢大仁	44.7	48.1	2－4－3－49／58	3.4%	10.3%	15.5%	16%	68%
43.9	C.ルメール	61.9	43.9	6－5－2－23／36	16.7%	30.6%	36.1%	52%	51%
43.5	藤岡佑介	50.7	43.5	5－4－1－34／44	11.4%	20.5%	22.7%	57%	50%
42.8	古川吉洋	42.8	53.7	2－3－4－59／68	2.9%	7.4%	13.2%	69%	90%

過去3年レース数	6	過去1年レース数	2

札幌ダ2400m

血統偏差値ランキング

当該コース

血統偏差値	種牡馬	好走率偏差値	回収率偏差値	着別度数	勝率	連対率	3着内率	単勝回収率	複勝回収率
69.4	フェノーメノ	72.1	69.4	0－1－1－0／2	0.0%	50.0%	100.0%	0%	190%
63.6	ハーツクライ	72.1	63.6	1－0－1－0／2	50.0%	50.0%	100.0%	260%	150%
57.1	コパノリッキー	57.1	69.8	2－0－0－2／4	50.0%	50.0%	50.0%	655%	192%
57.1	マジェスティックウォリアー	57.1	60.7	0－1－1－2／4	0.0%	25.0%	50.0%	0%	130%
52.0	キングカメハメハ	52.0	52.8	0－1－1－4／6	0.0%	16.7%	33.3%	0%	75%
52.0	ヘニーヒューズ	52.0	52.1	1－0－0－2／3	33.3%	33.3%	33.3%	203%	70%
48.3	ディープインパクト	52.0	48.3	0－1－0－2／3	0.0%	33.3%	33.3%	0%	43%
47.1	ホッコータルマエ	49.5	47.1	0－1－0－3／4	0.0%	25.0%	25.0%	0%	35%
42.0	アドマイヤムーン	42.0	42.0	0－0－0－2／2	0.0%	0.0%	0.0%	0%	0%
42.0	サトノダイヤモンド	42.0	42.0	0－0－0－2／2	0.0%	0.0%	0.0%	0%	0%

ジョッキー偏差値ランキング

当該コース

ジョッキー偏差値	騎手	好走率偏差値	回収率偏差値	着別度数	勝率	連対率	3着内率	単勝回収率	複勝回収率
60.2	坂井瑠星	62.2	60.2	0－0－1－1／2	0.0%	0.0%	50.0%	0%	100%
60.2	横山武史	69.2	60.2	1－0－1－1／3	33.3%	33.3%	66.7%	173%	100%
55.3	角田大和	62.2	55.3	1－1－0－2／4	25.0%	50.0%	50.0%	122%	72%
55.2	黛弘人	55.2	79.2	1－0－0－2／3	33.3%	33.3%	33.3%	710%	206%
54.8	秋山稔樹	62.2	54.8	0－0－1－1／2	0.0%	0.0%	50.0%	0%	70%
54.8	菱田裕二	62.2	54.8	0－1－0－1／2	0.0%	50.0%	50.0%	0%	70%
49.7	丹内祐次	49.7	55.9	0－0－1－4／5	0.0%	0.0%	20.0%	0%	76%
48.9	C.ルメール	55.2	48.9	1－0－0－2／3	33.3%	33.3%	33.3%	53%	36%
41.3	岩田康誠	41.3	42.3	0－0－0－3／3	0.0%	0.0%	0.0%	0%	0%
41.3	小沢大仁	41.3	42.3	0－0－0－3／3	0.0%	0.0%	0.0%	0%	0%

サンデーサイレンス系種牡馬の産駒がやや優勢

集計期間中に6レースしか施行されていないコースですが、異なる複数の産駒が3着以内となった種牡馬は、キングカメハメハ、コパノリッキー、ハーツクライ、マジェスティックウォリアーと、計4頭もいました。この夏も、これらの名前を見かけたら要注意です。

ちなみに、サンデーサイレンス系種牡馬の産駒は3着内数9回、3着内率32.1%、複勝回収率72%で、どの指標も他の父系よりは優秀。コース適性が比較的高いと見て良いのではないでしょうか。前出の種牡馬ではコパノリッキーとハーツクライが該当しています。

※「父がマジェスティックウォリアー」の馬（→P249）は、このコースで適用可能な「マストバイデータ」あり

札幌ダ1000m・ダ1700m

父がドレフォン ×

前走の着順が8着以内、かつ、前走の4コーナー通過順が3番手以下

3着内率 55.2%　複勝回収率 139%

着別度数	勝率	連対率	単勝回収率
3－6－7－13／29	10.3%	31.0%	52%

	着別度数	勝率	連対率	3着内率	単勝回収率	複勝回収率
直近1年	2－2－5－6／15	13.3%	26.7%	60.0%	74%	153%

伊吹メモ　前走の4コーナーを2番手以内で通過した馬は期待を裏切りがちでしたが、札幌ダ1000～1700mのドレフォン産駒は基本的に狙い目。極端な大敗を喫した直後の馬でなければ、多少の不安要素があっても買い目の中心に据えて良いと思います。

札幌ダ1000m・ダ1700m・ダ2400m

血統 マストバイデータ

父がマジェスティックウォリアー ×

枠番が4～8枠

3着内率 45.8%　複勝回収率 148%

着別度数	勝率	連対率	単勝回収率
8－7－7－26／48	16.7%	31.3%	223%

	着別度数	勝率	連対率	3着内率	単勝回収率	複勝回収率
直近1年	2－3－1－8／14	14.3%	35.7%	42.9%	132%	177%

伊吹メモ　札幌ダ1000～2400mの3コースで満遍なく好成績をマークしている種牡馬。ただし、集計期間中に限ると枠番が1～3枠だったレースは3着内率20.0%、複勝回収率32%でした。内寄りの枠に入ってしまった馬は過信禁物と見た方が良いかもしれません。

札幌ダ1700m

父がホッコータルマエ ×

前走の着順が9着以内、かつ、
前走の馬体重が440kg以上

3着内率	複勝回収率
42.4%	208%

着別度数	勝率	連対率	単勝回収率
1－6－7－19／33	3.0%	21.2%	81%

	着別度数	勝率	連対率	3着内率	単勝回収率	複勝回収率
直近1年	1－4－2－4／11	9.1%	45.5%	63.6%	244%	255%

伊吹メモ　集計期間中に1勝しかしていないとはいえ、札幌ダ1700mのホッコータルマエ産駒は3着内率も複勝回収率もかなり優秀。大敗直後の馬や極端に小柄な馬までマークする必要はないでしょうし、人気の盲点になっている馬は絶好の狙い目です。

札幌ダ1700m

鞍上が武豊騎手 ×

（無条件）

3着内率	複勝回収率
52.2%	135%

着別度数	勝率	連対率	単勝回収率
13－5－6－22／46	28.3%	39.1%	227%

	着別度数	勝率	連対率	3着内率	単勝回収率	複勝回収率
直近1年	7－1－2－7／17	41.2%	47.1%	58.8%	392%	168%

伊吹メモ　特に条件を付けずとも「マストバイデータ」の採用基準をクリアしている武豊騎手の得意コース。2023年は単勝回収率が392%、複勝回収率が168%だったように、過小評価されてしまう場面が意外と多いので、見逃さないようにしましょう。

函館競馬場
HAKODATE RACE COURSE

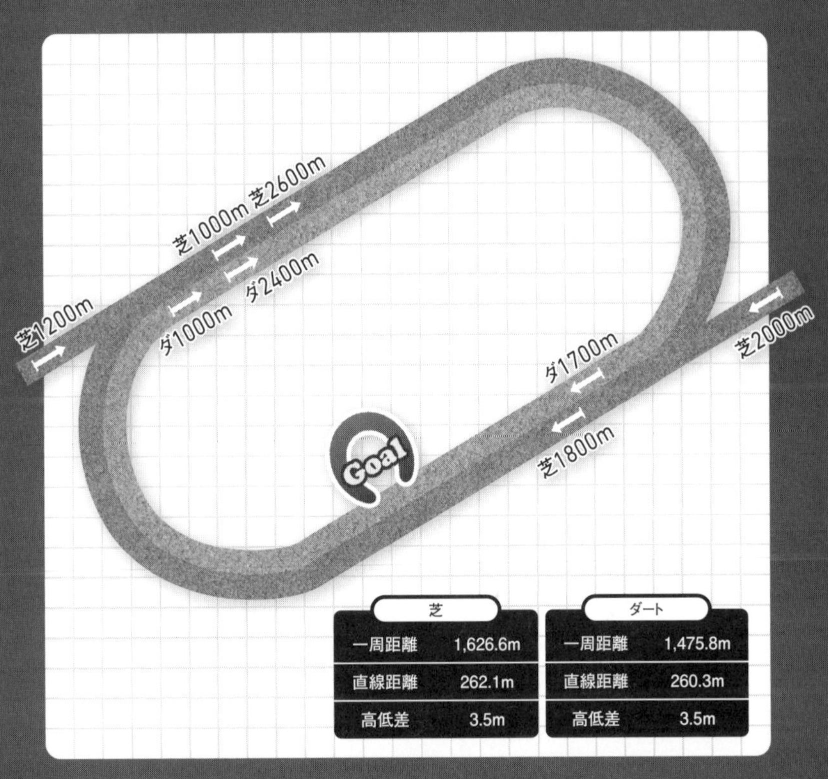

芝	
一周距離	1,626.6m
直線距離	262.1m
高低差	3.5m

ダート	
一周距離	1,475.8m
直線距離	260.3m
高低差	3.5m

過去3年レース数 126

過去1年レース数 44

函館芝1200m

血統偏差値

要注目種牡馬

父がミッキーアイル マストバイデータあり	➡P262
父がストームキャット系種牡馬 マストバイデータあり	➡P261
父がリオンディーズ 血統偏差値54.3	3着内率 34.3% 複勝回収率 84%
父がキンシャサノキセキ 血統偏差値54.2	3着内率 27.8% 複勝回収率 124%

ジョッキー偏差値

要注目騎手

鞍上が佐々木大輔騎手 マストバイデータあり	➡P262
鞍上が横山武史騎手 マストバイデータあり	➡P261
鞍上が武豊騎手 ジョッキー偏差値59.1	3着内率 53.0% 複勝回収率 108%
鞍上が鮫島克駿騎手 ジョッキー偏差値54.8	3着内率 34.8% 複勝回収率 92%

武豊騎手や横山武史騎手に逆らう必要はない

種牡馬別の3着内数を見ると、ロードカナロア（29回）が断然のトップ。ただし、複勝回収率が62％しかないので、高く評価するわけにはいきません。

積極的に狙ってみたいのは、3着内数が3位タイ（各15回）だったキンシャサノキセキ、モーリスあたり。いずれも複勝回収率が優秀な水準に達していましたし、3着内率も及第点です。

あとは血統偏差値ランキングで首位に立っていたミッキーアイルも見逃せない存在。23年に限れば3着内率45・5％、複勝回収率193％でしたから、この夏もマークしておきましょう。

ジョッキー別成績を見ると、3着内数トップの横山武史騎手（37回）、同単独2位の武豊騎手（35回）は、それぞれ好走率や回収率も高水準でした。

血統偏差値ランキング

当該コース

血統偏差値	騎手	好走率偏差値	回収率偏差値	着別度数	勝率	連対率	3着内率	単勝回収率	複勝回収率
66.3	ミッキーアイル	70.1	66.3	5－3－5－18／31	16.1%	25.8%	41.9%	49%	118%
54.3	リオンディーズ	61.5	54.3	4－3－5－23／35	11.4%	20.0%	34.3%	71%	84%
54.2	キンシャサノキセキ	54.2	68.6	4－7－4－39／54	7.4%	20.4%	27.8%	105%	124%
53.7	ビッグアーサー	67.5	53.7	6－6－7－29／48	12.5%	25.0%	39.6%	65%	83%
53.6	モーリス	53.6	59.4	8－3－4－40／55	14.5%	20.0%	27.3%	144%	99%
53.1	ハービンジャー	56.7	53.1	3－3－3－21／30	10.0%	20.0%	30.0%	53%	81%
47.1	ジャスタウェイ	47.1	57.8	4－1－1－22／28	14.3%	17.9%	21.4%	192%	94%
46.2	ロードカナロア	54.0	46.2	9－14－6－76／105	8.6%	21.9%	27.6%	44%	62%
45.1	エピファネイア	45.1	52.9	4－3－4－45／56	7.1%	12.5%	19.6%	49%	80%
44.0	マツリダゴッホ	50.1	44.0	0－3－4－22／29	0.0%	10.3%	24.1%	0%	55%
43.7	イスラボニータ	43.8	43.7	0－2－3－22／27	0.0%	7.4%	18.5%	0%	55%
41.7	ダイワメジャー	41.7	42.9	6－3－3－60／72	8.3%	12.5%	16.7%	39%	52%
40.0	アドマイヤムーン	40.0	44.9	2－1－2－28／33	6.1%	9.1%	15.2%	41%	58%
35.3	ディープインパクト	39.6	35.3	0－2－2－23／27	0.0%	7.4%	14.8%	0%	31%
30.3	ブラックタイド	39.0	30.3	1－1－2－24／28	3.6%	7.1%	14.3%	14%	17%

ジョッキー偏差値ランキング

当該コース

ジョッキー偏差値	騎手	好走率偏差値	回収率偏差値	着別度数	勝率	連対率	3着内率	単勝回収率	複勝回収率
61.9	佐々木大輔	62.6	61.9	6－5－2－21／34	17.6%	32.4%	38.2%	73%	119%
59.1	武豊	74.8	59.1	12－13－10－31／66	18.2%	37.9%	53.0%	119%	108%
57.1	横山武史	71.2	57.1	13－10－14－39／76	17.1%	30.3%	48.7%	89%	101%
54.8	鮫島克駿	59.8	54.8	11－6－6－43／66	16.7%	25.8%	34.8%	129%	92%
51.8	秋山稔樹	51.8	70.8	3－2－6－33／44	6.8%	11.4%	25.0%	35%	152%
51.2	勝浦正樹	51.2	71.0	1－5－3－28／37	2.7%	16.2%	24.3%	88%	153%
50.3	丹内祐次	52.4	50.3	4－8－12－69／93	4.3%	12.9%	25.8%	29%	76%
50.2	吉田隼人	54.2	50.2	5－4－5－36／50	10.0%	18.0%	28.0%	97%	75%
50.1	C.ルメール	64.7	50.1	2－6－3－16／27	7.4%	29.6%	40.7%	18%	75%
50.0	横山和生	51.4	50.0	2－10－4－49／65	3.1%	18.5%	24.6%	24%	74%
49.7	角田大和	49.7	70.6	1－4－4－31／40	2.5%	12.5%	22.5%	13%	152%
47.5	浜中俊	54.7	47.5	3－5－2－25／35	8.6%	22.9%	28.6%	97%	65%
46.4	藤岡佑介	59.0	46.4	10－6－5－41／62	16.1%	25.8%	33.9%	77%	61%
43.0	池添謙一	48.7	43.0	7－4－3－52／66	10.6%	16.7%	21.2%	71%	48%
39.8	黛弘人	46.6	39.8	0－2－7－39／48	0.0%	4.2%	18.8%	0%	36%

過去3年レース数 63

過去1年レース数 20

函館芝1800m

血統偏差値

要注目種牡馬

父がエピファネイア マストバイデータあり	➡P263
父がミッキーアイル マストバイデータあり	➡P262
父がジャスタウェイ 血統偏差値66.7	3着内率 46.2% 複勝回収率 125%
父がキズナ 血統偏差値64.3	3着内率 48.5% 複勝回収率 115%

ジョッキー偏差値

要注目騎手

鞍上が佐々木大輔騎手 マストバイデータあり	➡P262
鞍上が丹内祐次騎手 マストバイデータあり	➡P263
鞍上が浜中俊騎手 ジョッキー偏差値58.5	3着内率 36.4% 複勝回収率 116%
鞍上がC.ルメール騎手 ジョッキー偏差値54.7	3着内率 63.6% 複勝回収率 97%

キズナ産駒や丹内祐次騎手の健闘ぶりが目立つ

集計期間中の3着内数がもっとも多かった種牡馬はキズナ。3着内率は48・5%に、複勝回収率は115%に達していて、血統偏差値ランキングでも2位に食い込んでいました。残念ながら23年の該当馬は波乱を演出できませんでしたが、好走率は相変わらず高いままでしたし、この夏もしっかりチェックしておきたいところです。

ジョッキー偏差値ランキングでトップに立っていたのは丹内祐次騎手。集計期間中の3着内数(19回)もジョッキーの中では2番目に多く、狙いやすい存在と言えます。23年7月9日の五稜郭S(3歳以上3勝クラス)では、単勝オッズ17・0倍(7番人気)のアケルナルスターを優勝に導き、好配当決着を演出。人気薄でも侮れません。

血統偏差値ランキング

当該コース

血統偏差値	騎手	好走率偏差値	回収率偏差値	着別度数	勝率	連対率	3着内率	単勝回収率	複勝回収率
66.7	ジャスタウェイ	66.7	67.4	2－1－3－7／13	15.4%	23.1%	46.2%	68%	125%
64.3	キズナ	68.7	64.3	6－5－5－17／33	18.2%	33.3%	48.5%	175%	115%
56.9	モーリス	56.9	66.8	3－3－1－13／20	15.0%	30.0%	35.0%	451%	123%
51.3	ダノンバラード	53.2	51.3	1－2－1－9／13	7.7%	23.1%	30.8%	33%	70%
51.0	エピファネイア	51.0	62.3	1－2－8－28／39	2.6%	7.7%	28.2%	43%	108%
50.2	ディープインパクト	55.5	50.2	5－7－3－30／45	11.1%	26.7%	33.3%	68%	67%
48.0	ロードカナロア	55.5	48.0	2－3－3－16／24	8.3%	20.8%	33.3%	18%	59%
45.5	ハービンジャー	45.5	47.8	5－3－3－39／50	10.0%	16.0%	22.0%	112%	58%
44.7	リオンディーズ	53.2	44.7	3－1－0－9／13	23.1%	30.8%	30.8%	65%	48%
44.4	オルフェーヴル	53.6	44.4	3－2－0－11／16	18.8%	31.3%	31.3%	73%	47%
44.4	ルーラーシップ	44.4	48.1	2－2－2－23／29	6.9%	13.8%	20.7%	33%	60%
44.1	ゴールドシップ	50.1	44.1	3－1－5－24／33	9.1%	12.1%	27.3%	59%	46%
43.0	シルバーステート	49.6	43.0	1－0－3－11／15	6.7%	6.7%	26.7%	32%	42%
41.4	ドゥラメンテ	41.4	48.9	2－2－1－24／29	6.9%	13.8%	17.2%	110%	62%
41.3	ハーツクライ	41.3	52.7	1－1－4－29／35	2.9%	5.7%	17.1%	39%	75%

ジョッキー偏差値ランキング

当該コース

ジョッキー偏差値	騎手	好走率偏差値	回収率偏差値	着別度数	勝率	連対率	3着内率	単勝回収率	複勝回収率
59.8	丹内祐次	59.8	62.0	5－11－3－31／50	10.0%	32.0%	38.0%	64%	133%
58.5	浜中俊	58.7	58.5	4－1－3－14／22	18.2%	22.7%	36.4%	135%	116%
54.7	C.ルメール	77.0	54.7	5－6－3－8／22	22.7%	50.0%	63.6%	59%	97%
53.3	武豊	66.1	53.3	3－9－6－20／38	7.9%	31.6%	47.4%	23%	90%
52.9	吉田隼人	52.9	54.8	3－3－4－26／36	8.3%	16.7%	27.8%	27%	98%
52.1	角田大和	52.1	67.0	1－0－3－11／15	6.7%	6.7%	26.7%	560%	158%
51.9	池添謙一	62.7	51.9	6－2－6－19／33	18.2%	24.2%	42.4%	82%	83%
50.1	勝浦正樹	58.2	50.1	1－3－1－9／14	7.1%	28.6%	35.7%	42%	75%
50.0	黛弘人	50.0	53.2	1－0－3－13／17	5.9%	5.9%	23.5%	75%	90%
48.1	横山武史	63.4	48.1	8－7－5－26／46	17.4%	32.6%	43.5%	69%	65%
45.9	古川吉洋	45.9	47.2	2－1－1－19／23	8.7%	13.0%	17.4%	203%	60%
45.0	菱田裕二	45.0	49.3	0－3－1－21／25	0.0%	12.0%	16.0%	0%	70%
44.7	藤岡佑介	49.4	44.7	2－2－3－24／31	6.5%	12.9%	22.6%	98%	48%
42.4	横山琉人	48.4	42.4	2－1－1－15／19	10.5%	15.8%	21.1%	58%	36%
40.2	横山和生	46.3	40.2	2－2－3－32／39	5.1%	10.3%	17.9%	7%	25%

過去3年レース数 45

過去1年レース数 14

函館芝2000m

血統偏差値

要注目種牡馬

父がエピファネイア マストバイデータあり	➡P263
父がノヴェリスト 血統偏差値60.0	3着内率 36.4% 複勝回収率 268%
父がキングカメハメハ 血統偏差値52.0	3着内率 33.3% 複勝回収率 92%
父がオルフェーヴル 血統偏差値51.7	3着内率 31.3% 複勝回収率 91%

ジョッキー偏差値

要注目騎手

鞍上が佐々木大輔騎手 マストバイデータあり	➡P262
鞍上が富田暁騎手 ジョッキー偏差値63.9	3着内率 55.6% 複勝回収率 171%
鞍上が大野拓弥騎手 ジョッキー偏差値62.8	3着内率 50.0% 複勝回収率 164%
鞍上が勝浦正樹騎手 ジョッキー偏差値53.4	3着内率 28.6% 複勝回収率 241%

エピファネイアやハービンジャーの産駒が中心

血統偏差値ランキングでトップに立っていたのはエピファネイア。本書の集計期間中は3着内率が52・6%に、複勝回収率が160%に達していました。23年6月25日の北海H（3歳以上2勝クラス）では、単勝オッズ27・4倍（9番人気）のテリオスマナが3着に健闘。近走成績からは強調しづらい馬もしっかり押さえておきましょう。

なお、そのエピファネイアより集計期間中の3着内数が多かったハービンジャーも、3着内率36・8%、複勝回収率91%と及第点の数字をマーク。引き続き注目しておきたいところです。

ジョッキー部門で強調しておきたいのは横山武史騎手。集計期間中の3着内数（17回）がトップだったうえ、年次ごとの成績にも安定感があります。

血統偏差値ランキング

当該コース

血統偏差値	騎 手	好走率偏差値	回収率偏差値	着別度数	勝率	連対率	3着内率	単勝回収率	複勝回収率
64.0	エピファネイア	74.7	64.0	4－2－4－9／19	21.1%	31.6%	52.6%	100%	160%
60.0	ノヴェリスト	60.0	83.1	2－1－1－7／11	18.2%	27.3%	36.4%	170%	268%
52.0	キングカメハメハ	57.2	52.0	2－3－2－14／21	9.5%	23.8%	33.3%	119%	92%
51.7	オルフェーヴル	55.3	51.7	2－2－1－11／16	12.5%	25.0%	31.3%	38%	91%
51.7	ハービンジャー	60.4	51.7	7－4－3－24／38	18.4%	28.9%	36.8%	102%	91%
51.3	スクリーンヒーロー	51.7	51.3	1－2－0－8／11	9.1%	27.3%	27.3%	35%	89%
51.3	ロードカナロア	51.7	51.3	0－2－1－8／11	0.0%	18.2%	27.3%	0%	89%
48.7	モーリス	59.0	48.7	1－2－3－11／17	5.9%	17.6%	35.3%	21%	74%
47.5	ジャスタウェイ	57.2	47.5	2－1－1－8／12	16.7%	25.0%	33.3%	103%	67%
46.8	ドゥラメンテ	59.0	46.8	1－3－2－11／17	5.9%	23.5%	35.3%	18%	63%
44.4	ゴールドシップ	47.9	44.4	1－5－0－20／26	3.8%	23.1%	23.1%	7%	50%
44.0	ヴィクトワールピサ	44.0	45.1	3－0－0－13／16	18.8%	18.8%	18.8%	223%	53%
43.8	ディープインパクト	43.8	44.7	0－1－4－22／27	0.0%	3.7%	18.5%	0%	51%
43.7	ハーツクライ	43.7	48.8	3－0－4－31／38	7.9%	7.9%	18.4%	47%	74%
40.0	ルーラーシップ	40.0	40.8	0－4－0－24／28	0.0%	14.3%	14.3%	0%	29%

ジョッキー偏差値ランキング

当該コース

ジョッキー偏差値	騎 手	好走率偏差値	回収率偏差値	着別度数	勝率	連対率	3着内率	単勝回収率	複勝回収率
63.9	富田暁	72.9	63.9	2－1－2－4／9	22.2%	33.3%	55.6%	203%	171%
62.8	大野拓弥	68.9	62.8	2－1－2－5／10	20.0%	30.0%	50.0%	482%	164%
53.4	勝浦正樹	53.4	74.8	1－1－2－10／14	7.1%	14.3%	28.6%	100%	241%
53.1	佐々木大輔	56.8	53.1	2－1－1－8／12	16.7%	25.0%	33.3%	124%	100%
52.6	横山武史	68.9	52.6	5－5－7－17／34	14.7%	29.4%	50.0%	74%	97%
51.1	丹内祐次	53.6	51.1	4－6－1－27／38	10.5%	26.3%	28.9%	84%	88%
50.3	池添謙一	54.0	50.3	1－2－2－12／17	5.9%	17.6%	29.4%	20%	82%
50.3	藤岡佑介	52.8	50.3	2－0－3－13／18	11.1%	11.1%	27.8%	77%	82%
49.9	武豊	60.3	49.9	5－1－2－13／21	23.8%	28.6%	38.1%	140%	80%
48.6	泉谷楓真	50.8	48.6	0－2－2－12／16	0.0%	12.5%	25.0%	0%	71%
48.3	吉田隼人	57.6	48.3	2－7－2－21／32	6.3%	28.1%	34.4%	35%	69%
46.5	鮫島克駿	46.5	51.0	1－3－0－17／21	4.8%	19.0%	19.0%	9%	87%
46.3	岩田康誠	52.0	46.3	0－2－2－11／15	0.0%	13.3%	26.7%	0%	57%
45.8	C.ルメール	56.8	45.8	3－1－1－10／15	20.0%	26.7%	33.3%	86%	54%
45.4	横山和生	49.2	45.4	2－2－1－17／22	9.1%	18.2%	22.7%	34%	50%

過去3年レース数 19
過去1年レース数 6

函館芝2600m

血統偏差値

要注目種牡馬

父がエピファネイア マストバイデータあり	➡P263	
父がダノンシャンティ 血統偏差値65.0	3着内率 50.0%	複勝回収率 192%
父がラブリーデイ 血統偏差値54.3	3着内率 33.3%	複勝回収率 175%
父がドゥラメンテ 血統偏差値52.5	3着内率 37.5%	複勝回収率 117%

ジョッキー偏差値

要注目騎手

鞍上が大野拓弥騎手 ジョッキー偏差値73.8	3着内率 75.0%	複勝回収率 340%
鞍上が横山和生騎手 ジョッキー偏差値62.0	3着内率 50.0%	複勝回収率 261%
鞍上がC.ルメール騎手 ジョッキー偏差値56.2	3着内率 75.0%	複勝回収率 118%
鞍上が角田大和騎手 ジョッキー偏差値53.0	3着内率 40.0%	複勝回収率 94%

ノーザンダンサー系種牡馬の産駒は今後も楽しみ

種牡馬別の3着内数を見ると、ディープインパクトとハーツクライ（各7回）がトップを分け合っています。ただし、この2種牡馬は好走率や回収率がいまひとつ。残念ながら、積極的に狙っていくべき血統とは言えません。

父系ごとの成績をチェックしてみたところ、ノーザンダンサー系種牡馬の産駒が3着内数13回、3着内率40・6%、複勝回収率113%と、なかなか優秀な成績を収めていました。なお、集計期間中に産駒が3着以内となったノーザンダンサー系種牡馬は、Galileo、Into Mischief、Kitten's Joy、サトノクラウン、デクラレーションオブウォー、ハービンジャー。この夏の開催も、出馬表でこれらの名前を見かけたらしっかりマークしておきましょう。

血統偏差値ランキング

当該コース

血統偏差値	騎手	好走率偏差値	回収率偏差値	着別度数	勝率	連対率	3着内率	単勝回収率	複勝回収率
65.0	ダノンシャンティ	70.5	65.0	1－0－1－2／4	25.0%	25.0%	50.0%	225%	192%
54.3	ラブリーデイ	54.3	62.0	0－0－2－4／6	0.0%	0.0%	33.3%	0%	175%
52.5	ドゥラメンテ	58.3	52.5	1－1－1－5／8	12.5%	25.0%	37.5%	136%	117%
52.1	オルフェーヴル	58.3	52.1	2－0－1－5／8	25.0%	25.0%	37.5%	472%	115%
51.2	サトノクラウン	70.5	51.2	0－0－2－2／4	0.0%	0.0%	50.0%	0%	110%
49.7	エピファネイア	49.7	76.7	1－1－0－5／7	14.3%	28.6%	28.6%	130%	262%
46.2	ロージズインメイ	46.2	56.6	0－0－1－3／4	0.0%	0.0%	25.0%	0%	142%
43.9	ハービンジャー	56.2	43.9	2－2－2－11／17	11.8%	23.5%	35.3%	49%	65%
43.2	ハーツクライ	43.2	44.6	3－3－1－25／32	9.4%	18.8%	21.9%	84%	70%
42.1	ヴィクトワールピサ	46.2	42.1	0－1－0－3／4	0.0%	25.0%	25.0%	0%	55%
42.0	ゴールドシップ	42.0	47.9	0－2－4－23／29	0.0%	6.9%	20.7%	0%	89%
41.6	キングカメハメハ	43.5	41.6	1－1－0－7／9	11.1%	22.2%	22.2%	75%	52%
41.4	ディープインパクト	51.5	41.4	5－1－1－16／23	21.7%	26.1%	30.4%	97%	50%
41.3	モーリス	41.3	41.9	0－1－0－4／5	0.0%	20.0%	20.0%	0%	54%
40.0	ジャスタウェイ	46.2	40.0	0－1－0－3／4	0.0%	25.0%	25.0%	0%	42%

ジョッキー偏差値ランキング

当該コース

ジョッキー偏差値	騎手	好走率偏差値	回収率偏差値	着別度数	勝率	連対率	3着内率	単勝回収率	複勝回収率
73.8	大野拓弥	73.8	84.8	1－1－1－1／4	25.0%	50.0%	75.0%	170%	340%
62.0	横山和生	62.0	74.7	0－4－2－6／12	0.0%	33.3%	50.0%	0%	261%
56.2	C.ルメール	73.8	56.2	3－2－1－2／8	37.5%	62.5%	75.0%	105%	118%
53.0	角田大和	57.3	53.0	2－0－0－3／5	40.0%	40.0%	40.0%	362%	94%
51.8	古川吉洋	54.1	51.8	0－1－2－6／9	0.0%	11.1%	33.3%	0%	84%
51.7	吉田隼人	58.6	51.7	6－0－0－8／14	42.9%	42.9%	42.9%	231%	83%
51.5	丹内祐次	51.5	55.2	1－2－2－13／18	5.6%	16.7%	27.8%	165%	111%
51.1	藤岡佑介	54.1	51.1	2－2－0－8／12	16.7%	33.3%	33.3%	91%	79%
48.3	岩田康誠	56.1	48.3	0－0－3－5／8	0.0%	0.0%	37.5%	0%	57%
48.0	川又賢治	50.2	48.0	0－1－0－3／4	0.0%	25.0%	25.0%	0%	55%
47.8	秋山稔樹	47.8	50.7	0－1－0－4／5	0.0%	20.0%	20.0%	0%	76%
47.8	斎藤新	47.8	48.1	0－0－1－4／5	0.0%	0.0%	20.0%	0%	56%
47.0	横山武史	47.0	47.7	0－2－0－9／11	0.0%	18.2%	18.2%	0%	52%
45.8	佐々木大輔	47.8	45.8	0－0－1－4／5	0.0%	0.0%	20.0%	0%	38%
45.1	菱田裕二	45.1	47.5	0－0－1－6／7	0.0%	0.0%	14.3%	0%	51%

過去3年レース数 2　過去1年レース数 1

函館芝1000m

血統偏差値ランキング

当該コース

血統偏差値	種牡馬	好走率偏差値	回収率偏差値	着別度数	勝率	連対率	3着内率	単勝回収率	複勝回収率
65.3	セレスハント	65.3	71.4	0－1－0－0／1	0.0%	100.0%	100.0%	0%	250%
65.3	ダンカーク	65.3	73.6	1－0－0－0／1	100.0%	100.0%	100.0%	1040%	270%
62.5	キズナ	65.3	62.5	0－0－1－0／1	0.0%	0.0%	100.0%	0%	170%
62.5	マジェスティックウォリアー	65.3	62.5	0－0－1－0／1	0.0%	0.0%	100.0%	0%	170%
60.3	シルバーステート	65.3	60.3	0－1－0－0／1	0.0%	100.0%	100.0%	0%	150%
55.9	ファインニードル	65.3	55.9	1－0－0－0／1	100.0%	100.0%	100.0%	170%	110%
43.5	アメリカンペイトリオット	43.5	43.8	0－0－0－1／1	0.0%	0.0%	0.0%	0%	0%
43.5	オルフェーヴル	43.5	43.8	0－0－0－1／1	0.0%	0.0%	0.0%	0%	0%
43.5	サトノクラウン	43.5	43.8	0－0－0－1／1	0.0%	0.0%	0.0%	0%	0%
43.5	サトノダイヤモンド	43.5	43.8	0－0－0－1／1	0.0%	0.0%	0.0%	0%	0%

ジョッキー偏差値ランキング

当該コース

ジョッキー偏差値	騎手	好走率偏差値	回収率偏差値	着別度数	勝率	連対率	3着内率	単勝回収率	複勝回収率
66.2	角田大和	66.2	74.7	0－1－0－0／1	0.0%	100.0%	100.0%	0%	250%
64.7	佐々木大輔	66.2	64.7	0－0－1－0／1	0.0%	0.0%	100.0%	0%	170%
64.7	藤岡佑介	66.2	64.7	0－0－1－0／1	0.0%	0.0%	100.0%	0%	170%
62.2	富田暁	66.2	62.2	0－1－0－0／1	0.0%	100.0%	100.0%	0%	150%
57.3	横山武史	66.2	57.3	1－0－0－0／1	100.0%	100.0%	100.0%	170%	110%
54.8	鮫島克駿	54.8	60.4	1－0－0－1／2	50.0%	50.0%	50.0%	520%	135%
43.4	秋山稔樹	43.4	43.5	0－0－0－1／1	0.0%	0.0%	0.0%	0%	0%
43.4	岩田康誠	43.4	43.5	0－0－0－1／1	0.0%	0.0%	0.0%	0%	0%
43.4	斎藤新	43.4	43.5	0－0－0－1／1	0.0%	0.0%	0.0%	0%	0%
43.4	杉原誠人	43.4	43.5	0－0－0－1／1	0.0%	0.0%	0.0%	0%	0%

ミスタープロスペクター系種牡馬に注目するべきかも

22年と23年に、それぞれ新馬戦が1鞍ずつ施行されているコースです。

22年6月11日の函館5R（2歳新馬）を単勝オッズ10.4倍（4番人気）で制したニーナブランド（父ダンカーク）、23年6月10日の函館5R（2歳新馬）を単勝オッズ1.7倍（1番人気）で制したスカイキャンバス（父ファインニードル）は、いずれもミスタープロスペクター系種牡馬の産駒。前者で単勝オッズ12.9倍（5番人気）の人気薄ながら2着となったカマラードマリーも、ミスタープロスペクター系種牡馬のセレスハントを父に持つ馬でした。

函館芝1200m

父がストームキャット系種牡馬 ×

前走のコースが芝、かつ、馬齢が4歳以下

3着内率	複勝回収率
42.9%	154%

着別度数	勝率	連対率	単勝回収率
2 −10− 6 −24 / 42	4.8%	28.6%	26%

	着別度数	勝率	連対率	3着内率	単勝回収率	複勝回収率
直近1年	1 − 4 − 3 − 5 / 13	7.7%	38.5%	61.5%	37%	133%

伊吹メモ

ダート向きというイメージの強い父系ですが、この函館芝1200mはストームキャット系種牡馬の産駒が優秀な成績を収めているコースのひとつ。芝に転向してきたばかりの馬や極端な高齢馬でなければ、積極的に狙って良いと思います。

函館芝1200m

鞍上が横山武史騎手 ×

前走の4コーナー通過順が7番手以内

3着内率	複勝回収率
65.9%	141%

着別度数	勝率	連対率	単勝回収率
12− 7 − 8 −14 / 41	29.3%	46.3%	158%

	着別度数	勝率	連対率	3着内率	単勝回収率	複勝回収率
直近1年	6 − 4 − 5 − 4 / 19	31.6%	52.6%	78.9%	188%	150%

伊吹メモ

函館芝1200mの横山武史騎手は、集計期間中のトータルでも3着内率48.7%、複勝回収率101%。前走の4コーナー通過順が7番手以内だった馬に限ればより堅実で、2023年の該当馬は3着内率が78.9%に、複勝回収率が150%に達していました。

函館芝1200m・芝1800m

父がミッキーアイル × 出走頭数が12頭以上

3着内率	複勝回収率
45.5%	133%

着別度数	勝率	連対率	単勝回収率
6－4－5－18／33	18.2%	30.3%	176%

	着別度数	勝率	連対率	3着内率	単勝回収率	複勝回収率
直近1年	3－2－1－4／10	30.0%	50.0%	60.0%	479%	272%

伊吹メモ　函館芝のレースを使ったミッキーアイル産駒は、全コースを対象とした集計期間中のトータルでも3着内率32.7%、複勝回収率111%。いかにも向いていそうな函館芝1200mはもちろん、中長距離でもマークしておくに越したことはありません。

函館芝1200m・芝1800m・芝2000m

鞍上が佐々木大輔騎手 × 性が牝

3着内率	複勝回収率
51.4%	166%

着別度数	勝率	連対率	単勝回収率
10－7－2－18／37	27.0%	45.9%	129%

	着別度数	勝率	連対率	3着内率	単勝回収率	複勝回収率
直近1年	10－7－2－18／37	27.0%	45.9%	51.4%	129%	166%

伊吹メモ　函館芝1200～2000mの佐々木大輔騎手は、集計期間中のトータルでも3着内率36.2%、複勝回収率118%。ただし、このうち牡馬およびセン馬に騎乗したレースは3着内率9.5%、複勝回収率32%だったので、しばらくの間は扱いに注意しましょう。

函館芝1800m

ジョッキー マストバイデータ

鞍上が丹内祐次騎手

×

前走の4コーナー通過順が7番手以内

3着内率	複勝回収率
50.0%	183%

着別度数	勝率	連対率	単勝回収率
5 −11 − 1 −17 / 34	14.7%	47.1%	95%

	着別度数	勝率	連対率	3着内率	単勝回収率	複勝回収率
直近1年	2−3−1−7/13	15.4%	38.5%	46.2%	166%	118%

伊吹メモ 2023年7月9日の五稜郭S（3歳以上3勝クラス）では、単勝オッズ17.0倍（7番人気）のアケルナルスターを優勝に導き、好配当決着を演出。騎乗しているのが極端に先行力の低い馬でなければ、たとえ人気薄であっても積極的に狙って良さそうです。

函館芝1800m・芝2000m・芝2600m

血統 マストバイデータ

父がエピファネイア

×

枠番が2～8枠、かつ、
母の父がサンデーサイレンス系種牡馬

3着内率	複勝回収率
44.7%	167%

着別度数	勝率	連対率	単勝回収率
5 − 3 − 9 −21 / 38	13.2%	21.1%	74%

	着別度数	勝率	連対率	3着内率	単勝回収率	複勝回収率
直近1年	1−1−3−5/10	10.0%	20.0%	50.0%	91%	349%

伊吹メモ 集計期間中は1枠に入った馬、母の父にサンデーサイレンス系以外の種牡馬を持つ馬が苦戦していたものの、函館芝1800～2600mはエピファネイア産駒の得意条件。近走成績があまり良くない馬を含め、ひと通りマークしておくべきだと思います。

過去3年レース数 58
過去1年レース数 20

函館ダ1000m

血統偏差値

要注目種牡馬

種牡馬	3着内率	複勝回収率
父がドレフォン マストバイデータあり	➡P269	
父がキンシャサノキセキ 血統偏差値56.5	35.7%	187%
父がディスクリートキャット 血統偏差値54.8	33.3%	268%
父がサウスヴィグラス 血統偏差値53.0	30.8%	116%

ジョッキー偏差値

要注目騎手

騎手	3着内率	複勝回収率
鞍上が古川奈穂騎手 ジョッキー偏差値66.9	47.4%	179%
鞍上が泉谷楓真騎手 ジョッキー偏差値61.0	40.0%	184%
鞍上が団野大成騎手 ジョッキー偏差値57.3	35.7%	165%
鞍上が鷲頭虎太騎手 ジョッキー偏差値52.5	30.0%	150%

ストームキャット系種牡馬の扱いに注意したい

集計期間中の3着内数がもっとも多かった種牡馬はシニスターミニスター(9回)。ただし、複勝回収率は60%どまりでした。3着内数単独2位のサウスヴィグラス(8回)も現役の産駒が残り少なくなっていますし、他の血統をより高く評価するべきでしょう。

狙ってみたいのはストームキャット系種牡馬の産駒。父系全体でも3着内率が30・9%に、複勝回収率が100%に達していたうえ、ディスクリートキャットやドレフォンが血統偏差値ランキングの上位に食い込んでいます。もっとも、この父系の代表的な種牡馬であるヘニーヒューズは、3着内率も複勝回収率もかなり低め。なかなか珍しい傾向ですが、この夏もしっかり予想に活かしていきたいところです。

血統偏差値ランキング

当該コース

血統偏差値	騎手	好走率偏差値	回収率偏差値	着別度数	勝率	連対率	3着内率	単勝回収率	複勝回収率
57.2	ドレフォン	72.7	57.2	4－1－2－5／12	33.3%	41.7%	58.3%	335%	133%
56.5	キンシャサノキセキ	56.5	64.6	1－2－2－9／14	7.1%	21.4%	35.7%	70%	187%
54.8	ディスクリートキャット	54.8	75.9	2－3－1－12／18	11.1%	27.8%	33.3%	46%	268%
53.0	サウスヴィグラス	53.0	54.9	3－3－2－18／26	11.5%	23.1%	30.8%	30%	116%
52.5	アドマイヤムーン	60.8	52.5	0－4－1－7／12	0.0%	33.3%	41.7%	0%	100%
49.4	ロードカナロア	51.4	49.4	3－1－2－15／21	14.3%	19.0%	28.6%	43%	77%
47.1	シニスターミニスター	52.5	47.1	3－4－2－21／30	10.0%	23.3%	30.0%	76%	60%
46.3	ストロングリターン	47.5	46.3	0－2－1－10／13	0.0%	15.4%	23.1%	0%	54%
45.3	ミッキーアイル	51.4	45.3	1－2－1－10／14	7.1%	21.4%	28.6%	25%	47%
43.4	ダンカーク	47.5	43.4	1－2－0－10／13	7.7%	23.1%	23.1%	20%	33%
41.8	ヘニーヒューズ	43.3	41.8	3－1－1－24／29	10.3%	13.8%	17.2%	30%	22%
40.5	アジアエクスプレス	40.5	42.1	0－1－1－13／15	0.0%	6.7%	13.3%	0%	24%
36.9	モーリス	36.9	40.8	0－1－0－11／12	0.0%	8.3%	8.3%	0%	15%
31.0	ビッグアーサー	31.0	38.7	0－0－0－13／13	0.0%	0.0%	0.0%	0%	0%

ジョッキー偏差値ランキング

当該コース

ジョッキー偏差値	騎手	好走率偏差値	回収率偏差値	着別度数	勝率	連対率	3着内率	単勝回収率	複勝回収率
66.9	古川奈穂	67.2	66.9	4－5－0－10／19	21.1%	47.4%	47.4%	65%	179%
61.0	泉谷楓真	61.0	67.8	2－2－2－9／15	13.3%	26.7%	40.0%	30%	184%
57.3	団野大成	57.3	64.4	1－2－2－9／14	7.1%	21.4%	35.7%	43%	165%
52.5	鷲頭虎太	52.5	61.7	1－3－2－14／20	5.0%	20.0%	30.0%	101%	150%
51.8	黛弘人	51.8	70.3	0－3－4－17／24	0.0%	12.5%	29.2%	0%	197%
51.1	鮫島克駿	55.3	51.1	1－3－2－12／18	5.6%	22.2%	33.3%	7%	92%
51.1	横山武史	71.1	51.1	8－2－3－12／25	32.0%	40.0%	52.0%	134%	92%
48.7	角田大和	52.9	48.7	2－1－4－16／23	8.7%	13.0%	30.4%	51%	79%
48.2	秋山稔樹	48.3	48.2	2－2－3－21／28	7.1%	14.3%	25.0%	50%	76%
46.8	吉田隼人	50.6	46.8	2－2－1－13／18	11.1%	22.2%	27.8%	43%	68%
46.2	小林凌大	55.3	46.2	8－1－3－24／36	22.2%	25.0%	33.3%	84%	65%
45.4	丹内祐次	51.0	45.4	2－7－4－33／46	4.3%	19.6%	28.3%	33%	61%
45.1	佐々木大輔	58.3	45.1	5－0－2－12／19	26.3%	26.3%	36.8%	115%	59%
43.2	武豊	52.0	43.2	2－2－1－12／17	11.8%	23.5%	29.4%	60%	48%
41.3	横山琉人	42.5	41.3	1－3－2－27／33	3.0%	12.1%	18.2%	10%	38%

過去3年レース数 113
過去1年レース数 37

函館ダ1700m

血統偏差値

要注目種牡馬

父がドレフォン マストバイデータあり	➡P269
父がキングカメハメハ 血統偏差値72.1	3着内率 41.4% 複勝回収率 137%
父がシニスターミニスター 血統偏差値50.0	3着内率 30.8% 複勝回収率 81%

ジョッキー偏差値

要注目騎手

鞍上が鮫島克駿騎手 マストバイデータあり	➡P269
鞍上が藤岡佑介騎手 マストバイデータあり	➡P270
鞍上が横山和生騎手 マストバイデータあり	➡P270
鞍上が菱田裕二騎手 ジョッキー偏差値61.8	3着内率 37.2% 複勝回収率 110%

コース適性が高いジョッキーを狙っていきたい

種牡馬別の3着内数を見ると、ロードカナロア(18回)が頭ひとつ抜けたトップ。コース適性はそれなりに高いと見て良さそうですが、複勝回収率が69%しかないので、積極的に狙っていくべきかどうかは微妙なところです。

面白いのはドレフォン。23年に限れば3着内率36・4%、複勝回収率186%でしたから、これからさらに数字が上向いてくる可能性もあります。あとは3着内数が2位タイ(12回)だったシニスターミニスターあたりも、評価を下げる必要はないでしょう。

ジョッキー偏差値ランキングから強調しておきたいのは、鮫島克駿騎手、菱田裕二騎手、藤岡佑介騎手あたり。いずれも複勝回収率が100%を超えているうえ、好走率も優秀でした。

血統偏差値ランキング

当該コース

血統偏差値	騎手	好走率偏差値	回収率偏差値	着別度数	勝率	連対率	3着内率	単勝回収率	複勝回収率
72.1	キングカメハメハ	72.1	74.6	4－5－3－17／29	13.8%	31.0%	41.4%	57%	137%
56.9	ドレフォン	56.9	72.7	4－1－4－19／28	14.3%	17.9%	32.1%	246%	133%
50.0	シニスターミニスター	54.6	50.0	4－3－5－27／39	10.3%	17.9%	30.8%	40%	81%
49.5	キズナ	58.9	49.5	5－4－1－20／30	16.7%	30.0%	33.3%	123%	80%
48.2	ジャスタウェイ	58.9	48.2	4－4－3－22／33	12.1%	24.2%	33.3%	114%	76%
47.7	アジアエクスプレス	48.3	47.7	1－3－3－19／26	3.8%	15.4%	26.9%	16%	75%
47.7	マクフィ	65.7	47.7	3－2－4－15／24	12.5%	20.8%	37.5%	103%	75%
47.6	ヘニーヒューズ	47.6	54.0	3－3－3－25／34	8.8%	17.6%	26.5%	75%	90%
46.7	ハーツクライ	46.7	51.5	4－2－1－20／27	14.8%	22.2%	25.9%	128%	84%
45.2	リオンディーズ	45.2	62.7	2－2－4－24／32	6.3%	12.5%	25.0%	96%	110%
44.8	ロードカナロア	58.9	44.8	6－7－5－36／54	11.1%	24.1%	33.3%	36%	69%
44.2	ドゥラメンテ	49.4	44.2	4－2－2－21／29	13.8%	20.7%	27.6%	65%	67%
44.2	ホッコータルマエ	51.0	44.2	4－2－4－25／35	11.4%	17.1%	28.6%	72%	67%
43.9	マジェスティックウォリアー	43.9	50.6	3－3－2－25／33	9.1%	18.2%	24.2%	76%	82%
34.5	ルーラーシップ	34.5	47.7	2－3－5－44／54	3.7%	9.3%	18.5%	29%	75%

ジョッキー偏差値ランキング

当該コース

ジョッキー偏差値	騎手	好走率偏差値	回収率偏差値	着別度数	勝率	連対率	3着内率	単勝回収率	複勝回収率
64.5	鮫島克駿	64.5	67.6	5－9－4－27／45	11.1%	31.1%	40.0%	219%	126%
61.8	菱田裕二	61.8	62.2	5－7－4－27／43	11.6%	27.9%	37.2%	119%	110%
60.8	藤岡佑介	62.4	60.8	8－3－3－23／37	21.6%	29.7%	37.8%	177%	106%
56.4	斎藤新	63.9	56.4	4－4－5－20／33	12.1%	24.2%	39.4%	136%	93%
56.1	横山和生	59.1	56.1	9－8－6－44／67	13.4%	25.4%	34.3%	113%	92%
54.3	武豊	57.4	54.3	4－4－6－29／43	9.3%	18.6%	32.6%	32%	86%
54.1	佐々木大輔	63.2	54.1	3－3－6－19／31	9.7%	19.4%	38.7%	51%	86%
52.3	吉田隼人	64.1	52.3	9－7－5－32／53	17.0%	30.2%	39.6%	75%	81%
51.7	丹内祐次	54.1	51.7	0－12－11－56／79	0.0%	15.2%	29.1%	0%	79%
51.5	横山武史	61.9	51.5	13－6－3－37／59	22.0%	32.2%	37.3%	101%	78%
50.2	岩田康誠	50.2	52.2	2－3－6－33／44	4.5%	11.4%	25.0%	36%	80%
50.2	団野大成	52.7	50.2	1－5－2－21／29	3.4%	20.7%	27.6%	24%	74%
46.4	泉谷楓真	46.4	59.4	3－3－2－30／38	7.9%	15.8%	21.1%	251%	102%
44.4	角田大和	44.9	44.4	4－1－2－29／36	11.1%	13.9%	19.4%	80%	57%
42.5	池添謙一	47.1	42.5	2－5－3－36／46	4.3%	15.2%	21.7%	13%	52%

過去3年レース数	6	過去1年レース数	2

函館ダ2400m

血統偏差値ランキング 当該コース

血統偏差値	種牡馬	好走率偏差値	回収率偏差値	着別度数	勝率	連対率	3着内率	単勝回収率	複勝回収率
63.7	ホッコータルマエ	70.9	63.7	0－0－2－0／2	0.0%	0.0%	100.0%	0%	185%
55.7	キングカメハメハ	55.7	71.1	0－1－0－1／2	0.0%	50.0%	50.0%	0%	245%
55.4	マジェスティックウォリアー	55.7	55.4	1－1－0－2／4	25.0%	50.0%	50.0%	140%	117%
55.3	ドゥラメンテ	60.8	55.3	1－0－1－1／3	33.3%	33.3%	66.7%	110%	116%
50.8	キズナ	55.7	50.8	1－0－0－1／2	50.0%	50.0%	50.0%	115%	80%
48.2	モーリス	48.2	48.7	1－0－0－3／4	25.0%	25.0%	25.0%	175%	62%
40.6	オルフェーヴル	40.6	41.0	0－0－0－3／3	0.0%	0.0%	0.0%	0%	0%
40.6	ハーツクライ	40.6	41.0	0－0－0－3／3	0.0%	0.0%	0.0%	0%	0%
40.6	バゴ	40.6	41.0	0－0－0－2／2	0.0%	0.0%	0.0%	0%	0%
40.6	フェノーメノ	40.6	41.0	0－0－0－2／2	0.0%	0.0%	0.0%	0%	0%

ジョッキー偏差値ランキング 当該コース

ジョッキー偏差値	騎手	好走率偏差値	回収率偏差値	着別度数	勝率	連対率	3着内率	単勝回収率	複勝回収率
64.6	小沢大仁	64.6	67.3	0－2－0－1／3	0.0%	66.7%	66.7%	0%	263%
58.1	秋山稔樹	58.1	65.4	0－1－0－1／2	0.0%	50.0%	50.0%	0%	245%
58.1	坂井瑠星	58.1	72.0	1－0－0－1／2	50.0%	50.0%	50.0%	1165%	310%
51.7	岩田康誠	51.7	58.9	0－1－0－2／3	0.0%	33.3%	33.3%	0%	180%
51.6	丹内祐次	58.1	51.6	2－0－0－2／4	50.0%	50.0%	50.0%	315%	107%
51.4	古川奈穂	58.1	51.4	0－0－1－1／2	0.0%	0.0%	50.0%	0%	105%
50.4	角田大和	58.1	50.4	0－0－1－1／2	0.0%	0.0%	50.0%	0%	95%
49.4	C.ルメール	58.1	49.4	0－0－1－1／2	0.0%	0.0%	50.0%	0%	85%
48.8	吉田隼人	51.7	48.8	0－1－0－2／3	0.0%	33.3%	33.3%	0%	80%
47.8	古川吉洋	58.1	47.8	1－0－0－1／2	50.0%	50.0%	50.0%	165%	70%

キングカメハメハ系種牡馬の産駒は今後も楽しみ

集計期間中に3着以内となった回数が2回以上ある種牡馬は、ドゥラメンテ、ホッコータルマエ、マジェスティックウォリアー。いずれも異なる複数の産駒が馬券に絡んでいましたし、コース適性は高いと見て良いのではないでしょうか。この夏以降も名前を見かけたらマークしておきたいところです。

なお、このうちドゥラメンテとホッコータルマエは、キングカメハメハ系種牡馬の産駒。キングカメハメハ直仔が波乱を演出した例も集計期間中にありましたから、単純に父系全体として相性が良い可能性もあります。

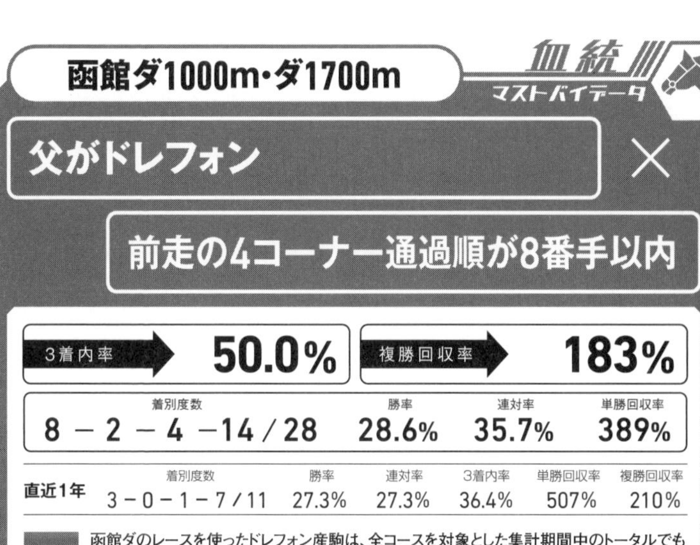

函館ダ1000m・ダ1700m

血統 マストバイデータ

父がドレフォン × 前走の4コーナー通過順が8番手以内

3着内率	複勝回収率
50.0%	183%

着別度数	勝率	連対率	単勝回収率
8－2－4－14／28	28.6%	35.7%	389%

	着別度数	勝率	連対率	3着内率	単勝回収率	複勝回収率
直近1年	3－0－1－7／11	27.3%	27.3%	36.4%	507%	210%

伊吹メモ　函館ダのレースを使ったドレフォン産駒は、全コースを対象とした集計期間中のトータルでも3着内率40.0%、複勝回収率133%。序盤から置かれてしまうような馬はさすがに苦戦していましたが、そうでない馬は人気薄であっても侮れません。

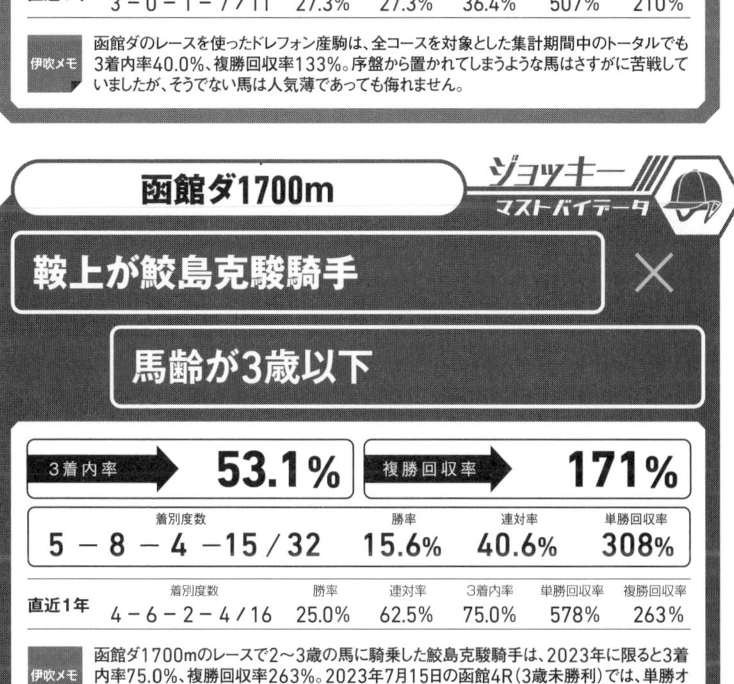

函館ダ1700m

ジョッキー マストバイデータ

鞍上が鮫島克駿騎手 × 馬齢が3歳以下

3着内率	複勝回収率
53.1%	171%

着別度数	勝率	連対率	単勝回収率
5－8－4－15／32	15.6%	40.6%	308%

	着別度数	勝率	連対率	3着内率	単勝回収率	複勝回収率
直近1年	4－6－2－4／16	25.0%	62.5%	75.0%	578%	263%

伊吹メモ　函館ダ1700mのレースで2～3歳の馬に騎乗した鮫島克駿騎手は、2023年に限ると3着内率75.0%、複勝回収率263%。2023年7月15日の函館4R（3歳未勝利）では、単勝オッズ66.0倍（10番人気）のブリスキーを優勝に導いて高額配当決着を演出しました。

函館ダ1700m

鞍上が藤岡佑介騎手

出走頭数が13頭以上

3着内率	複勝回収率
43.3%	125%

着別度数	勝率	連対率	単勝回収率
7－3－3－17/30	23.3%	33.3%	196%

	着別度数	勝率	連対率	3着内率	単勝回収率	複勝回収率
直近1年	4－1－0－7/12	33.3%	41.7%	41.7%	171%	106%

伊吹メモ 単勝オッズ23.7倍（8番人気）のセキフウとタッグを組んだ2023年6月25日の大沼S（3歳以上オープン）で2着に健闘。少頭数のレースであまり上位に食い込めなかったのはたまたまだと思いますし、このコースで見かけたら必ずマークしておきましょう。

函館ダ1700m

鞍上が横山和生騎手

枠番が5～8枠、かつ、出走頭数が13頭以上

3着内率	複勝回収率
45.2%	134%

着別度数	勝率	連対率	単勝回収率
6－4－4－17/31	19.4%	32.3%	156%

	着別度数	勝率	連対率	3着内率	単勝回収率	複勝回収率
直近1年	1－1－2－2/6	16.7%	33.3%	66.7%	325%	256%

伊吹メモ 函館ダ1700mの横山和生騎手は、集計期間中のトータルでも3着内率34.3%、複勝回収率92%。ただし、5～8枠を引いたレースが3着内率38.5%、複勝回収率110%だったのに対し、1～4枠に入ったレースは3着内率が28.6%、複勝回収率が67%どまりです。

血統&ジョッキー偏差値 2024-2025

〜儲かる種牡馬&騎手ランキング〜

伊吹雅也

1979年生まれ。JRA公式ウェブサイトの『JRAホームページ』内「今週の注目レース」で“データ分析”のコーナーを担当しているほか、『グリーンチャンネル』『netkeiba.com』『ウマニティ』など、さまざまなメディアで活躍中の競馬評論家。的確でわかりやすいデータ分析に定評がある。雑誌『競馬王』での連載のほか、『ウルトラ回収率2024-2025』(小社刊)の監修もつとめる。埼玉県桶川市在住。早稲田大学第一文学部卒。

Xアカウント
@ibukimasaya(https://twitter.com/ibukimasaya)

血統&ジョッキー偏差値 2024-2025
~儲かる種牡馬・騎手ランキング~

2024年4月10日初版第1刷発行

著　者　伊吹雅也
発行者　吉良誠二
写　真　橋本健
装　丁　雨奥崇訓
印刷・製本　株式会社 暁印刷
発行所　株式会社 ガイドワークス
編集部　〒171-8570　東京都豊島区高田3-10-12　03-6311-7956
営業部　〒171-0033　東京都豊島区高田3-10-12　03-6311-7777
URL　http://guideworks.co.jp